Pingüino emperador

¿Sabías que...?

- Los pingüinos son aves marinas no voladoras.

- El pingüino emperador es el más grande de los pingüinos, que llega a medir 4 pies de altura.

- Los pingüinos son excelentes nadadores y usan sus alas como remos.

- La gruesa capa de grasa del pingüino le permite aislar su cuerpo de las frías aguas del Antártico.

CALIFORNIA

Ciencias

Macmillan
McGraw-Hill

Program Authors

Dr. Jay K. Hackett
Professor Emeritus of Earth Sciences
University of Northern Colorado

Dr. Richard H. Moyer
Professor of Science Education and Natural
  Sciences
University of Michigan–Dearborn

Dr. JoAnne Vasquez
Elementary Science Education Consultant
NSTA Past President
Member, National Science Board
  and NASA Education Board

Mulugheta Teferi, M.A.
Principal, Gateway Middle School
St. Louis Public Schools
St. Louis, MO

Dinah Zike, M.Ed.
Dinah Might Adventures LP
San Antonio, TX

Kathryn LeRoy, M.S.
Executive Director
Division of Mathematics and Science Education
Miami-Dade County Public Schools, FL

Dr. Dorothy J. T. Terman
Science Curriculum Development Consultant
Former K–12 Science and Mathematics Coordinator
Irvine Unified School District, CA

Dr. Gerald F. Wheeler
Executive Director
National Science Teachers Association

Bank Street College of Education
New York, NY

Contributing Authors

Dr. Sally Ride
Sally Ride Science
San Diego, CA

Lucille Villegas Barrera, M.Ed.
Elementary Science Supervisor
Houston Independent School District
Houston, TX

Dr. Stephen F. Cunha
Professor of Geography
Humboldt State University
Arcata, CA

**American Museum
of Natural History**
New York, NY

Contributing Writer

Ellen Grace
Albuquerque, NM

 The American Museum of Natural History in New York City is one of the world's preeminent scientific, educational, and cultural institutions, with a global mission to explore and interpret human cultures and the natural world through scientific research, education, and exhibitions. Each year the Museum welcomes around four million visitors, including 500,000 schoolchildren in organized field trips. It provides professional development activities for thousands of teachers; hundreds of public programs that serve audiences ranging from preschoolers to seniors; and an array of learning and teaching resources for use in homes, schools, and community-based settings. Visit www.amnh.org for online resources.

learning through listening

Students with print disabilities may be eligible to obtain an accessible, audio version of the pupil edition of this textbook. Please call Recording for the Blind & Dyslexic at 1-800-221-4792 for complete information.

A

The McGraw·Hill Companies

Macmillan McGraw-Hill

Published by Macmillan/McGraw-Hill, of McGraw-Hill Education, a division of The McGraw-Hill Companies, Inc., Two Penn Plaza, New York, New York 10121.

Science Content Standards for California Public Schools reproduced by permission, California Department of Education, CDE Press, 1430 N Street, Suite 3207, Sacramento, CA 95814.

FOLDABLES is a trademark of The McGraw-Hill Companies, Inc.

Printed in the United States of America

ISBN-13: 978-0-02-285459-1

ISBN-10: 0-02-285459-2

2 3 4 5 6 7 8 9 (027/055) 10 09 08 07

Método científico

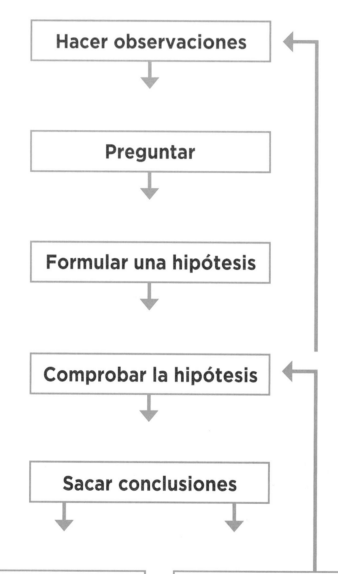

Hacer observaciones

Preguntar

Formular una hipótesis

Comprobar la hipótesis

Sacar conclusiones

Los resultados confirman la hipótesis

Los resultados no confirman la hipótesis

Acércate a las Ciencias

Los estudiantes usan instrumentos para medir y anotar datos. ▶

Ciencias Naturales

Los castores usan ramas para construir presas y madrigueras en el agua. ▶

Ciencias de la Tierra

◄ **Durante el verano, las temperaturas son más cálidas y hay más horas de luz en el día.**

▼ Los cuatro planetas internos son más cálidos que los
otros planetas porque están más cerca del Sol.

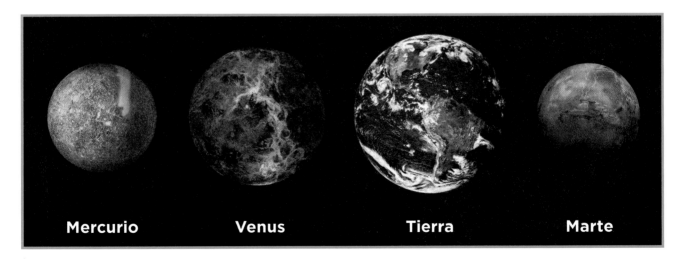

Mercurio   Venus   Tierra   Marte

Ciencias Físicas

◄ Cuando una
montaña rusa está
en la cúspide de la vía,
tiene energía
almacenada.

Actividades

Ciencias Naturales

Ciencias de la Tierra

**Las gotas de
agua actúan
como lentes.** ▶

Actividades

Ciencias Físicas

Referencia

Sugerencias de seguridad

En el salón de clases

- Lee todas las instrucciones. Asegúrate de entenderlas. Cuando veas △ **¡Ten cuidado!,** sigue las reglas de seguridad.

- Escucha las instrucciones especiales de seguridad que diga tu maestra. Si no entiendes algo, pide ayuda.

- Lávate las manos con jabón y agua antes de una actividad.

- Ten cuidado con los calentadores portátiles. Fíjate si están encendidos o apagados. Recuerda que permanecen calientes por unos minutos después de haberlos apagado.

- Usa un delantal de seguridad si trabajas con sustancias que puedan manchar tu ropa o que puedan derramarse.

- Limpia de inmediato cuando algo se derrame, o pide ayuda a tu maestra.

- Si algo se rompe, avísale a tu maestra. Si se rompe un objeto de vidrio, no lo recojas tú mismo.

- Usa gafas de seguridad cuando tu maestra lo indique. Úsalas cuando trabajes con sustancias que puedan salpicarte en los ojos o cuando trabajes con líquidos.

- Mantén lejos del fuego tu cabello y tu ropa. Átate el cabello y dobla las mangas largas.

- Mantén las manos secas cuando uses equipos eléctricos.

- No comas ni bebas durante un experimento.

- Regresa el equipo a su lugar como lo indique tu maestra.

- Deja los desechos en la basura como lo indique tu maestra.

- Limpia tu área de trabajo después de una actividad y lávate las manos con agua y jabón.

En el campo

- Ve con un adulto de confianza como tu maestra, tus padres o tu tutor.

- No toques los animales o las plantas sin la aprobación de un adulto. El animal podría morderte. La planta podría ser hiedra venenosa u otra planta peligrosa.

Responsabilidad

- Trata con respeto a los seres vivos, al medioambiente y a las demás personas.

Acércate a las Ciencias

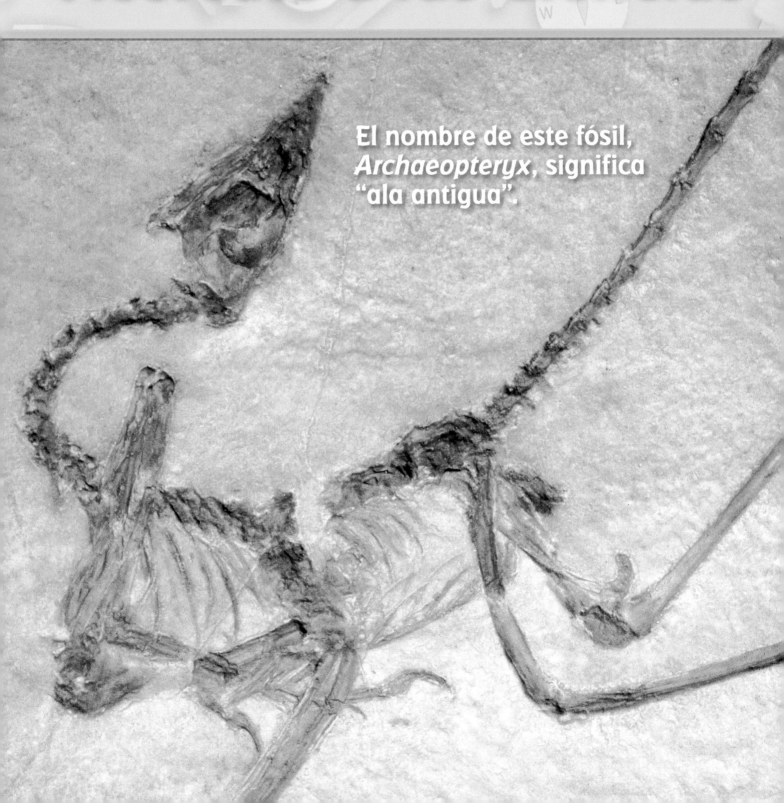

El nombre de este fósil, *Archaeopteryx*, significa "ala antigua".

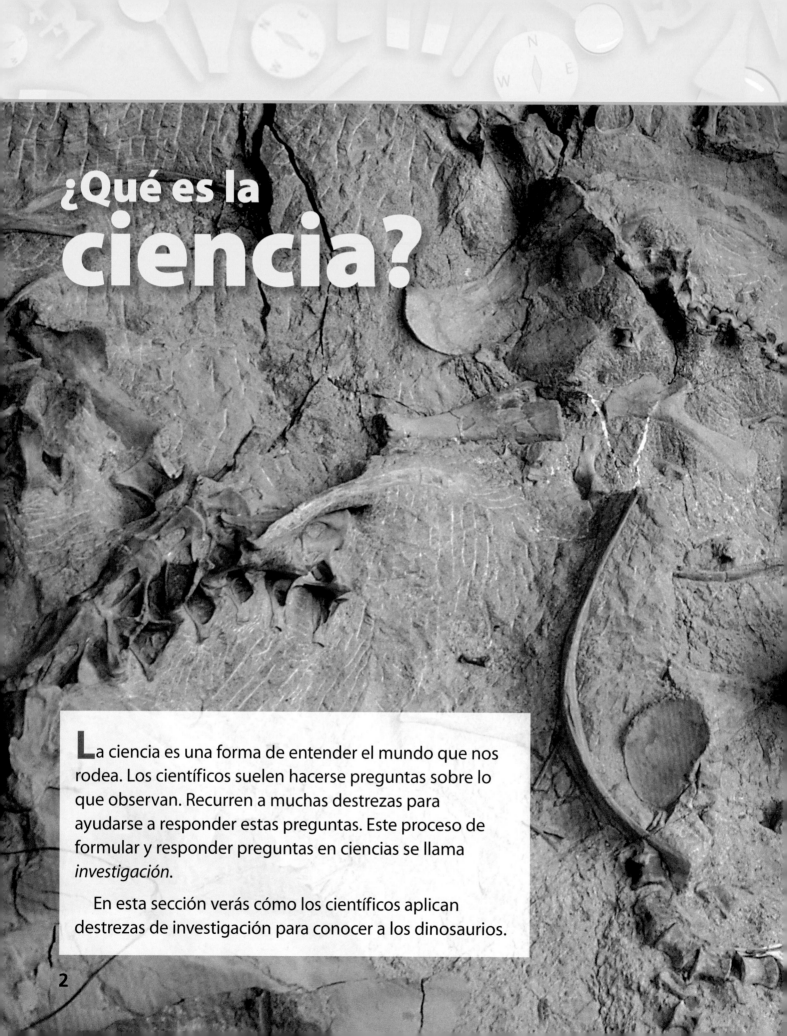

¿Qué es la ciencia?

La ciencia es una forma de entender el mundo que nos rodea. Los científicos suelen hacerse preguntas sobre lo que observan. Recurren a muchas destrezas para ayudarse a responder estas preguntas. Este proceso de formular y responder preguntas en ciencias se llama *investigación*.

En esta sección verás cómo los científicos aplican destrezas de investigación para conocer a los dinosaurios.

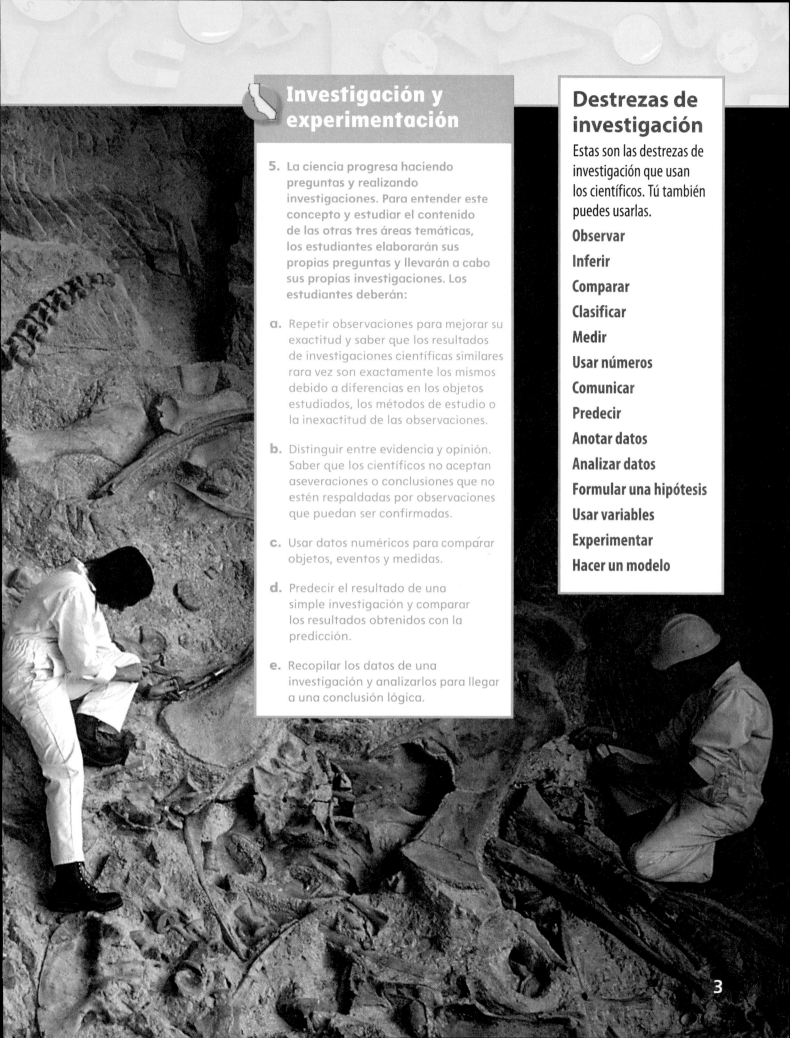

Investigación y experimentación

5. La ciencia progresa haciendo preguntas y realizando investigaciones. Para entender este concepto y estudiar el contenido de las otras tres áreas temáticas, los estudiantes elaborarán sus propias preguntas y llevarán a cabo sus propias investigaciones. Los estudiantes deberán:

a. Repetir observaciones para mejorar su exactitud y saber que los resultados de investigaciones científicas similares rara vez son exactamente los mismos debido a diferencias en los objetos estudiados, los métodos de estudio o la inexactitud de las observaciones.

b. Distinguir entre evidencia y opinión. Saber que los científicos no aceptan aseveraciones o conclusiones que no estén respaldadas por observaciones que puedan ser confirmadas.

c. Usar datos numéricos para compárar objetos, eventos y medidas.

d. Predecir el resultado de una simple investigación y comparar los resultados obtenidos con la predicción.

e. Recopilar los datos de una investigación y analizarlos para llegar a una conclusión lógica.

Destrezas de investigación

Estas son las destrezas de investigación que usan los científicos. Tú también puedes usarlas.

Observar

Inferir

Comparar

Clasificar

Medir

Usar números

Comunicar

Predecir

Anotar datos

Analizar datos

Formular una hipótesis

Usar variables

Experimentar

Hacer un modelo

3

¿Eres una persona observadora? Podrías asomarte por la ventana para ver si está lloviendo. Quizá incluso escuches la lluvia en la ventana. Haces observaciones durante todo el día. Las observaciones sobre el mundo que nos rodea suelen provocar preguntas.

El diagrama de esta página muestra los procesos que los científicos usan para dar respuesta a las preguntas. Muchos lo llaman "método científico". Los científicos no siempre usan todos los pasos. Quizá no los usen en el mismo orden.

Observación

Pregunta

Hipótesis

Experimentación

Conclusión

Los resultados confirman la hipótesis

Los resultados no confirman la hipótesis

Destrezas de investigación

Cuando observas, aplicas estas destrezas.

Observar Usas tus sentidos para conocer un objeto o un suceso.

Clasificar Agrupas cosas según las propiedades que tienen en común.

Medir Buscas el tamaño, distancia, tiempo, volumen, área, masa, peso o temperatura de un objeto o un suceso.

Los científicos son personas curiosas que observan el mundo que los rodea y tratan de comprenderlo. Observar significa usar los sentidos para conocer algo. Los científicos se hacen preguntas sobre las cosas que observan. También tú puedes hacerlo. Tú eres un científico cuando haces preguntas sobre las cosas que puedes ver, oler, oír, probar o sentir.

Los científicos de esta fotografía están estudiando huellas de dinosaurio. ¿Qué pueden aprender los científicos sobre los dinosaurios al observar sus huellas?

¿Te preguntas "¿por qué?" cuando las cosas te provocan curiosidad? El trabajo de los científicos suele comenzar con preguntas sin respuesta. Los científicos luego sugieren una posible respuesta que puede comprobarse con un experimento. Esto se conoce como *formular una hipótesis*. Una buena hipótesis debe

▶ basarse en lo que observas.
▶ ser comprobable con un experimento.
▶ ser útil para predecir nuevos descubrimientos.

¿Cuál de estos dinosaurios era carnívoro y cuál herbívoro? Formula una hipótesis para responder a la pregunta.

6

Una hipótesis científica debe ser comprobable. Eso significa que debes ser capaz de comprobar o refutar tu hipótesis con experimentos. Cuando experimentas haces una actividad práctica para comprobar una idea.

Los científicos suelen investigar antes de experimentar. Buscan en libros, revistas científicas o en Internet recursos de información que otros científicos han descubierto. Los científicos saben también que no pueden basarse en la opinión o afirmación de alguien a menos que esté respaldada por observaciones.

Destrezas de investigación

Cuando haces preguntas y formulas hipótesis estás aplicando estas destrezas.

Inferir Formas ideas a partir de hechos u observaciones.

Formular una hipótesis Propones una explicación que debe ser comprobada para responder una pregunta.

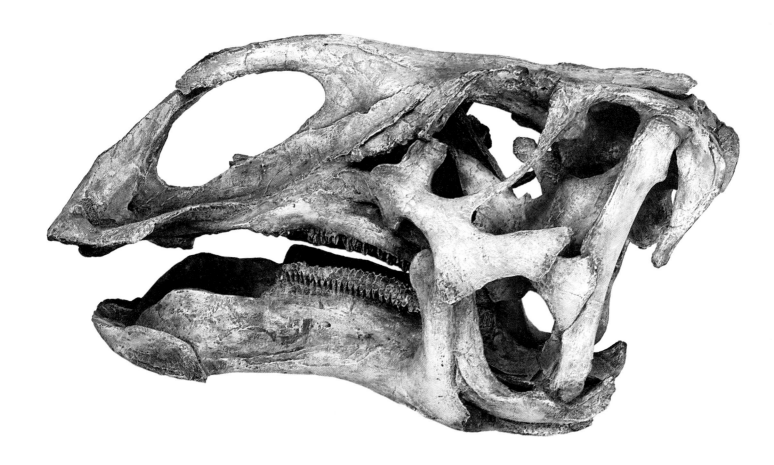

3.IE.5.b. Distinguir entre evidencia y opinión. Saber que los científicos no aceptan aseveraciones o conclusiones que no estén respaldadas por observaciones que puedan ser confirmadas.

Es momento de comprobar tu hipótesis con un experimento. En los experimentos cambias una variable para ver qué sucede con otra variable. Por ejemplo, podrías hacer un modelo para saber cómo afecta el tipo de suelo la forma de la huella de un dinosaurio. ¿Qué pasaría si cambiaras el tipo de suelo y el tamaño del dinosaurio?

Los experimentos, además, deben poder repetirse. Esto permite a los científicos evaluar y comparar el trabajo con sus colegas, así como ¡comprobar su propio trabajo! Así que un buen experimento debe:

▸ cambiar sólo una variable a la vez.
▸ poder repetirse.

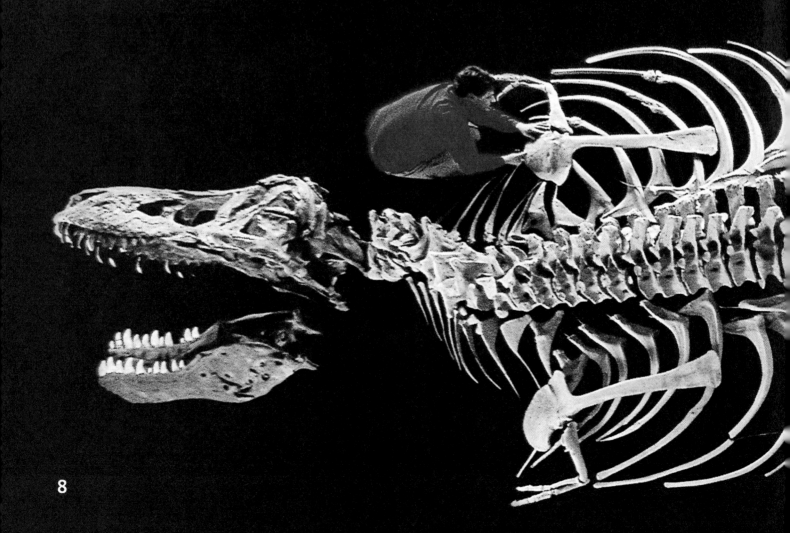

Antes de comprobar una hipótesis, debes tener un plan. Cuando los científicos hacen un plan, piensan en las variables que desean comprobar. Una variable es algo que se puede cambiar o controlar. Es importante cambiar o controlar sólo una variable a la vez y mantener igual todas las demás partes del experimento. De ese modo sabrás qué causó los resultados.

Después de determinar las variables, los científicos deciden qué materiales necesitarán. Luego escriben un procedimiento. Un procedimiento es una serie de pasos numerados que dicen qué hacer primero, después y por último.

Después de que los científicos desarrollan su procedimiento, predicen lo que ocurrirá al hacerlo. Predecir significa decir lo que piensas que pasará.

Destrezas de investigación

Cuando experimentas aplicas estas destrezas.

Experimentar Haces pruebas para comprobar o refutar una hipótesis.

Usar variables Identificas en un experimento cosas que puedes cambiar o controlar.

Predecir Expones los posibles resultados de un suceso o experimento.

Hacer un modelo Representas las características principales de un suceso o un objeto.

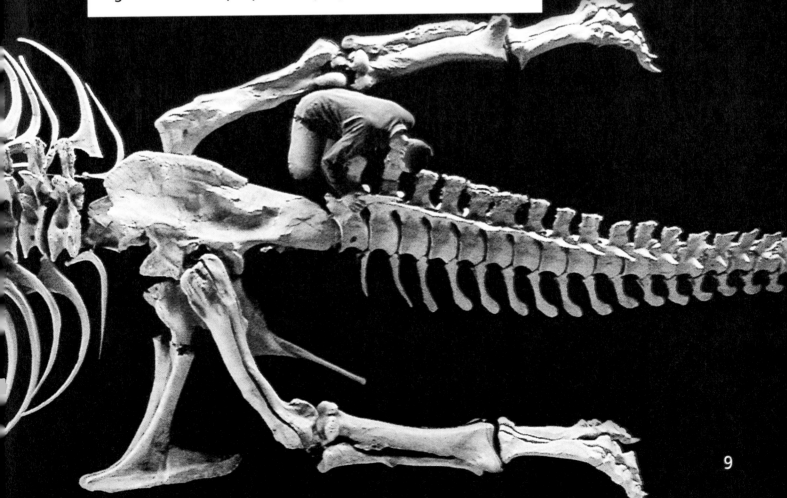

9

¿Qué es parte importante de un experimento científico? ¡Recolectar y anotar buenos datos! Los datos que se recolectan se pueden explicar o interpretar. Para recolectar e interpretar datos a menudo es necesario trabajar con números.

Esta científica medirá y escribirá la longitud y peso del fósil de dinosaurio que está estudiando.

Cuando los científicos siguen su procedimiento, hacen observaciones y anotan datos. Los datos son información. Las mediciones son un tipo de datos. Los científicos usan las mediciones siempre que pueden para describir objetos y sucesos. Los científicos miden cosas como longitud, volumen, masa, temperatura y tiempo.

Los científicos repiten su procedimiento varias veces. Esto les ayuda a saber si sus resultados son correctos. Suelen comparar sus resultados con los de otros científicos. Otros científicos repetirán el procedimiento para ver si obtienen los mismos resultados.

Destrezas de investigación

Cuando recolectas e interpretas datos aplicas estas destrezas.

Usar números Ordenas, cuentas, sumas, restas, multiplicas y divides para explicar datos.

Medir Encuentras tamaño, distancia, tiempo, volumen, área, masa, peso o temperatura de un objeto o suceso.

Anotar datos Dispones y almacenas de manera precisa información recopilada en investigaciones científicas.

Analizar datos Usas la información que se ha recopilado para responder preguntas o solucionar un problema.

Ya recolectaste e interpretaste datos. ¿Ahora qué? Es el momento de sacar una conclusión. Una conclusión señala si los datos confirman tu hipótesis. ¿Pero qué sucede si los datos no confirman tu hipótesis? Quizá se necesiten experimentos diferentes. Tal vez surja una nueva pregunta.

Los científicos también comparten sus descubrimientos con otros. Esto les permite a los científicos de todo el mundo mantenerse informados. Y les permite comprobar el trabajo de los demás.

Los científicos también difunden al público lo que han descubierto. ¿Alguna vez has estado en un museo que exhiba dinosaurios fósiles como éste?

Los científicos organizan y analizan sus datos para ver si los resultados comprueban o refutan sus hipótesis. Determinan si su predicción coincidió con sus resultados. Sacan conclusiones y tratan de explicar sus resultados. Cuando sacas conclusiones interpretas observaciones para responder preguntas.

En ocasiones los resultados de un experimento llevan a nuevas preguntas. Estas preguntas pueden usarse para formular nuevas hipótesis y hacer nuevas pruebas. Todo el proceso comienza de nuevo. Este proceso de hacer preguntas y responderlas se llama método científico.

Destrezas de investigación

Aplicas esta destreza cuando sacas conclusiones y comunicas resultados.

Comunicar Compartes información.

Formulación de una hipótesis

Ahora es tu turno de ser un científico o científica y diseñar un buen experimento.

La mayoría de los experimentos científicos comienza con una pregunta sin respuesta. Los estudiantes se preguntaban cómo las huellas de un dinosaurio podrían mostrar que tan grande había sido el animal. Esta era su pregunta:

Pregunta

- ¿Afecta el largo de tu pierna la distancia entre tus pasos?

Los estudiantes convirtieron la pregunta en una afirmación que puede comprobarse. Esto se llama hipótesis. Una hipótesis es una afirmación del tipo "si… entonces…"

Hipótesis

Si la pierna es más larga, entonces la distancia entre los pasos será mayor.

Definición de variables

Haz un plan para comprobar la hipótesis.

El primer paso es identificar qué se está comprobando y qué no se está comprobando. Estas son tus *variables*.

No se están comprobando las variables controladas. Estas variables no cambian durante un experimento.

En este experimento las variables controladas serán:

- La velocidad al andar de cada estudiante al que se aplica la prueba
- El lugar de la prueba
- El punto inicial de la prueba

Lo único que cambiará es el factor que estás probando. Esta es la variable independiente. Tus variables independientes serán la longitud de la pierna de cada estudiante. La variable dependiente es lo que estás midiendo. En este experimento la variable dependiente es la distancia entre los pasos.

Diseño de un experimento

Diseña un experimento para comprobar la hipótesis. A continuación se incluye un experimento que un grupo de estudiantes diseñó para comprobar esta hipótesis.

Procedimiento

1. Elige a tres compañeros que tengan piernas de distintos largos. Mide la longitud desde la cintura hasta el piso. Anota la longitud de cada pierna.

2. Predice qué estudiante tendrá el paso más largo.

3. Mide un pedazo de 3 metros de papel para envolver. En un extremo del papel marca una línea de SALIDA.

4. Pide a tus compañeros que den 3 pasos normales desde la línea de SALIDA. Mide cada paso de talón a talón. Anota tus mediciones en una tabla de datos.

5. Repite el experimento para verificar tus resultados.

6. ¿Fue correcta tu predicción?

Tabla de datos

Estudiante	Longitud de la pierna (cm)	Longitud de la pisada (cm)
Isabel	45	30
Sue	52	49
José	50	42

Análisis de datos

Para divulgar los resultados de un experimento, los datos deben presentarse de manera clara. Estos estudiantes usaron la tabla de datos para hacer una gráfica de barras que muestra cómo la longitud de la pierna se relaciona con la longitud del paso.

¿Esta gráfica ayuda a los demás a entender los resultados del experimento? ¿Por qué es importante repetir los experimentos?

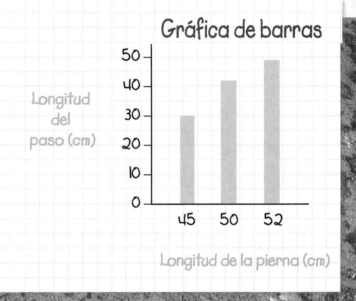

Gráfica de barras

Longitud del paso (cm)

Longitud de la pierna (cm)

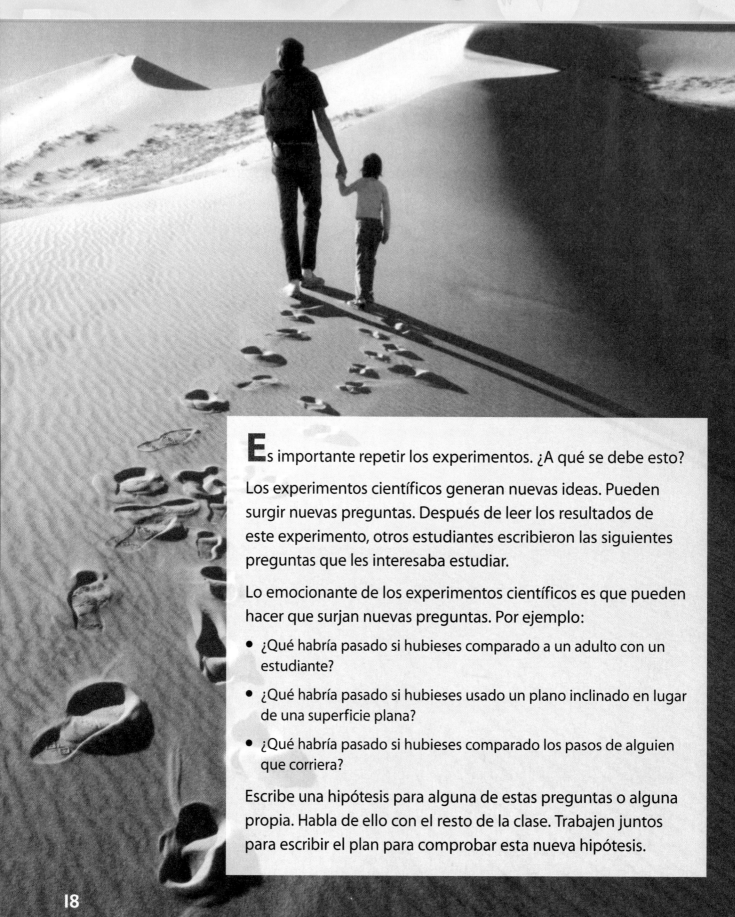

Es importante repetir los experimentos. ¿A qué se debe esto?

Los experimentos científicos generan nuevas ideas. Pueden surgir nuevas preguntas. Después de leer los resultados de este experimento, otros estudiantes escribieron las siguientes preguntas que les interesaba estudiar.

Lo emocionante de los experimentos científicos es que pueden hacer que surjan nuevas preguntas. Por ejemplo:

- ¿Qué habría pasado si hubieses comparado a un adulto con un estudiante?

- ¿Qué habría pasado si hubieses usado un plano inclinado en lugar de una superficie plana?

- ¿Qué habría pasado si hubieses comparado los pasos de alguien que corriera?

Escribe una hipótesis para alguna de estas preguntas o alguna propia. Habla de ello con el resto de la clase. Trabajen juntos para escribir el plan para comprobar esta nueva hipótesis.

Ciencias Naturales

No te saldrán verrugas si tocas una rana.

Las adaptaciones en medioambientes terrestres

⭐ ¿Qué son las adaptaciones y para qué les sirven a los seres vivos?

 3 LS 3. Las adaptaciones en la estructura física o el comportamiento pueden aumentar la supervivencia de los organismos.

Literatura
Poema

ELA R 3.2.3.
Demuestran comprensión del texto identificando las respuestas en el mismo.
ELA W 3.1.1. Escriben párrafos simples donde: **a.** Desarrollan una oración sencilla que exprese el tema, **b.** Incluyen hechos y detalles sencillos de apoyo.

secuoyas gigantes

Secuoyas GIGANTES

Francisco X. Alarcón

Éstos son los ta-ta-
ta-tarabuelos
de la Sierra Nevada

sus cicatrices recuerdan
las tormentas e incendios
que han sobrevivido

cada año sin falta
a sus enormes troncos
les sale otro anillo

grueso en un año
de lluvias abundantes
delgado en uno seco

toda mi familia tiene
que tomarse de la mano
para poder abrazar

al árbol más alto
y de más edad
de esta arboleda

¡A escribir!

Respuesta a la literatura Este poema nos dice que los árboles llamados secuoyas sobreviven incendios forestales. ¿Qué más has aprendido en este poema? Escribe un párrafo sobre las secuoyas. Piensa en lo que sabes sobre los árboles y usa detalles del poema.

CONÉCTATE ⊜**-Diario** Escribe en www.macmillanmh.com

Los seres vivos y sus necesidades

Observa y pregúntate

Podemos encontrar seres vivos en toda la Tierra. ¿Cómo obtienen los seres vivos lo que necesitan para sobrevivir?

Lección base para 3 LS 3.a. Saber que las plantas y los animales tienen estructuras que tienen diversas funciones en el crecimiento, la supervivencia y la reproducción. **3 LS 3.b.** Conocer ejemplos de diversas formas de vida en diferentes tipos de medio ambiente, como océano, desierto, tundra, bosque, pradera y pantano.

¿Qué necesitan las plantas para vivir?

Formular una hipótesis

¿Las plantas necesitan luz? ¿Necesitan agua? Escribe una hipótesis.

Comprobar la hipótesis

1. Rotula cuatro plantas iguales como se muestra.

Con luz y con agua	Con luz y sin agua
Sin luz y con agua	Sin luz y sin agua

2. **Observa** ¿Qué aspecto tienen las plantas? Escribe tus observaciones en una tabla.

3. Coloca las plantas con el rótulo *Sin luz* en un lugar oscuro. Coloca las plantas con el rótulo *Con luz* en un lugar soleado. Riega las plantas con el rótulo *Con agua* cada dos o tres días.

4. **Predice** ¿Qué crees que le sucederá a cada planta?

5. **Anota los datos** Observa las plantas todos los días. Anota tus observaciones en la tabla.

Materiales

4 plantas iguales

taza de medir y agua

Paso 2 Plantas	Día 1	Día 4	Día 8	Día 12
Con luz y con agua				
Con luz y sin agua				
Sin luz y con agua				
Sin luz y sin agua				

Sacar conclusiones

6. **Analiza los datos** Después de dos semanas, ¿Cuál planta creció más? ¿Cuál planta se ve más saludable?

7. ¿Qué necesitan las plantas para vivir?

Explorar más

Experimenta ¿Qué más necesitan las plantas para vivir? ¿Cómo podrías averiguarlo? Haz un plan y ponlo en práctica.

3 IE 5.e. Recopilar los datos de una investigación y analizarlos para llegar a una conclusión lógica.

Leer y aprender

Idea principal
3 LS 3.a
3 LS 3.b

Los seres vivos obtienen lo que necesitan de su medioambiente.

Vocabulario

medioambiente, pág. 26

bioma, pág. 26

clima, pág. 27

suelo, pág. 27

humus, pág. 27

estructura, pág. 29

refugio, pág. 30

adaptación, pág. 32

Destreza de lectura

Saca conclusiones

Pistas del texto	Conclusiones

Tecnología

BÚSQUEDA CIENTÍFICA   Explora los biomas.

Los desiertos son biomas que tienen climas secos y suelo arenoso. Los desiertos pueden ser cálidos o fríos.

¿Dónde viven los seres vivos?

Mira afuera. ¿Ves algún ser vivo? Probablemente sí. Los seres vivos viven en casi todas partes de la Tierra. Viven en cualquier medioambiente donde puedan satisfacer sus necesidades. Un **medioambiente** es todo lo que rodea a un ser vivo.

Los medioambientes están formados por seres vivos y componentes no vivos. Las plantas y los animales son seres vivos. El agua, el aire y la luz del sol son componentes no vivos.

Biomas

Los científicos agrupan en biomas los medioambientes con características similares. Un **bioma** es una superficie de tierra o agua que tiene determinados tipos de seres vivos y componentes no vivos. Los desiertos, los bosques y los pastizales naturales son ejemplos de biomas.

Los pastizales naturales son biomas compuestos principalmente de pastos.

Cada bioma tiene un tipo de clima diferente. El **clima** es el tiempo atmosférico de un área la mayor parte del tiempo. Algunos biomas son fríos y secos casi todo el año, otros son cálidos y húmedos. El clima de un bioma determina qué seres vivos pueden sobrevivir en él.

Cada bioma tiene también un tipo de suelo diferente. El **suelo** es una sustancia que cubre el terreno. Está formado por pedacitos de rocas y humus. El **humus** es materia vegetal o animal descompuesta. El humus agrega nutrientes al suelo, absorbe el agua de lluvia y mantiene el terreno húmedo.

 Comprobar

Saca conclusiones ¿Todos los desiertos tienen seres vivos similares?

Pensamiento crítico ¿Qué seres vivos encuentras en un medioambiente de ciudad?

¿Cómo obtienen las plantas lo que necesitan?

Desde la secuoya más alta hasta el pensamiento más pequeño, la mayoría de las plantas comparte las mismas necesidades básicas. Necesitan agua, luz solar, energía de los alimentos y dióxido de carbono. El dióxido de carbono es un gas que está en el aire. Las plantas también necesitan nutrientes. Los *nutrientes* son sustancias que les permiten a los seres vivos crecer y estar sanos. Para sobrevivir, las plantas deben obtener todo esto de su medioambiente, sin embargo, ellas fabrican su propio alimento.

Los **tallos** transportan alimento y agua dentro de la planta. También la mantienen erguida para que las hojas puedan obtener la luz solar.

Las **raíces** absorben agua y nutrientes del suelo. También fijan la planta al terreno.

Las plantas tienen estructuras que les permiten obtener o fabricar lo que necesitan. Una **estructura** es una parte de un ser vivo. La mayoría de las plantas tiene raíces, tallos y hojas. Muchas plantas también tienen flores, frutos y semillas. Estas estructuras le permiten a una planta vivir, crecer y reproducirse. *Reproducirse* significa hacer nuevas plantas como ellas.

✔ Comprobar

Saca conclusiones ¿Por qué son importantes las raíces para las plantas?

Pensamiento crítico ¿Por qué las plantas no necesitan comer?

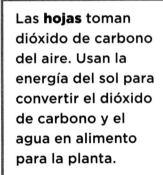

Las **hojas** toman dióxido de carbono del aire. Usan la energía del sol para convertir el dióxido de carbono y el agua en alimento para la planta.

Observa las partes de una planta

1. Toma dos plantas para observarlas.

2. **Observa** Mira las partes de cada planta. ¿Tiene raíces? ¿Tallos y hojas?

3. **Anota los datos** Usa dibujos y palabras en una tabla para describir las partes de cada planta.

4. **Compara** ¿En qué se parecen las partes de estas plantas? ¿En que se diferencian?

albahaca

zanahoria

Leer un diagrama

¿Por qué las hojas les sirven a las plantas para obtener lo que necesitan?

Pista: Las **palabras resaltadas** te ayudan a encontrar información.

¿Cómo obtienen los animales lo que necesitan?

Como las plantas, todos los animales tienen las mismas necesidades básicas. Los animales necesitan agua, energía de los alimentos y oxígeno. El oxígeno es un gas que está en el aire y en el agua. Algunos animales necesitan un refugio. Un **refugio** es un lugar donde un animal está protegido.

Los animales tienen estructuras que les permiten satisfacer sus necesidades en su medioambiente. Partes del cuerpo, como patas, alas y pico son ejemplos de estructuras de los animales.

▲ Los nidos son refugios para algunas aves.

Obtener alimento, agua y oxígeno

Los animales no pueden fabricar su propio alimento como las plantas, así que deben comer plantas y otros animales. Las patas, aletas y alas les sirven para moverse y buscar alimento. Los picos y las lenguas les sirven para capturar y tragar el alimento y beber agua.

La lengua áspera de un león le sirve para obtener agua. ▶

agallas

▲ Las agallas les sirven a los peces para obtener oxígeno.

Algunas estructuras les permiten respirar a los animales. Los animales respiran para obtener oxígeno. Muchos animales respiran con los pulmones. Los pulmones toman oxígeno del aire. Los peces respiran empujando agua a través de sus agallas. Las agallas toman el oxígeno del agua.

Buscar refugio y protegerse

Algunos animales usan árboles y otras plantas como refugio. Otros construyen sus propios refugios. Por ejemplo, las aves construyen nidos como refugio para sus crías. Las aves usan sus picos y patas para reunir materiales y construir sus nidos.

Algunos animales tienen estructuras que los protegen. La bolsa de un canguro protege a los canguros jóvenes. Las púas del puercoespín lo protegen de otros animales.

▲ Un canguro joven se desarrolla en la bolsa de su madre. Allí está protegido.

✓ Comprobar

Saca conclusiones ¿Por qué son importantes las patas, aletas y alas para los animales?

Pensamiento crítico ¿Por qué la forma de su pico afecta lo que come un ave?

¿Qué les ayuda a los seres vivos a sobrevivir en su medioambiente?

Los seres vivos viven en el medioambiente que satisfaga sus necesidades. Las secuoyas crecen a lo largo de la costa de California. Allí el clima frío y húmedo y el suelo rico en nutrientes son excelentes para su crecimiento. Los cactus crecen bien en el sur de California. Allí el clima cálido y seco y el suelo arenoso favorecen su crecimiento.

Las adaptaciones les sirven a los seres vivos para sobrevivir en su medioambiente. Una **adaptación** es una característica o comportamiento especial que le sirve a un organismo para sobrevivir. En las siguientes lecciones aprenderás algunas adaptaciones que les ayudan a sobrevivir a los organismos en distintos medioambientes.

 Comprobar

Saca conclusiones ¿Por qué no puede crecer un cactus donde crecen secuoyas?

Pensamiento crítico ¿Los filosos dientes de un oso son una adaptación?

Las garras de un oso son una adaptación que le permite capturar peces.

Repaso de la lección

Resumir la idea principal

Los seres vivos viven en distintos tipos de **medioambientes**. (págs. 26–27)

Las plantas y los animales tienen **estructuras** que les sirven para obtener lo que necesitan. (págs. 28–31)

Las **adaptaciones** le sirven a un organismo para sobrevivir. (pág. 32)

Hacer una guía de estudio

Medioambientes

Estructuras

Adaptaciones

Haz un boletín con tres secciones. Úsalo para resumir lo que aprendiste.

Pensar, comentar y escribir

1 **Idea principal** ¿Cómo obtienen los seres vivos lo que necesitan de su medioambiente?

2 **Vocabulario** ¿Qué es el clima?

3 **Saca conclusiones** Algunos suelos tienen muy poco humus. ¿Estos suelos absorben mucha o poca agua?

Pistas del texto	Conclusiones

4 **Pensamiento crítico** ¿En qué se parecen las necesidades de un animal a las de una planta? ¿En qué se diferencian?

5 **Práctica para la prueba** ¿Cómo se agrupan los biomas?
- **A** por su tamaño
- **B** por sus seres vivos y componentes no vivos
- **C** por sus estructuras
- **D** por la altura de sus árboles

Conexión con Escritura

Escribir un párrafo
¿Por qué te sirven para sobrevivir las partes de tu cuerpo que se mueven? Haz una tabla. En una columna escribe las partes de tu cuerpo que se mueven. En otra explica para qué te sirve cada parte. Usa la información de tu tabla para escribir un párrafo.

Conexión con Matemáticas

Hacer una gráfica de barras
Haz una lista de diez plantas que vivan cerca de tu escuela. Luego agrúpalas en categorías, como pastos o árboles. Haz una gráfica que muestre cuántas plantas de cada categoría viven cerca de tu escuela.

Comparar y clasificar

La Tierra es un lugar muy grande. Millones de seres vivos tienen su hogar en muchos medioambientes distintos. Con tantos seres vivos y tantos medioambientes, ¿qué hacen los científicos para entender la vida en nuestro mundo? Ellos **comparan y clasifican** a los seres vivos y sus medioambientes.

❶ Estúdialo

Cuando **comparas**, ves en qué se parecen y diferencian las cosas entre sí. Cuando **clasificas**, agrupas cosas similares. Comparar y clasificar son instrumentos útiles para organizar y analizar las cosas. Es más fácil estudiar unos cuantos grupos de cosas parecidas que millones de cosas por separado.

❷ Inténtalo

Ya aprendiste que los científicos **comparan y clasifican** los medioambientes de la Tierra. También comparan y clasifican animales. ¿Puedes hacerlo tú?

▶ Para comenzar, observa los animales de la página 35. Busca cosas que tengan en común.

▶ Luego usa sus parecidos y diferencias para agruparlos. ¿Qué característica puedes usar para agrupar a los animales? Probemos con las alas. ¿Qué animales tienen alas? ¿Qué animales no tienen alas? Haz una tabla para mostrar tus grupos.

¡Tengo alas!

ñandú

con alas	sin alas

3 IE 5.e. Recopilar los datos de una investigación y analizarlos para llegar a una conclusión lógica.

3 Aplícalo

Compara y clasifica estos animales aplicando una regla diferente.

pez

águila

rana

perro

camaleón

mariposa

oso

carnero silvestre

serpiente

ardilla

tigre

libélula

La vida en el desierto

Observa y pregúntate

El Valle de la Muerte es el desierto más árido de Norteamérica. ¡Caen menos de dos pulgadas de lluvia al año! ¿Qué adaptaciones permiten a plantas y animales vivir en un lugar tan seco?

3 LS 3.a. Saber que las plantas y los animales tienen estructuras que tienen diversas funciones en el crecimiento, la supervivencia y la reproducción. •**3 LS 3.b.** Conocer ejemplos de diversas formas de vida en diferentes tipos de medioambiente, como océano, desierto, tundra, bosque, pradera y pantano.

¿Qué adaptaciones les permiten a las plantas sobrevivir en un desierto?

Hacer una predicción

¿Por qué algunas plantas viven en medioambientes secos? ¿Cómo les permiten sobrevivir las estructuras especiales? Escribe una predicción.

Comprobar la predicción

1 Observa Usa una lupa para observar cada planta. ¿Qué estructuras tienen? ¿Cómo son sus hojas? ¿Cómo son sus tallos?

2 Anota los datos Haz una tabla para anotar tus observaciones. Usa palabras y dibujos.

3 Observa Corta una hoja de cada planta por la mitad. Usa la lupa para observar las hojas. ¿Cómo son las hojas por dentro?

Sacar conclusiones

4 Compara ¿En qué se parecen las plantas? ¿En qué se diferencian?

5 Infiere ¿Qué estructuras especiales permiten que la planta del desierto sobreviva en su medioambiente cálido y seco?

Explorar más

Experimenta Coloca una hoja de cada planta en la repisa de la ventana. ¿Cómo cambian las hojas?

 3 IE 5.e. Recopilar los datos de una investigación y analizarlos para llegar a una conclusión lógica.

Materiales

lupa

dos plantas

tijeras

Paso 1

Paso 3

▶ **Idea principal** 3 LS 3.a
3 LS 3.b

Los desiertos tienen climas secos y suelo arenoso. Las plantas y los animales del desierto tienen adaptaciones que les permiten sobrevivir.

▶ **Vocabulario**

desierto, pág. 38

nocturno, pág. 42

camuflaje, pág. 42

▶ **Destreza de lectura**

Compara y contrasta

Diferente   Parecido   Diferente

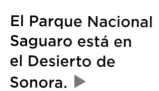

¿Qué es un desierto?

Una onda de calor golpea tu cuerpo. Inhalas profundamente y el aire seco te pica en la nariz. El polvo del terreno arenoso cubre tus zapatos. Estás en el Desierto de Sonora. Es uno de los desiertos más grandes de América del Norte.

El **desierto** es un bioma de clima seco. Cada año caen en el desierto menos de 25 centímetros (10 pulgadas) de lluvia. Pueden caer varios centímetros de lluvia en unos cuantos días, y luego no caer nada de lluvia durante meses.

El Parque Nacional Saguaro está en el Desierto de Sonora. ▶

En el desierto, la temperatura varía mucho entre el día y la noche. Durante el día, el Sol calienta la tierra y el aire. Cuando el Sol se pone, la temperatura baja rápidamente. El desierto es mucho más frío de noche que de día.

El suelo del desierto es principalmente arena. Hay poco humus que absorba el agua de lluvia. El agua de lluvia se filtra en la arena del desierto. Llega más allá de donde alcanzan las raíces de la mayoría de las plantas.

 Comprobar

Compara y contrasta Compara las temperaturas del desierto en el día y en la noche.

Pensamiento crítico Nombra tres características principales de los desiertos.

biomas de desierto

¿Qué adaptaciones ayudan a las plantas del desierto?

Algunas plantas pueden crecer en los desiertos y otras no. Las plantas del desierto tienen adaptaciones para sobrevivir con poca agua. Tienen raíces especiales para recoger agua, y hojas y tallos que la almacenan. Las púas y espinas las protegen de animales sedientos. Este diagrama muestra algunas de estas adaptaciones.

Adaptaciones de las plantas del desierto

mezquite

Las **hojas pequeñas** conservan el agua.

Las **espinas** protegen al árbol de animales hambrientos.

Estas **raíces largas** alcanzan grandes profundidades para encontrar agua almacenada.

cactus saguaro

Las **espinas** protegen el cactus de los animales. También recogen agua.

La **corteza cerosa** sella el agua dentro del cactus.

Las **raíces poco profundas** absorben rápidamente la poca lluvia que cae.

Los **tallos gruesos** almacenan agua.

Leer un diagrama

¿Qué adaptaciones les permiten sobrevivir a las plantas del desierto?

Pista: Observa la ilustración y lee los rótulos.

▲ Las plantas suculentas, como este aloe, son comunes en el desierto. Su corteza cerosa y sus gruesas hojas están adaptadas para almacenar mucha agua.

Adaptaciones en el desierto

1 Haz un modelo Moja dos toallas de papel. Luego envuelve una con papel de cera. Éste es el modelo de una planta con corteza cerosa. Usa la otra toalla para hacer el modelo de una planta que no tiene corteza cerosa.

2 Coloca tus modelos en una ventana soleada.

3 Compara ¿Cómo sientes las toallas después de unas horas?

4 Saca conclusiones ¿Por qué la corteza cerosa ayuda a las plantas del desierto a sobrevivir?

✅ *Comprobar*

Compara y contrasta ¿En qué se parecen las raíces del mezquite a las de un cactus? ¿En qué se diferencian?

Pensamiento crítico Un nopal tiene raíces poco profundas, espinas y corteza cerosa. ¿Podría sobrevivir en un desierto? Explica tu respuesta.

nopal ▶

¿Qué adaptaciones ayudan a los animales?

Los animales del desierto pueden sobrevivir en su medioambiente gracias a sus adaptaciones. Éstas son algunas de sus muchas adaptaciones.

Dormir todo el día

Imagínate dormir todo el día y asistir a la escuela por la noche. Salvo por ir a la escuela, esto es lo que hacen muchos animales del desierto. La serpiente de cascabel y los coyotes son animales nocturnos. **Nocturno** significa que duerme durante el día. Salen de noche cuando hace menos calor.

Mantenerse frescos

Las grandes orejas y los cuerpos delgados permiten que los animales, como esta liebre del desierto, se mantengan frescos. Estas características especiales son adaptaciones que les sirven para enfriar el cuerpo.

Confundirse

Algunos animales del desierto pueden ocultarse a simple vista. Su apariencia les permite confundirse con su entorno. Confundirse con el entorno es una adaptación llamada **camuflaje**. El camuflaje los ayuda a estar a salvo.

 Comprobar

Compara y contrasta ¿En qué se parecen los animales y las plantas del desierto?

Pensamiento crítico ¿Podría sobrevivir en el cálido desierto un animal con pelaje tupido?

▲ Las serpientes de cascabel son animales nocturnos.

▲ Las largas orejas de una liebre le permiten mantenerse fresca.

▲ ¿Ves la rana? Su camuflaje le permite confundirse con la roca.

Repaso de la lección

Resumir la idea principal

Un **desierto** es un bioma de clima árido y suelo arenoso y seco. (págs. 38–39)

Las **plantas del desierto** tienen raíces, tallos y hojas especiales que les permiten recoger y almacenar agua. (págs. 40–41)

Los **animales del desierto** tienen adaptaciones que les permiten estar frescos y a salvo. (pág. 42)

Hacer una guía de estudio MODELOS DE PAPEL™

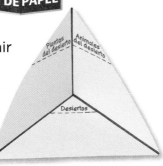

Haz un doblez de pirámide para resumir lo que leíste sobre los desiertos y las plantas y animales del desierto.

Pensar, comentar y escribir

1. **Idea principal** ¿Qué adaptaciones les permiten sobrevivir a las plantas y animales del desierto?

2. **Vocabulario** ¿Cómo es un desierto? Coméntalo.

3. **Compara y contrasta** ¿En qué se parecen y se diferencian las adaptaciones de un cactus y las de un mezquite?

Diferente   Parecido   Diferente

4. **Pensamiento crítico** Los búfalos tienen un pelaje tupido y oscuro. Comen principalmente pastos. ¿Podría sobrevivir un búfalo en un desierto? Explica tu respuesta.

5. **Práctica para la prueba** Los **desiertos son biomas de**
   - **A** clima frío y suelo congelado.
   - **B** clima húmedo y suelo pantanoso.
   - **C** clima seco y suelo arenoso.
   - **D** clima cálido y mucha lluvia.

Conexión con Escritura

Escribir un cuento
Escribe un cuento sobre la vida en el desierto. Usa la información de esta lección para describir el lugar. Recuerda incluir un comienzo, una parte central y un final.

Conexión con Matemáticas

Hacer una tabla
Usa Internet para buscar la temperatura media de cada mes en el Valle de la Muerte. Anota la información en una tabla. Describe en una oración el clima del Valle de la Muerte.

Acércate a las Ciencias

Materiales

papel amarillo

papel café

cronómetro

Investigación **estructurada**

¿Por qué el camuflaje les sirve a los animales para sobrevivir?

Formular una hipótesis

¿Cómo les ayuda el camuflaje a estar a salvo a los animales? Anota tu hipótesis. Comienza con: *"Si un animal tiene camuflaje, entonces..."*

Comprobar la hipótesis

1. Recorta 20 círculos amarillos y 20 círculos cafés.

2. **Experimenta** Reparte los círculos sobre el papel como modelos de animales con y sin camuflaje. Luego pide a un compañero o compañera que tome tantos círculos como pueda en 10 segundos.

Paso 2

3. **Anota los datos** ¿Cuántos círculos de cada color tomó tu compañero o compañera? Usa una tabla para anotar los resultados.

4. Repite los pasos 1 y 2 con otros dos compañeros.

Paso 3

Nombre	cantidad de círculos amarillos	cantidad de círculos cafés
David	3	8

Sacar conclusiones

5 **Analiza los datos** ¿Tomaron tus compañeros y compañeras más círculos amarillos o cafés? ¿Cuáles fueron más difíciles de encontrar?

6 ¿Cómo les ayuda a sobrevivir el camuflaje a los animales?

Investigación guiada

¿Por qué los colores pálidos les ayudan a sobrevivir a los animales?

Formular una hipótesis

Las pieles pálidas mantienen frescos a los animales del desierto. ¿Por qué es verdad esto? Escribe una hipótesis.

Comprobar la hipótesis

Diseña un plan para probar tu hipótesis. Usa los materiales que se muestran. Escribe los pasos que seguirás.

Materiales

frijoles bayos

frijoles negros

2 termómetros

Sacar conclusiones

¿Los resultados confirman tu hipótesis? ¿Por qué? Comparte los resultados con tus compañeros.

Investigación libre

¿Tienes más preguntas sobre las plantas y animales del desierto? Comenta tus preguntas con tus compañeros y compañeras. ¿Cómo puedes hallar las respuestas a tus preguntas?

Recuerda seguir los pasos del método científico.

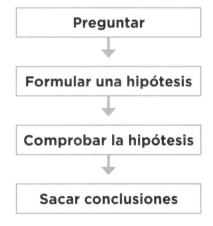

Preguntar

↓

Formular una hipótesis

↓

Comprobar la hipótesis

↓

Sacar conclusiones

3 IE 5.c. Usar datos numéricos para comparar objetos, eventos y medidas. •3 IE 5.e. Recopilar los datos de una investigación y analizarlos para llegar a una conclusión lógica.

45
EXTENDER

La vida en el pastizal natural

Observa y pregúntate

Jirafas de largos cuellos, leopardos veloces y cebras atentas viven en los pastizales naturales de Serengeti, África. ¿Qué es Serengeti? ¿Cómo encuentran alimento y permanecen a salvo estos animales?

3 LS 3.a. Saber que las plantas y los animales tienen estructuras que tienen diversas funciones en el crecimiento, la supervivencia y la reproducción. **•3 LS 3.b.** Conocer ejemplos de diversas formas de vida en diferentes tipos de medio ambiente, como océano, desierto, tundra, bosque, pradera y pantano.

¿Qué clase de animales viven en un pastizal natural?

Hacer una predicción

¿Por qué viven animales en un pastizal natural? Anota tu predicción.

Comprobar la predicción

Materiales

tarjetas grandes

lápices de colores

cinta adhesiva

1. Usa materiales de investigación para aprender más sobre un animal que viva en un bioma de pastizal natural.

2. **Anota los datos** Haz una tarjeta de información con una ilustración de tu animal. Pega una foto o dibuja el animal en la tarjeta y rotúlalo. Por el otro lado de la tarjeta, escribe el nombre del bioma de pastizal natural. Anota tres datos que hayas aprendido sobre éste.

3. **Compara** Intercambia tarjetas con tus compañeros de clase. ¿Sus animales viven en el mismo bioma de pastizal natural?

4. **Clasifica** Agrupa a los animales de acuerdo con sus biomas de pastizal natural.

Paso 2

Cebra

Sabana
1. pasto alto
2. siempre cálida
3. Pastizal natural de Serengeti

Sacar conclusiones

5. ¿Qué cosas importantes encuentran los animales en los biomas de pastizal natural?

6. ¿Por qué viven los animales en un pastizal natural?

Explorar más

¿Qué sucedería en un pastizal natural si pasara un mes sin llover? ¿Cómo afecta la lluvia a los animales del pastizal natural?

Paso 3

 3 IE 5.d. Predecir el resultado de una simple investigación y comparar los resultados obtenidos con la predicción.

Idea principal

3 LS 3.a
3 LS 3.b

Los pastos son las plantas principales de un bioma de pastizal natural. Las plantas y los animales que viven allí tienen estructuras y comportamientos que les ayudan a sobrevivir.

Vocabulario

pastizal natural, pág. 48

templado, pág. 49

tropical, pág. 49

Destreza de lectura

Compara y contrasta

Diferente   Parecido   Diferente

▲ Los saltamontes tienen las patas traseras hechas para saltar.

▲ Las praderas de Norteamérica son pastizales naturales.

¿Qué es un pastizal natural?

Millas de pasto verde se extienden ante ti. Abundan las flores silvestres. El aire cálido roza tu piel. Los saltamontes saltan. Una serpiente se desliza. De pronto, el viento sopla y miles de briznas de pasto susurran. Estás en los pastizales naturales de Norteamérica.

El **pastizal natural** es un bioma cubierto de pastos. Los pastos son todo para un pastizal natural. Los pastos son alimento para los animales. Son como una manta que conserva el calor y la humedad, un lugar para ocultarse y un refugio contra el viento y el frío. El pasto fija el suelo que de otro modo se llevaría el viento.

Hay dos tipos de pastizales naturales. Un tipo son los templados. **Templado** significa que el medioambiente tiene un clima moderado y cuatro estaciones. Los pastizales naturales templados tienen un suelo rico en humus. Las *praderas* de Norteamérica son pastizales naturales templados.

El otro tipo son los pastizales naturales tropicales. **Tropical** significa que el medioambiente está cerca del ecuador y es cálido todo el año. Los pastizales naturales tropicales tienen una temporada de lluvias y una de sequía. Tienen más árboles y un suelo más pobre que los pastizales naturales templados. Los pastizales naturales de la *sabana* en Serengeti, África, son pastizales naturales tropicales.

Ambos pastizales naturales, templados y tropicales, reciben al año de 25 a 75 centímetros (de 10 a 30 pulgadas) de lluvia. Con tan poca lluvia, el terreno se seca y puede haber incendios. Hay incendios frecuentes en los pastizales naturales.

pastizales naturales tropicales
pastizales naturales templados

 Comprobar

Compara y contrasta ¿En qué se diferencian los pastizales naturales templados de los tropicales?

Pensamiento crítico ¿Qué tipo de pastizales naturales hay en Norteamérica?

Las sabanas de África son pastizales naturales tropicales.

¿Cómo sobreviven las plantas del pastizal natural?

Distintos pastizales naturales tienen diferentes tipos de pastos. Sin embargo, casi todos los pastos de los pastizales naturales están adaptados para crecer en condiciones secas.

Los pastos tienen raíces profundas. Las raíces son como esponjas que absorben la humedad y almacenan nutrientes. Cuando hay un incendio, se destruye todo lo que está sobre el suelo, pero abajo sobreviven las raíces. Retienen la humedad y los nutrientes.

Tras un incendio, de las raíces crecen nuevos tallos. El pasto muerto forma una nueva capa de suelo. Con el tiempo, el suelo se enriquece cada vez más.

La mayoría de los pastos se adaptan para crecer de abajo hacia arriba. Esto les permite sobrevivir y crecer después de que los animales pastan sobre ellos.

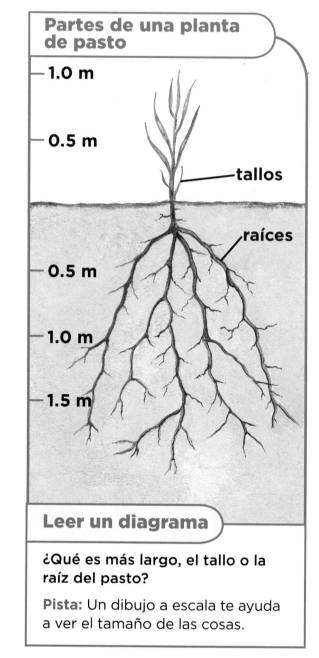

Partes de una planta de pasto

— 1.0 m

— 0.5 m

tallos

raíces

— 0.5 m

— 1.0 m

— 1.5 m

Leer un diagrama

¿Qué es más largo, el tallo o la raíz del pasto?

Pista: Un dibujo a escala te ayuda a ver el tamaño de las cosas.

◀ Un incendio quema el pasto que está sobre el suelo, pero las raíces profundas no sufren daño. El pasto crece rápidamente después de un incendio.

Los árboles que crecen en los pastizales naturales tropicales también tienen adaptaciones para sobrevivir. El baobab crece en las sabanas de África. Le salen hojas en la temporada de lluvias y las pierde en la de sequía. Esta adaptación le permite conservar agua.

El grueso tronco del baobab almacena agua durante la larga estación seca. Su corteza es a prueba de incendios, está adaptado para sobrevivir incendios en los pastizales naturales.

✔ Comprobar

Compara y contrasta ¿En qué se parecen los pastos y los árboles tropicales?

Pensamiento crítico ¿Podría sobrevivir un cactus en un pastizal natural? ¿Por qué?

Los baobab tienen una corteza a prueba de incendios.

¿Cómo crecen los pastos?

1. Coloca un poco de arena o piedritas en el fondo de una taza de plástico. Agrega tierra para macetas casi hasta el tope. Esparce semillas de pasto sobre la tierra. Riégala. Coloca la taza en un lugar soleado.

2. **Anota los datos** Anota en un calendario la fecha en la que plantaste el pasto.

DOM.	LUN.	MAR.	MIE.	JUE.	VIE.	SAB.
	1	2	3	4	5	6
7	8	9	10	11	12	13

3. **Observa** Revisa tus semillas de pasto todos los días. Mantén la tierra húmeda. Anota tus observaciones en el calendario.

4. **Compara** Con cuidado arranca un poco de pasto. Mide el tallo y la raíz. ¿Cuál es más largo? ¿Fue fácil arrancarlo? ¿Por qué?

¿Cómo sobreviven los animales en los pastizales naturales?

Muchas clases de animales viven en los pastizales naturales. Todos tienen adaptaciones que les permiten sobrevivir.

Dientes planos

Algunos animales de los pastizales naturales tienen dientes planos adaptados para comer pasto. Las cebras muerden las puntas duras de los pastos. Los antílopes comen los tallos del suelo.

▲ Los perros de las praderas escapan rápidamente del peligro ocultándose en sus madrigueras.

Madrigueras

Los animales pequeños pueden esconderse fácilmente. Los perros de las praderas cavan madrigueras, o agujeros, en la tierra. Salen sólo a ciertas horas del día.

Velocidad

Los leopardos pueden capturar a su presa porque corren muy rápido. Corren a una velocidad de hasta 112 kilómetros (70 millas) por hora.

Las cebras muerden fácilmente el pasto con sus dientes planos. ▼

 Comprobar

Compara y contrasta Compara cómo viven distintos animales en los pastizales naturales.

Pensamiento crítico Algunos animales de los pastizales naturales viajan en manadas. ¿Por qué esto los ayuda a protegerse?

Los leopardos africanos tienen columnas vertebrales flexibles que les permiten correr muy rápido. ▼

Repaso de la lección

Resumir la idea principal

Un **pastizal natural** es un bioma cubierto de pasto. (págs. 48-49)

Las **plantas del pastizal natural** tienen adaptaciones que les permiten sobrevivir en sequías e incendios. (págs. 50-51)

Los **animales del pastizal natural** tienen estructuras y comportamientos especiales que los ayudan a sobrevivir. (pág.52)

Hacer una guía de estudio

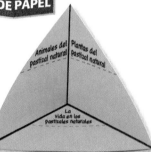

Haz un doblez de pirámide. Úsalo para resumir lo que leíste sobre los pastizales naturales.

Pensar, comentar y escribir

1 **Idea principal** ¿Qué son los pastizales naturales?

2 **Vocabulario** ¿Cómo se llaman los pastizales naturales que son cálidos todo el año?

3 **Compara y contrasta** ¿En qué se parecen los pastizales naturales y los desiertos? ¿En qué se diferencian?

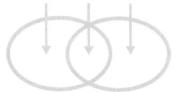

Diferente   Parecido   Diferente

4 **Pensamiento crítico** Los animales terrestres más rápidos del mundo viven en los pastizales naturales. Explica por qué la velocidad es una adaptación importante para estos animales.

5 **Práctica para la prueba** Los pastizales naturales tropicales se encuentran principalmente

A cerca del Polo Norte.

B cerca del ecuador.

C en Norteamérica.

D en la Antártida.

 Conexión con Escritura

Escribir un informe
Usa materiales de investigación para conocer más a los leopardos. ¿Por qué los habitantes de África aprecian este animal? ¿Qué debe hacerse para proteger el leopardo?

 Conexión con Matemáticas

Multiplicar y dividir
Si un leopardo corre durante cuatro minutos a una velocidad de 105 kilómetros por hora, ¿cuántos kilómetros ha corrido?

Conoce a Ana Luz Porzecanski

▲ Ana es ornitóloga; es decir, una científica que estudia las aves.

Los pastizales naturales conocidos como *pampas* son comunes en América del Sur. Es allí donde se crió Ana Luz Porzecanski, científica del Museo Estadounidense de Historia Natural.

Ana estudia las aves de las pampas. Algunas de estas aves se llaman *tinamúes*. Sus plumas cafés y grises les permiten confundirse con los pastos altos, arbustos y matorrales. Este camuflaje les sirve para ocultarse de los depredadores, como zorros y halcones, que se comen las aves o sus huevos.

¿Cómo encuentra Ana los tinamúes si se ocultan tan bien? Escucha sus cantos. Cada especie de tinamú tiene un canto diferente. En ocasiones ella tiene que cantar o reproducir una grabación de su canto para que las aves respondan. Lleva tiempo, paciencia y un poco de suerte.

Es difícil observar los tinamúes, pero sus brillantes huevos verdes, turquesas y morados realmente se destacan. Ana quiere saber por qué los huevos son tan coloridos. ¿Por qué crees que los tinamúes tienen huevos de colores tan vistosos?

AMERICAN MUSEUM ö NATURAL HISTORY

ELA R 3.2.6. Sustraen información adecuada y significativa del texto, incluyendo problemas y soluciones.

Compara y contrasta

▶ explica en qué se parecen las cosas

▶ explica en qué se diferencian las cosas

▶ usa términos para comparar, como *parecido* y *ambos*, y palabras para contrastar como *diferente* de y *sino*

Los huevos del tinamú son coloridos. ▶

¡A escribir!

Compara y contrasta Trabaja en pareja para comparar al tinamú con otro animal sobre el que hayas leído en este capítulo. Anota en un diagrama de Venn en qué se parecen y diferencian estos animales. Luego usa tu diagrama para escribir sobre ellos.

CONÉCTATE **e-Diario** Escribe en **www.macmillanmh.com**

La vida en el bosque

Observa y pregúntate

¿Cómo crecen las plantas en el bosque bajo la sombra de árboles altos?

3 LS 3.a. Saber que las plantas y los animales tienen estructuras que tienen diversas funciones en el crecimiento, la supervivencia y la reproducción. •**3 LS 3.b.** Conocer ejemplos de diversas formas de vida en diferentes tipos de medio ambiente, como océano, desierto, tundra, bosque, pradera y pantano.

¿Crecerá una planta hacia la luz?

Hacer una predicción

Las plantas necesitan la luz solar para vivir. ¿Si algo impide el paso de la luz, cómo reaccionará una planta?

Comprobar la predicción

1. Haz un hueco en un extremo de la caja de zapatos.

2. Recorta dos divisiones de cartón grueso de la altura de la caja, pero de una pulgada menos de ancho.

3. Pega con cinta adhesiva las divisiones colocadas verticalmente en el interior de la caja. Debes pegar una división del mismo lado del hueco que hiciste a la caja en el paso 1. La otra división debe estar en el lado contrario.

4. Coloca tu planta en el extremo de la caja contrario al hueco. Luego tapa la caja y coloca el hueco en dirección a los rayos del sol.

5. **Observa** Cada tres o cuatro días, quita la tapa para regar tu planta y observa su crecimiento. Haz esto durante varias semanas.

Sacar conclusiones

6. ¿Cómo cambia la planta después de unas cuantas semanas? ¿Cómo obtiene la luz que necesita?

7. **Infiere** ¿En qué podría parecerse esto a lo que sucede con el suelo del bosque?

Explorar más

Observa las plantas cerca de tu escuela. ¿Reciben luz solar directa? ¿Están bajo la sombra de un árbol o un edificio? ¿Cómo obtienen la luz que necesitan?

 3 IE 5.d. Predecir el resultado de una simple investigación y comparar los resultados obtenidos con la predicción.

Materiales

tijeras   caja de zapatos

cartón grueso

cinta adhesiva de papel

planta pequeña

Paso 4

Paso 5

Leer y aprender

Idea principal

3 LS 3.a
3 LS 3.b

Los bosques son biomas con muchos árboles. Las plantas y animales del bosque tienen adaptaciones que les permiten sobrevivir en su medioambiente.

Vocabulario

bosque, pág. 58

caducifolio, pág. 61

coníferas, pág. 61

mimetismo, pág. 62

hibernar, pág. 64

Destreza de lectura

Idea principal

- Idea principal
  - Detalles
  - Detalles
  - Detalles

¿Cómo es un bosque?

Es oscuro y húmedo. Te rodean árboles altos. Caen gotas de lluvia desde arriba. El aire caliente y húmedo que te rodea se siente pesado. Zumban insectos. Cantan aves. Estás en el bosque tropical del Amazonas.

Un **bosque** es un bioma con muchos árboles. Se pueden encontrar distintos tipos de bosques en diferentes partes del mundo.

Bosques tropicales

Un *bosque tropical* es un bioma de bosque que está cerca del ecuador. Los bosques tropicales son verdes y exuberantes. Tienen más clases de seres vivos que cualquier otro bioma terrestre.

Los bosques tropicales son cálidos y húmedos. En un sólo año caen entre 200 y 460 centímetros (80 y 180 pulgadas) de lluvia. La temperatura suele estar entre 20°C y 34°C (68°F y 93°F) todo el año.

Los bosques tropicales son biomas cálidos y húmedos que están cerca del ecuador.

El suelo de un bosque tropical no es muy rico en nutrientes. Esto se debe a que las plantas del bosque tropical los absorben rápidamente. Los nutrientes están en la delgada capa superior del suelo. Debajo hay arcilla dura.

Bosques templados

Un *bosque templado* es un bioma de bosque que se encuentra en América del Norte, Europa y Asia. A diferencia de los bosques tropicales, los bosques templados tienen cuatro estaciones: invierno, primavera, verano y otoño. Las temperaturas y lluvias cambian de una estación a otra. Los inviernos son fríos y secos. Los veranos son cálidos y húmedos. Caen cada año entre 76 y 127 centímetros (30 y 50 pulgadas) de lluvia.

El suelo de un bosque templado es rico en humus, lo que permite mantenerlo húmedo y proporciona nutrientes para que las plantas crezcan.

✔ Comprobar

Idea principal ¿Cuáles son los dos tipos de bosques?

Pensamiento crítico Compara un bosque tropical con un bosque templado.

bosque templado
bosque tropical

Los bosques templados son biomas de bosque que tienen cuatro estaciones.

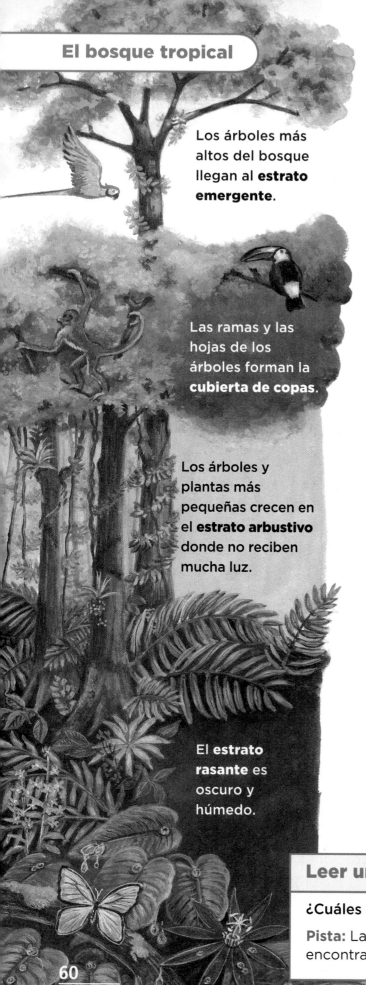

El bosque tropical

Los árboles más altos del bosque llegan al **estrato emergente**.

Las ramas y las hojas de los árboles forman la **cubierta de copas**.

Los árboles y plantas más pequeñas crecen en el **estrato arbustivo** donde no reciben mucha luz.

El **estrato rasante** es oscuro y húmedo.

¿Cómo sobreviven las plantas del bosque?

Las plantas del bosque crecen en estratos. Las plantas de cada estrato se adaptan para crecer hacia la luz. También tienen otras adaptaciones que les permiten sobrevivir.

Las plantas del bosque tropical

Muchos árboles tropicales crecen muy alto. Sus ramas se expanden en la cubierta de copas o el estrato emergente. Aunque son altos, muchos de ellos tienen raíces poco profundas. Las raíces de sostén soportan su gran talla. Las *raíces de sostén* son estructuras especiales que se desprenden del tronco.

Los árboles y las plantas pequeñas que crecen en la cubierta de copas o el estrato arbustivo suelen tener hojas con puntas alargadas. Esta adaptación les sirve para deshacerse del exceso de lluvia.

Llega muy poca luz al estrato arbustivo y al estrato rasante del bosque. Muchas plantas que crecen allí tienen hojas muy grandes. Esta adaptación les sirve para capturar tanta luz como sea posible.

Leer un diagrama

¿Cuáles son los estratos de un bosque tropical?

Pista: Las **palabras resaltadas** te ayudan a encontrar información.

Plantas del bosque templado

Los árboles altos del bosque templado son caducifolios o coníferos. Un árbol **caducifolio** pierde sus hojas en otoño a medida que la temperatura baja. Las hojas crecen otra vez en la primavera y el verano. Esta adaptación le permite conservar energía durante el frío invierno. Un árbol **conífero** produce conos en lugar de flores. Los árboles coníferos suelen llamarse perennifolios. Permanecen verdes todo el año. Sus hojas delgadas en forma de agujas son resistentes y cerosas. Esta adaptación les permite conservar agua durante los inviernos fríos y secos.

▲ Una piña de pino contiene las semillas de un árbol conífero.

✔ Comprobar

Idea principal Nombra varias adaptaciones de las plantas del bosque.

Pensamiento crítico ¿Podrían sobrevivir árboles del bosque templado en un bosque tropical? Explica tu respuesta.

Las hojas de los árboles caducifolios pasan de verde a amarillo, a anaranjado y a rojo en otoño. Caen, y crecen de nuevo en la primavera.

¿Cómo sobreviven los animales en un bosque tropical?

El bosque tropical es uno de los biomas más ricos del mundo. Muchos tipos de animales se cuelgan, se balancean, se lanzan y saltan en la cubierta de copas. Cada tipo de animal tiene adaptaciones que le permiten sobrevivir.

Colores de advertencia

¿Cómo se protege esta rana de colores brillantes en el bosque tropical? Pensarías que los depredadores verían sus brillantes colores y la atacarían. Los depredadores sí ven sus colores brillantes, pero son una advertencia: "¡Soy venenosa!" Y los depredadores no se le acercan.

Confundirse

¿Puedes ver la mantis en la fotografía de la derecha? La mantis orquídea está bien disfrazada. Se protege en su medioambiente al adoptar el aspecto de una orquídea. Esta adaptación se llama mimetismo. El **mimetismo** sucede cuando un ser vivo imita el color o la forma de otro.

▲ Los colores brillantes de la rana arlequín venenosa les advierten a los depredadores que no se acerquen.

El mimetismo protege a esta mantis orquídea. ▼

Huir

¿Qué harías si quedaras atorado en una rama y un depredador se acercara a capturarte? Si fueras una iguana, te dejarías caer. Las iguanas pueden caer desde una rama unos 18 metros (60 pies), o más, sin lastimarse. Las iguanas suelen sentarse en las ramas de árboles que cuelgan sobre el agua. ¡Cuando llega un enemigo, simplemente se tiran al agua!

La larga cola de una iguana le permite mantener el equilibrio en las ramas altas de un bosque tropical.

Ocultarse

1. **Haz un modelo** Dobla por la mitad una hoja de cartulina de colores. Dibuja el contorno de una mariposa. Recorta dos mariposas.

2. Selecciona un trozo de tela o papel para envolver para usarlo como el hábitat de tu mariposa.

3. Dibuja un gran "ojo" o mancha en cada una de las alas de la mariposa. Colorea la otra mariposa para que se parezca al hábitat.

4. **Observa** Coloca tus mariposas en el hábitat. ¿A cuál puedes encontrar rápidamente? ¿Cuál de las dos no parece estar allí?

5. **Infiere** ¿Por qué confundirse con el entorno protege a una mariposa? ¿Tener grandes manchas u otras marcas la protege? ¿Por qué?

✓ Comprobar

Idea principal Nombra varias adaptaciones de los animales del bosque tropical.

Pensamiento crítico ¿Por qué el aspecto de un animal lo puede proteger de los depredadores?

¿Cómo sobreviven los animales en un bosque templado?

Los animales del bosque templado tienen adaptaciones que les permiten sobrevivir los cambios de las estaciones. También tienen adaptaciones que los protegen.

Sobrevivir en el invierno

Cuando baja la temperatura en el otoño, algunos animales comen más. Almacenan energía para el invierno, cuando es más difícil encontrar alimento. A algunos animales también les crecen pelajes más tupidos para estar calientes durante el invierno.

Algunos animales hibernan. **Hibernar** significa caer en un sueño profundo que dura todo el invierno. Los animales viven de la energía almacenada en su cuerpo.

Protegerse

Los zorrillos y los puercoespines tienen maneras poco usuales de protegerse. Si un enemigo se acerca demasiado, los zorrillos le rocían una sustancia apestosa que pica en los ojos del depredador. Los puercoespines tienen púas puntiagudas que levantan cuando un enemigo se acerca. Si el ataque continúa, ¡el enemigo queda atrapado en las púas!

▲ Los muscardinos hibernan durante el invierno.

▲ Las púas de un puercoespín lo protegen.

 Comprobar

Idea principal ¿Cómo ayudan las adaptaciones a los animales de los bosques templados?

Pensamiento crítico ¿Por qué algunos animales hibernan?

Los zorrillos rocían una sustancia olorosa para mantener alejados a los depredadores.▼

Repaso de la lección

Resumir la idea principal

Un **bosque** tiene principalmente árboles. Hay dos tipos de bosques, tropicales y templados. (págs. 58-59)

Las **plantas del bosque** tienen estructuras especiales que les sirven para sobrevivir. (págs. 60-61)

Los **animales del bosque** tienen adaptaciones que les permiten crecer y sobrevivir. (págs. 62-64)

Hacer una guía de estudio MODELOS DE PAPEL™

Haz un doblez de pirámide. Úsalo para resumir lo que leíste sobre los bosques.

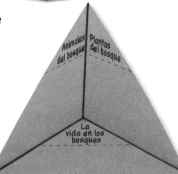

Pensar, comentar y escribir

1 **Idea principal** ¿En que sé diferencian y en qué se parecen los bosques tropicales y los bosques templados?

2 **Vocabulario** ¿Qué es mimetismo?

3 **Idea principal** ¿Qué adaptaciones les permiten a las plantas y a los animales sobrevivir los inviernos fríos en un bosque templado?

4 **Pensamiento crítico** Muchos de los frutos que comes provienen de bosques tropicales. ¿Por qué crecen frutos en los bosques tropicales?

5 **Práctica para la prueba** Los siguientes son estratos del bosque tropical EXCEPTO

A el estrato emergente

B el estrato subemergente

C la cubierta de copas

D el estrato arbustivo

 Conexión con Escritura

Escribir un párrafo
Los bosques tropicales están desapareciendo. Investiga y descubre por qué. Averigua cómo podemos salvar los bosques tropicales. Luego escribe un párrafo.

 Conexión con Salud

Investigar
Investiga sobre productos saludables que provengan del bosque tropical. Escribe un párrafo breve sobre alguna de estas maravillas naturales.

Acércate a las Ciencias

Materiales

**cartulina
café y verde**

**cinta adhesiva
de papel**

regla

tijeras

cartón

lámpara

Investigación estructurada

¿Cómo afectan los árboles la luz en un bosque tropical?

Formular una hipótesis

Los árboles del bosque tropical crecen y alcanzan alturas de 60 m (197 pies). Las ramas de los árboles se extienden para formar la cubierta de copas. ¿Cómo afecta la densidad de la cubierta de copas la cantidad de luz que llega al estrato rasante? Escribe una hipótesis. Comienza con: *"Si la cubierta de copas del bosque tropical es densa, entonces..."*

Comprobar la hipótesis

1. **Haz un modelo** Usa 6 hojas de cartulina café para hacer 6 tubos de diferentes alturas. Úsalos para hacer un modelo de troncos de árboles.

Paso 1

2. Dibuja sobre cartulina verde 3 círculos con un diámetro de aproximadamente 8 cm. Dibuja 3 círculos más de 4 cm de diámetro. Recorta los círculos. Éstos representan ramas de árboles.

3. **Usa variables** Pega con cinta adhesiva los círculos a los troncos de árboles. Coloca los árboles en un trozo de cartón, de tal manera que los árboles estén cerca unos de otros y formen una cubierta de copas densa.

Paso 3

4. **Experimenta** Ilumina tu bosque con la lámpara. ¿Cuánta luz llega al estrato rasante? Anota tus observaciones.

5. **Usa variables** Repite los pasos 3 y 4 varias veces. Cambia la densidad de la cubierta de copas acercando o separando los árboles.

66
EXTENDER

Sacar conclusiones

6 ¿Cómo afecta la densidad de la cubierta de copas la cantidad de luz que llega al estrato rasante?

7 **Infiere** ¿Cómo afectan los árboles a las plantas que crecen en el estrato rasante?

Investigación guiada

¿Cómo los árboles afectan la lluvia?

Formular una hipótesis

¿Afecta la cubierta de copas la cantidad de agua que llega al estrato rasante? Escribe una hipótesis.

Comprobar la hipótesis

Diseña un experimento para saber si la cubierta de copas afecta el agua que llega al estrato rasante. Decide los materiales que usarás. Luego escribe los pasos que seguirás. Anota tus resultados y observaciones.

Sacar conclusiones

¿Confirmó el experimento tu hipótesis? ¿Por qué?

Investigación libre

¿Qué más te gustaría aprender sobre los bosques tropicales? Por ejemplo, ¿qué les sucede a las plantas del estrato arbustivo si se corta un árbol? Diseña un experimento para responder a nuevas preguntas que te surjan.

Recuerda seguir los pasos del método científico.

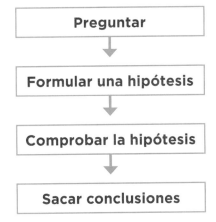

Preguntar

↓

Formular una hipótesis

↓

Comprobar la hipótesis

↓

Sacar conclusiones

3 IE 5.d. Predecir el resultado de una simple investigación y comparar los resultados obtenidos con la predicción.

67
EXTENDER

La vida en la tundra ártica

Observa y pregúntate

¿Sabías que el pelo de un oso polar es hueco? El pelo hueco le permite capturar el calor del sol. ¿Qué otras adaptaciones les sirven a los animales para vivir en medioambientes fríos?

3 LS 3.a. Saber que las plantas y los animales tienen estructuras que tienen diversas funciones en el crecimiento, la supervivencia y la reproducción. **•3 LS 3.b.** Conocer ejemplos de diversas formas de vida en diferentes tipos de medioambiente, como océano, desierto, tundra, bosque, pradera y pantano.

¿La grasa permite que los animales sobrevivan en medioambientes fríos?

Formular una hipótesis

¿La grasa mantiene calientes a los animales? ¿La grasa mantiene frescos a los animales? Escribe una hipótesis. Comienza con: *"Si un animal tiene grasa adicional, entonces..."*

Comprobar la hipótesis

1. Usa una toalla de papel para untar grasa vegetal en uno de tus dedos índices. Cubre por completo el dedo con la grasa.

2. **Predice** ¿Qué sucederá cuando pongas los dos dedos índices en un tazón con agua helada?

3. **Experimenta** Pide a un compañero o compañera que cuente el tiempo que puedes mantener cada dedo en el agua helada. Anota los datos en una tabla.

4. Cambia con tu pareja para repetir los pasos 1 a 3.

Sacar conclusiones

5. **Analiza los datos** ¿Tus observaciones confirmaron tu predicción? ¿Qué sucedió cuando metiste los dos dedos en el agua helada?

6. ¿Por qué permite la grasa que los animales sobrevivan en lugares fríos?

Explorar más

Experimenta ¿Por qué el pelaje tupido permite que los animales sobrevivan en medioambientes fríos? Formula una hipótesis. Luego haz un plan para comprobarla.

3 IE 5.d. Predecir el resultado de una simple investigación y comparar los resultados obtenidos con la predicción

Materiales

grasa vegetal

toalla de papel

agua con hielos   cronómetro

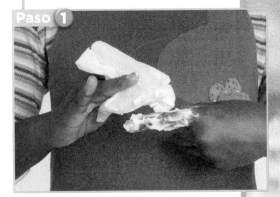
Paso 1

Paso 3

¿Qué es la tundra ártica?

Has llegado al Parque Nacional Denali. El aire es tan frío que te quema los pulmones. Un viento helado te golpea el rostro. La tierra que pisas está congelada y dura. Estás en la tundra ártica.

La **tundra ártica** es un bioma frío que se encuentra sobre el Círculo Polar Ártico. Los inviernos allí son largos y oscuros. A mitad del invierno, el Sol nunca sale. La temperatura puede bajar a $-60°F$ ($-51°C$), y caen varios pies de nieve. Pocas plantas pueden sobrevivir durante el invierno. Muchos animales se trasladan a sitios más cálidos.

En unas seis a diez semanas del verano, el Sol nunca se pone. Hay luz de día y de noche.

Durante el invierno, la tundra ártica es fría y oscura. Estos caribúes viajan al sur en busca de un medioambiente más cálido. ▼

Con el calor del sol, la nieve se funde. La nieve fundida no puede penetrar el suelo. Una capa de permafrost evita que se filtre. El **permafrost** es el suelo que está siempre congelado. El terreno queda empapado y se forman charcos de agua.

Cuando las temperaturas aumentan, se derriten algunas pulgadas de la parte superior del suelo. Crecen plantas pequeñas en el terreno húmedo. La tundra ártica vuelve a la vida cuando los animales regresan a alimentarse y anidar.

 Comprobar

Saca conclusiones ¿Por qué hay permafrost en la tundra ártica?

Pensamiento crítico ¿En qué se parecen y se diferencian la tundra ártica y el desierto?

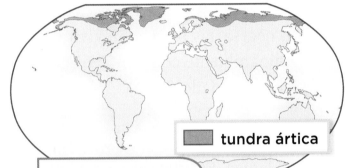

tundra ártica

Leer un mapa

¿En qué parte del mundo está la tundra ártica?

Pista: La clave del mapa te sirve para entender la información que aparece en un mapa.

En el verano, la tundra ártica se empapa con la nieve derretida. ▼

¿Qué adaptaciones les sirven a las plantas del ártico?

En la tundra ártica crecen unos 1,700 tipos de plantas. Las plantas del ártico tienen adaptaciones que les permiten sobrevivir en su medioambiente frío y cubierto de hielo.

Raíces poco profundas

Las raíces pequeñas y poco profundas son una adaptación para que las plantas del ártico sobrevivan. Todas las plantas de la tundra ártica tienen raíces poco profundas, o no tienen raíces. Las raíces poco profundas son necesarias para sobrevivir en un medioambiente con la mayor parte del suelo congelado.

saxífraga violeta

Este polluelo de gaviota del ártico permanece oculto entre rocas cubiertas de liquen. El liquen es parecido al musgo.

liquen

Bajas y pequeñas

El tamaño pequeño es otra adaptación que les ayuda a las plantas a sobrevivir. La mayoría de las plantas del ártico crecen cerca de la tierra y rara vez alcanzan más de un pie de altura. Esta adaptación las protege del frío y el viento.

Crecer juntas

Muchas plantas del ártico crecen muy juntas, tan apretadas que parecen cojines. Los nomeolvides del ártico son un ejemplo. Crecer juntas es una adaptación que protege a las plantas del viento y las temperaturas bajo cero. Las plantas que crecen de esta manera se llaman *plantas en cojín.*

Colores oscuros

Un rojo o rosa intenso le sirve a muchas plantas, como el epilobio enano, para sobrevivir en la tundra ártica. Su color oscuro es una adaptación que les permite capturar la luz solar y atraer aves y otros animales de quienes dependen para esparcir sus semillas y reproducirse.

nomeolvides del ártico

epilobio enano

✅ Comprobar

Saca conclusiones ¿Podría un árbol de plátano vivir en la tundra ártica? Explica tu respuesta.

Pensamiento crítico ¿Por qué el color les ayuda a sobrevivir a las plantas de la tundra ártica?

¿Qué adaptaciones ayudan a los animales del ártico?

Los animales que construyen sus hogares en la tundra ártica tienen adaptaciones que les permiten sobrevivir en medioambientes fríos y nevados.

Permanecer calientes

Los osos polares, bueyes almizcleros y otros animales del ártico tienen abrigos de piel tupida y una gruesa capa de grasa. La **grasa** es una capa de cebo. Los gruesos abrigos y la grasa los mantienen calientes. Los animales del ártico tienen cuerpos grandes y un pelaje más tupido que el de sus parientes de otros biomas. Además, tienen orejas pequeñas y patas más cortas. Estas adaptaciones sirven para capturar y conservar el calor.

Un abrigo de piel tupida y una capa de grasa les sirve a los osos polares y a los bueyes almizcleros para mantenerse calientes en la fría tundra ártica.

Las patas anchas y peludas del lince son perfectas para correr en la nieve.

Garras anchas y fuertes

El lince, la liebre del ártico y el oso polar, entre otros animales de la tundra, tienen patas anchas y peludas para correr en la nieve. Las patas anchas les sirven como raquetas de nieve. Evitan que se hundan en la nieve. Las garras largas y fuertes les dan a los animales agarre adicional y evitan que resbalen en el hielo.

✔ Comprobar

Saca conclusiones ¿Por qué la mayoría de los animales del bosque tropical tienen el pelaje más delgado que los animales del ártico?

Pensamiento crítico ¿Por qué las patas anchas les sirven a los animales para sobrevivir en la tundra?

≡ *Haz la prueba*

Las adaptaciones en el ártico

1 **Observa** ¿Qué características tienen el zorro del ártico y el zorro del desierto? ¿Cómo son sus pieles y sus cuerpos?

2 **Compara** ¿En qué se parecen y se diferencian estos animales?

3 **Infiere** ¿Por qué las características del zorro del ártico le ayudan a sobrevivir en la tundra ártica?

zorro del ártico

zorro del desierto

¿Qué otras adaptaciones tienen los animales del ártico?

Los gansos canadienses, los cisnes de tundra y los caribúes son algunos animales del ártico que migran. **Migrar** significa trasladarse a otro lugar. Los animales migran cuando el medioambiente en el que viven ya no satisface sus necesidades. Durante el invierno el ártico es demasiado frío y las plantas no crecen. Los animales que comen plantas migran al sur donde es más fácil encontrar alimento. En primavera, cuando las temperaturas aumentan en el ártico, las plantas crecen de nuevo y los animales regresan a casa.

La liebre y el zorro del ártico, entre otros, cambian de color en las diferentes estaciones para camuflarse. El camuflaje protege a la liebre de los animales que la cazan y le permite al zorro cazar sin ser visto.

▲ Muchos gansos silvestres canadienses migran hacia el sur, hacia Estados Unidos.

▲ el zorro del ártico en invierno

 Comprobar

Saca conclusiones ¿Cómo ayuda el color a sobrevivir a algunos animales?

Pensamiento crítico ¿Por qué algunos animales migran?

el zorro del ártico en verano ▶

Resumir la idea principal

La **tundra ártica** es un bioma frío y seco que está sobre el Círculo Polar Ártico.
(págs. 70-71)

Las **plantas del ártico** tienen adaptaciones que las protegen del frío y el viento.
(págs. 72-73)

Los **animales del ártico** tienen adaptaciones que les permiten sobrevivir en medioambientes fríos y nevados. (págs. 74-76)

Hacer una guía de estudio MODELOS DE PAPEL™

Haz un doblez de pirámide. Úsalo para resumir lo que leíste sobre la tundra ártica.

Pensar, comentar y escribir

1 **Idea principal** ¿Qué adaptaciones les permiten sobrevivir a las plantas y animales del ártico?

2 **Vocabulario** ¿Cómo es la tundra ártica? Escribe sobre ello.

3 **Saca conclusiones** ¿Por qué no pueden crecer árboles en la tundra ártica?

Pistas del texto	Conclusiones

4 **Pensamiento crítico** ¿Puede vivir un animal del ártico en un desierto cálido? Explica tu respuesta.

5 **Práctica para la prueba** El pelaje blanco de un zorro del ártico es un ejemplo de

A mimetismo.

B migración.

C camuflaje.

D hibernación.

Conexión con Escritura

Escritura comparativa
Describe tu animal favorito del ártico. ¿Qué adaptaciones le permiten sobrevivir? Compara este animal con un animal del bosque. Escribe en qué se parecen y en qué se diferencian.

Conexión con Estudios Sociales

Investigar
Pocas personas viven en la tundra ártica, pero algunos inuits viven en zonas donde pueden pescar y cazar para obtener alimento. Escribe una lista de preguntas que te gustaría hacerle a alguien que viva en la tundra. Investiga a los inuits para hallar las respuestas.

Describe el lugar donde vives

En este capítulo viajaste por distintos medioambientes alrededor del mundo. Ahora habla del lugar donde vives. Describe los lugares interesantes y los sonidos de tu comunidad. ¿Qué plantas y animales viven a tu alrededor? ¿Cómo es el clima?

Una buena descripción

▶ incluye palabras descriptivas para decir cómo algo es, suena, se siente, huele o sabe

▶ usa detalles que describan el entorno para el lector

▶ agrupa los detalles en un orden que tenga sentido

 ¡A escribir!

Escritura descriptiva Escribe una descripción de tu medioambiente en tu cuaderno de Ciencias. Usa el primer párrafo de la página 70 como modelo de escritura.

CONÉCTATE ⊜**-Diario** Escribe en **www.macmillanmh.com**

 ELA W 3.2.2. Escriben descripciones empleando detalles sensoriales concretos para presentar, apoyar y unir las impresiones sobre personas, lugares, cosas o experiencias.

Estimar el área de hojas

La mayoría de las plantas de la tundra son muy pequeñas. Esa es una adaptación que les ayuda a sobrevivir. ¿Cómo son las plantas en tu medioambiente? ¿Son grandes y altas? ¿Qué clase de hojas tienen?

Estimar el área

▶ Primero, traza el contorno de un objeto plano sobre papel cuadriculado.

▶ Luego, estima el área contando los cuadros que cubre. Cuenta cualquier cuadro que esté cubierto más de la mitad.

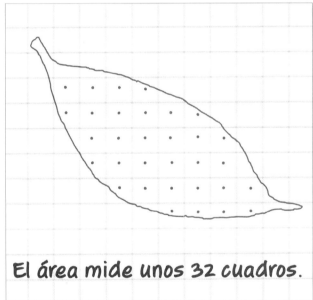

El área mide unos 32 cuadros.

Resuélvelo

Recoge algunas hojas de plantas de tu medioambiente. Compara su tamaño. Estima sus áreas.

MA MG 3.1.2. Estimar o hallar el área y volumen de figuras sólidas, cubriéndolas con cuadrados o contando el número de cubos que las llenarían.

79
EXTENDER

Resumir las ideas principales

Los seres vivos obtienen lo que necesitan de su medioambiente. (págs. 24-33).

Las plantas y animales del desierto tienen adaptaciones para conservar el agua. (págs. 36-43)

Las plantas y animales del pastizal natural tienen adaptaciones para sobrevivir en los pastizales naturales. (págs. 46-53)

Las plantas y animales del bosque tienen adaptaciones para sobrevivir en los bosques. (págs. 56-65)

Las plantas y animales del ártico tienen adaptaciones para sobrevivir en temperaturas bajo cero. (págs. 68-77)

Hacer una guía de estudio MODELOS DE PAPEL™

Pega tus guías de estudio de la lección como se muestra. Usa tu guía de estudio para repasar lo que aprendiste en este capítulo.

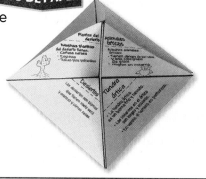

Completa los espacios en blanco con la palabra apropiada de la lista.

adaptación, pág. 32	**medioambiente**, pág. 26
camuflaje, pág. 42	**pastizales naturales**, pág. 48
caducifolio, pág. 61	**migrar**, pág. 76
desierto, pág. 38	**mimetismo**, pág. 62

1. Todo lo que rodea un ser vivo conforma su _____. 3 LS 3.b

2. Los animales usan el _____ para confundirse con su medioambiente. 3 LS 3.a

3. Un _____ tiene clima seco y suelo arenoso. 3 LS 3.b

4. El árbol que pierde sus hojas en otoño se llama _____. 3 LS 3.a

5. Las espinas de un cactus son un ejemplo de una _____. 3 LS 3.a

6. Cuando los animales _____ abandonan sus hogares en invierno para dirigirse a un medioambiente más cálido y luego regresan a casa en el verano. 3 LS 3.b

7. Las cebras, caballos y otros animales de pastoreo viven principalmente en los _____. 3 LS 3.b

8. Una adaptación en la que un ser vivo se parece a otro se llama _____. 3 LS 3.a

Comenta o escribe sobre lo siguiente.

9. **Compara y contrasta** ¿Por qué las adaptaciones protegen a estos animales de sus enemigos? 3 LS 3.a

puercoespín   rana venenosa

10. **Escritura descriptiva** Describe un desierto 3 LS 3.b

11. **Compara** Compara los siguientes animales. ¿Qué estructuras especiales les permiten sobrevivir?
3 LS 3.a

saltamontes   buey almizclero

12. **Pensamiento crítico** ¿Qué les sucedería a las plantas del bosque tropical si su medioambiente se volviera de pronto frío y seco? 3 LS 3.b

Responde a las siguientes preguntas con oraciones completas.

13. ¿Por qué los pastos crecen bien en los pastizales naturales? 3 LS 3.b

14. ¿Qué adaptaciones le permiten al oso polar sobrevivir en la tundra ártica? 3 LS 3.a

15. ¿Por qué las tres adaptaciones mostradas en el diagrama le permiten a un cactus sobrevivir en el desierto? 3 LS 3.a

espinas

tallo grueso

raíces poco profundas

 ¿Qué son las adaptaciones y para qué les sirven a los seres vivos? 3 LS 3

CAPÍTULO 1

Hacer un libro sobre un bioma

- Haz un libro de un bioma que te gustaría visitar. Incluye información del clima y suelo de ese bioma.

- Habla sobre las plantas y los animales que viven allí. Explica qué adaptaciones permitieron a plantas y animales sobrevivir en ese medioambiente.

- Incluye una portada para tu libro e ilustra cada página con dibujos o fotografías.

Ejemplos de biomas

pastizal natural

desierto

tundra ártica

bosque

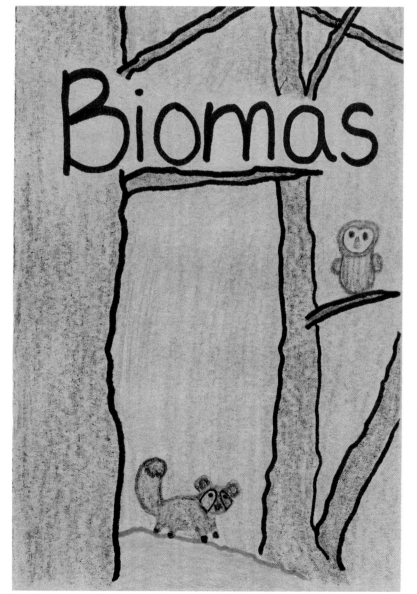

1 ¿Por qué las raíces le sirven a una planta para obtener lo que necesita? 3 LS 3.a

A Absorben la luz solar.

B Absorben el dióxido de carbono.

C Absorben los alimentos.

D Absorben el agua.

2 ¿Dónde viven principalmente los animales que tienen dientes planos para pastar? 3 LS 3.a

A en el desierto

B en el pastizal natural

C en el bosque

D en la tundra

3 La tabla muestra información sobre el Valle de la Muerte que la clase de la señora Smith recopiló.

Valle de la Muerte, California	
Clima	• caliente y seco • 2-15 pulgadas de lluvia al año
Suelo	• seco y arenoso
Plantas	• nopal • biznaga
Animales	• coyote • lagarto de collar • chochín de los cactus

¿Qué tipo de bioma es el Valle de la Muerte, California? 3 IE 5.e

A desierto

B pastizal natural

C bosque

D tundra ártica

4 Los caribúes viven en la tundra ártica. Comen plantas pequeñas la mayor parte del verano.

¿Qué hacen en invierno cuando es difícil encontrar plantas? 3 LS 3.b

A Comen carne en lugar de plantas.

B Hibernan.

C Migran.

D Cambian de color.

5 ¿Qué clase de plantas se encuentran principalmente en los bosques? 3 LS 3.b

A pastos

B árboles

C plantas enmarañadas

D cactus

6 ¿Dónde sería más probable encontrar animales con pelaje tupido y mucha grasa? 3 LS 3.a

A en el desierto

B en el pastizal natural

C en el bosque

D en la tundra ártica

Las adaptaciones en medioambientes acuáticos

 ¿Qué adaptaciones les permiten a los seres vivos sobrevivir bajo el agua?

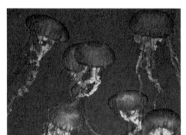

3 LS 3. Las adaptaciones en la estructura física o el comportamiento pueden aumentar la supervivencia de los organismos.

85

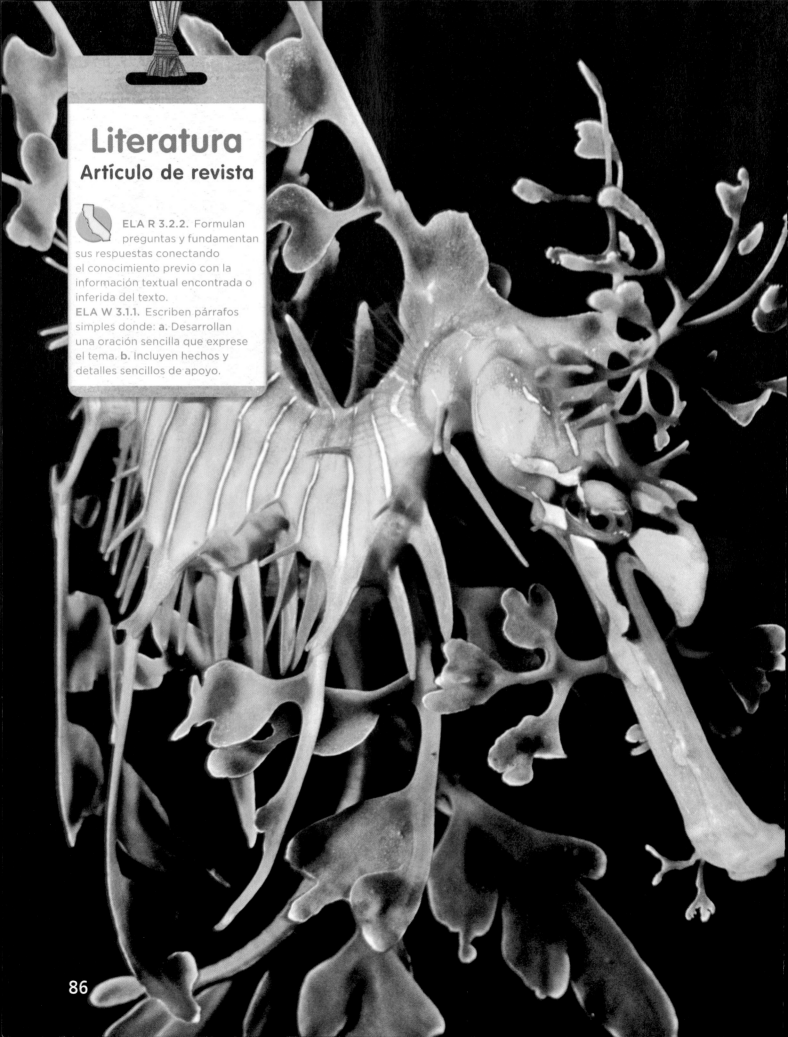

Literatura
Artículo de revista

ELA R 3.2.2. Formulan preguntas y fundamentan sus respuestas conectando el conocimiento previo con la información textual encontrada o inferida del texto.
ELA W 3.1.1. Escriben párrafos simples donde: **a.** Desarrollan una oración sencilla que exprese el tema. **b.** Incluyen hechos y detalles sencillos de apoyo.

tomado de *Ranger Rick*

Dragones del mar

Elizabeth Schleichert

Hola. Ése tipo en la foto de al lado, con un impresionante tocado y muy en la onda con el traje que combina, soy yo, Lennie. Nosotros, los *dragones frondosos de mar* somos los peces más elegantes que hay. Sí, es verdad. Somos peces, somos primos del caballo de mar. ¿Dónde puedes encontrarnos? En el océano del sur de Australia...

Dragón frondoso de mar

Es difícil que los depredadores nos encuentren porque nos parecemos mucho a las algas marinas que se mueven con la corriente. Estar camuflados nos ayuda también a obtener alimento. Frente a nosotros pasan camarones enanos y otras delicias. A menudo los succionamos con nuestras largas trompas en forma de tubo. ¡Así que nuestro extraño aspecto *realmente* nos sirve!

¡A escribir!

Respuesta a la literatura En este artículo aprendiste que parecerse a las algas marinas mantiene a salvo a los dragones frondosos de mar en su medioambiente. ¿Qué estructuras especiales te protegen? Por ejemplo, ¿cómo te protege tu nariz? Investiga. Escribe un informe sobre cómo te protege tu cuerpo.

CONÉCTATE ⊝**-Diario** Escribe en **www.macmillanmh.com**

El planeta acuático

Observa y pregúntate

Las tortugas verdes viven en los océanos de todo el mundo. ¿Pueden todas las plantas y animales acuáticos vivir en todos los medioambientes acuáticos?

Lección base para 3 LS 3.a. Saber que las plantas y los animales tienen estructuras que tienen diversas funciones en el crecimiento, la supervivencia y la reproducción. **•3 LS 3.b.** Conocer ejemplos de diversas formas de vida en diferentes tipos de medioambiente, como océano, desierto, tundra, bosque, pradera y humedal.

¿Pueden los animales marinos vivir y crecer en agua dulce?

Formular una hipótesis

¿Puede el camarón salino crecer en agua dulce y en agua salada?

Comprobar la hipótesis

1. Pon en cada frasco 480 ml de agua. Agrega dos cucharadas de sal de mar en un frasco. Pon los rótulos *Agua dulce* y *Agua salada* en cada frasco.

Paso 1

2. Agrega una cucharada de huevos de camarón salino a cada frasco.

3. **Observa** Mira qué sucede en cada frasco durante los siguientes días. Usa una lupa.

Sacar conclusiones

4. ¿Pueden los animales marinos vivir y crecer en un medioambiente de agua dulce?

5. **Infiere** ¿Los océanos son medioambientes de agua dulce o de agua salada?

Explorar más

Experimenta ¿Afecta la temperatura la incubación de los huevos de camarón salino? Diseña un experimento para descubrirlo.

3 IE 5.e. Recopilar los datos de una investigación y analizarlos para llegar a una conclusión lógica.

Materiales

2 frascos

taza de medir y agua

cucharas de medir

sal de mar

huevos de camarón salino

lupa

Paso 3

Agua salada

Agua dulce

Idea principal   3 LS 3.a
3 LS 3.b

Los medioambientes acuáticos de la Tierra difieren en cuanto a contenido de sal, profundidad y temperatura.

Vocabulario

medioambiente de agua salada, pág. 91

medioambiente de agua dulce, pág. 91

medioambiente salobre, pág. 91

profundidad, pág. 92

Destreza de lectura

Resumir

Tecnología

BÚSQUEDA CIENTÍFICA Explora los biomas.

¿Qué es un medioambiente acuático?

Si pudieras observar la Tierra desde el espacio, verías un mundo acuoso y azul. Casi tres cuartas partes de nuestro planeta están cubiertas de agua.

Los océanos, lagos, lagunas, ríos, arroyos y humedales forman los medioambientes acuáticos de la Tierra. Estos medioambientes se diferencian de muchas maneras. Una de las mayores diferencias es la cantidad de sal que tiene el agua de cada medioambiente.

El agua de la Tierra

 = agua salada (970 cubetas)

 = agua dulce de ríos, lagos, arroyos y lagunas (3 cubetas)

 = agua dulce de los hielos y fuentes subterráneas (27 cubetas)

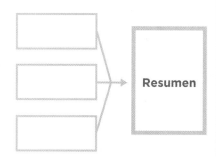

Si el suministro del agua de la Tierra se vertiera en 1,000 cubetas, sólo 30 cubetas contendrían agua dulce. El resto sería agua salada.

▲ A la Tierra se le llama el planeta de agua. Desde el espacio se puede ver que casi toda la superficie de la Tierra está cubierta de agua.

Leer un diagrama

¿La mayor parte del agua de la Tierra es salada o dulce?

Pista: Compara las cubetas de agua salada y las de agua dulce.

Los **medioambientes de agua salada** tienen agua que es muy salada. Los océanos y los mares son medioambientes de agua salada. Los medioambientes de agua salada también se llaman *medioambientes marinos*.

Los **medioambientes de agua dulce** tienen agua que casi no contiene sal. El agua que bebes es agua dulce. La mayoría de los lagos, lagunas, ríos y arroyos son medioambientes de agua dulce.

Los **medioambientes de agua salobre** tienen una mezcla de agua dulce y salada. El medioambiente donde un río se une al océano es salobre. Muchos animales marinos ponen huevos y cuidan a sus crías en este medioambiente.

✔ Comprobar

Resume ¿Cuáles son los tres tipos de medioambientes acuáticos?

Pensamiento crítico ¿De dónde es más probable que proceda el agua que bebes?

¿Cómo se diferencian los medioambientes acuáticos?

Sabes que los medioambientes acuáticos difieren en la cantidad de sal que tienen. También hay otras diferencias.

Profundidad

Los medioambientes acuáticos tienen distintas profundidades. La **profundidad** describe que tan hondo es algo. Mide la distancia desde la superficie del agua hasta el fondo. Los océanos pueden tener miles de metros de profundidad. Las lagunas pueden tener profundidades de apenas unos metros. La mayoría de las plantas y los animales acuáticos vive cerca de la superficie.

Luz del sol

Los medioambientes acuáticos reciben distintas cantidades de luz del sol. Cerca de la superficie, la luz solar brilla a través del agua. Las plantas verdes y las algas reciben suficiente luz para crecer. Cuando el agua es más profunda, recibe menos luz del sol. Las aguas profundas son oscuras. En aguas muy profundas no pueden crecer plantas. Muy pocos animales viven allí.

▲ Quienes bucean con *snorkel* nadan cerca de la superficie, donde hay mucha luz solar para observar la vida marina.

En el mar profundo, los buzos deben usar una luz para observar la vida marina. Deben llevar puestos trajes de neopreno para mantenerse calientes en el agua fría. ▶

Temperatura

Los medioambientes acuáticos también tienen temperaturas diferentes. Cerca del ecuador, las aguas tropicales son cálidas todo el año. En los medioambientes templados, el agua se enfría durante el invierno.

La profundidad del agua puede afectar su temperatura. Cerca de la superficie, donde la luz solar la calienta, el agua es más cálida. En las profundidades, donde hay poca luz solar, el agua es más fría.

El fondo del océano es muy frío y oscuro. Los científicos usan submarinos para estudiarlo. ▼

☰ Haz la prueba

Temperatura del agua

1 Pon en dos frascos 200 ml de agua. Pon en un frasco el rótulo *Con luz solar* y colócalo en un lugar soleado. En el otro frasco pon el rótulo *Sin luz solar* y colócalo en un lugar muy oscuro.

2 **Observa** Después de unas horas, mide la temperatura del agua de cada frasco con un termómetro. ¿Cuál está más caliente?

3 **Saca conclusiones** Los dos frascos sirven de modelo de dos partes del océano. ¿Cuáles son esas partes? ¿En qué se diferencian?

4 **Infiere** ¿En qué parte del océano crees que vivan más animales?

✔ *Comprobar*

Resume Describe tres formas en las que los medioambientes acuáticos se diferencian entre sí.

Pensamiento crítico ¿Cuál sería más fría, el agua a 100 metros de profundidad o el agua a 1,000 metros de profundidad?

¿Qué plantas y animales viven en un medioambiente acuático?

Distintos tipos de plantas y animales viven en diferentes medioambientes acuáticos. Cada tipo vive donde puede satisfacer mejor sus necesidades. Cada uno tiene adaptaciones que le permiten sobrevivir. Por ejemplo, los nenúfares viven en lagunas de agua dulce. Los espacios de aire en sus hojas les ayudan a flotar.

Los peces tropicales viven en los cálidos océanos tropicales de agua salada. Allí encuentran alimento, ponen sus huevos y están protegidos. No podrían sobrevivir en agua dulce, ni en medioambientes marinos profundos y fríos.

▲ Los nenúfares flotan en lagunas de agua dulce. Sus raíces están enterradas en el suelo lodoso que hay debajo.

▲ Muchos tipos de peces viven en las soleadas y poco profundas aguas de los arrecifes de coral.

✔ Comprobar

Resume ¿Por qué viven distintas plantas y animales en diferentes medioambientes acuáticos?

Pensamiento crítico ¿Podría un pez tropical vivir en aguas árticas? ¿Por qué?

Las ballenas viven en los océanos. Tienen una capa de cebo o grasa bajo la piel que las mantiene calientes en el agua fría. ▶

Repaso de la lección

Resumir la idea principal

Los tres tipos de **medioambientes acuáticos** son: el de agua salada, el de agua dulce y el de agua salobre. (págs. 90-91)

La **profundidad**, la **luz solar** y la **temperatura** del agua afectan a los medioambientes acuáticos (págs. 92-93)

Las plantas y animales acuáticos tienen **adaptaciones** que les permiten sobrevivir en los medioambientes acuáticos. (pág. 94)

Hacer una guía de estudio

 MODELOS DE PAPEL™

Haz un boletín con capas. Úsalo para resumir lo que aprendiste de los medioambientes acuáticos.

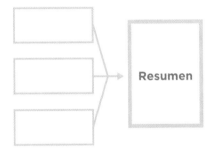

Medioambientes acuáticos

Profundidad, luz solar y temperatura

Adaptaciones

El planeta de agua

Pensar, comentar y escribir

1. **Idea principal** ¿En qué se diferencian los océanos de los medioambientes de agua dulce? ¿En qué se parecen?

2. **Vocabulario** ¿Qué son los medioambientes salobres? ¿Dónde se hallan?

3. **Resume** ¿Cuáles son algunas adaptaciones que permiten a los animales sobrevivir en los medioambientes acuáticos?

```
┌──────────┐
│          │ ──┐
└──────────┘   │    ┌──────────┐
┌──────────┐   ├──▶ │ Resumen  │
│          │ ──┤    └──────────┘
└──────────┘   │
┌──────────┐   │
│          │ ──┘
└──────────┘
```

4. **Pensamiento crítico** ¿Pueden todos los animales de agua dulce sobrevivir en agua salada? Explica tu respuesta.

5. **Práctica para la prueba** Los camarones salinos viven en

   A agua salada

   B lagunas

   C agua dulce

   D lagos

 Conexión con Escritura

Escribir un informe
Usa materiales de investigación para descubrir cómo un derrame de petróleo puede dañar a las plantas y animales acuáticos. Luego escribe un informe.

Conexión con Arte

Dibujar un bioma acuático
Dibuja un mundo subacuático. Incluye seres vivos adaptados a ese medioambiente.

Predecir

Acabas de aprender sobre los medioambientes de agua salada y de agua dulce. ¿Cuál piensas que se congela más rápido, el agua salada o el agua dulce? Para hallar respuestas a las preguntas, los científicos **predicen** lo que piensan que ocurrirá. Luego, experimentan para averiguar lo que sucede. Después comparan sus resultados con su predicción.

1 Estúdialo

Cuando **predices**, mencionas los posibles resultados de un suceso o experimento. Es importante anotar tu predicción antes de hacer un experimento, anotar tus observaciones durante el experimento y anotar los resultados finales. Luego tendrás suficientes datos para descubrir si tu predicción fue correcta.

2 Inténtalo

Predice lo que pasará cuando congeles agua dulce y agua salada. Escribe tu predicción en una tabla como la que se muestra en la página 97. Luego haz un experimento para comprobar tu predicción.

▶ Pon 125 ml de agua en un vaso de plástico. Pega el rótulo *Agua dulce* en este recipiente.

▶ Pon 125 ml de agua en otro vaso de plástico. Agrega 1 cucharada de sal y revuelve con la cuchara. Pega el rótulo *Agua salada* en este vaso.

▶ Coloca ambos vasos en el congelador. Revísalos cada 15 minutos. Dibuja o escribe tus observaciones.

Ahora responde estas preguntas: ¿Cuál se congela más rápido, el agua dulce o el agua salada? ¿Fue correcta tu predicción?

¿Cuál se congela más rápido?	
Mis predicciones	
observaciones del **agua dulce**	
observaciones del **agua salada**	
resultados	

③ Aplícalo

Ahora que has aprendido a pensar como un científico, haz otra predicción. ¿**Predices** que se evaporará más rápido el agua salada o el agua dulce? Planea un experimento para descubrir si tu predicción es correcta.

 3 IE 5.d. Predecir el resultado de una simple investigación y comparar los resultados obtenidos con la predicción.

La vida en el océano

Observa y pregúntate

Estas raras formas de vida son las medusas. No tienen cerebro, ni huesos, ni ojos. Tienen tentáculos venenosos que atrapan alimento. ¿Cómo están adaptados sus cuerpos para desplazarse por el agua?

3 LS 3.a. Saber que las plantas y los animales tienen estructuras que tienen diversas funciones en el crecimiento, la supervivencia y la reproducción. **•3 LS 3.b.** Conocer ejemplos de diversas formas de vida en diferentes tipos de medioambiente, como océano, desierto, tundra, bosque, pradera y pantano.

¿Cómo se desplazan las medusas y otros animales acuáticos?

Propósito

Hacer un modelo de cómo las medusas y otros animales acuáticos tienen adaptaciones que les permiten desplazarse por el agua.

Procedimiento

1. **Haz un modelo** Infla un globo. Sostén el extremo del globo con fuerza para que el aire no salga. El globo es un modelo del cuerpo hueco en forma de campana de una medusa. El aire es como el agua que llena el cuerpo de la medusa.

2. **Predice** ¿Qué crees que pasará cuando sueltes el globo?

3. **Experimenta** Suelta el globo. ¿Qué pasa cuando el "agua" sale expulsada del "cuerpo de la medusa"?

   ⚠️ **¡Ten cuidado!** Asegúrate de hacer esto lejos de otros estudiantes.

Sacar conclusiones

4. ¿Cómo se desplaza una medusa por el océano? ¿Cómo le permite esta adaptación a la medusa sobrevivir en su medioambiente marino?

Explorar más

¿Cómo se desplazan por el océano otros animales? Investiga para descubrirlo.

 3 IE 5.d. Predecir el resultado de una simple investigación y comparar los resultados obtenidos con la predicción.

Materiales

globo

Paso 1

Paso 3

► **Idea principal** 3 LS 3.a
3 LS 3.b

El océano es el medioambiente más grande de la Tierra. Las plantas y los animales marinos tienen adaptaciones que les permiten sobrevivir en este medioambiente.

► **Vocabulario**

océano, pág. 101

alga, pág. 102

agallas, pág. 104

► **Destreza de lectura**

Compara y contrasta

Diferente Parecido Diferente

Los arrecifes de coral están en las cálidas aguas poco profundas de los océanos tropicales.

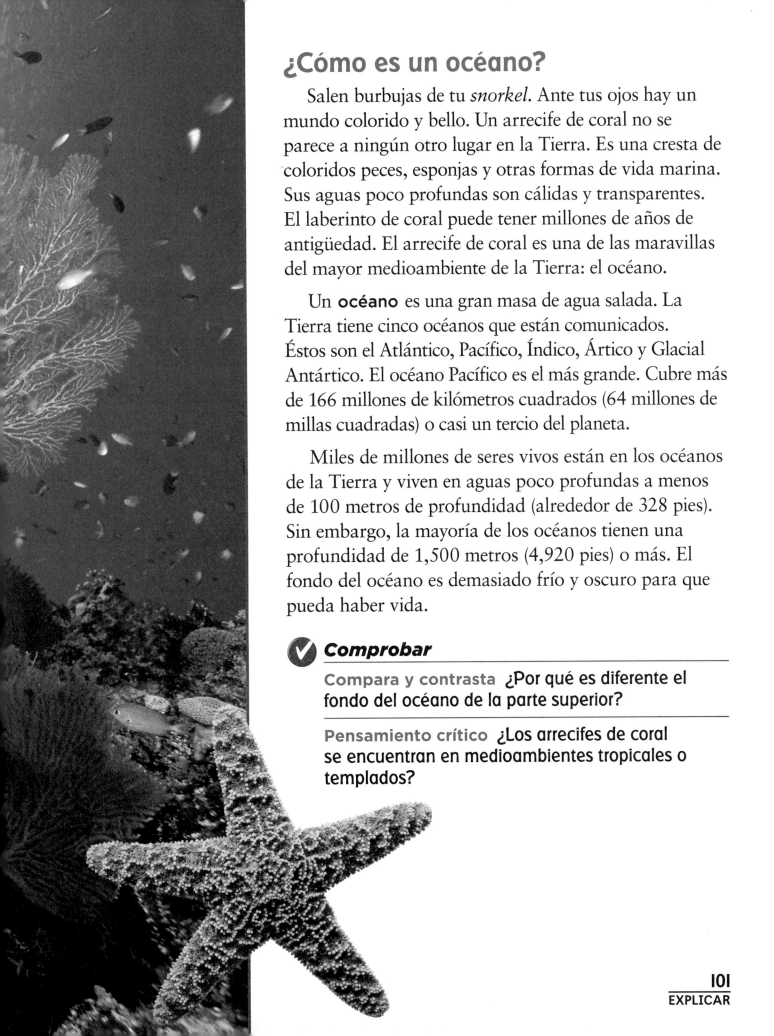

¿Cómo es un océano?

Salen burbujas de tu *snorkel*. Ante tus ojos hay un mundo colorido y bello. Un arrecife de coral no se parece a ningún otro lugar en la Tierra. Es una cresta de coloridos peces, esponjas y otras formas de vida marina. Sus aguas poco profundas son cálidas y transparentes. El laberinto de coral puede tener millones de años de antigüedad. El arrecife de coral es una de las maravillas del mayor medioambiente de la Tierra: el océano.

Un **océano** es una gran masa de agua salada. La Tierra tiene cinco océanos que están comunicados. Éstos son el Atlántico, Pacífico, Índico, Ártico y Glacial Antártico. El océano Pacífico es el más grande. Cubre más de 166 millones de kilómetros cuadrados (64 millones de millas cuadradas) o casi un tercio del planeta.

Miles de millones de seres vivos están en los océanos de la Tierra y viven en aguas poco profundas a menos de 100 metros de profundidad (alrededor de 328 pies). Sin embargo, la mayoría de los océanos tienen una profundidad de 1,500 metros (4,920 pies) o más. El fondo del océano es demasiado frío y oscuro para que pueda haber vida.

✔ Comprobar

Compara y contrasta ¿Por qué es diferente el fondo del océano de la parte superior?

Pensamiento crítico ¿Los arrecifes de coral se encuentran en medioambientes tropicales o templados?

La zostera marina suele confundirse con el alga marina, pero en realidad es una planta florífera.

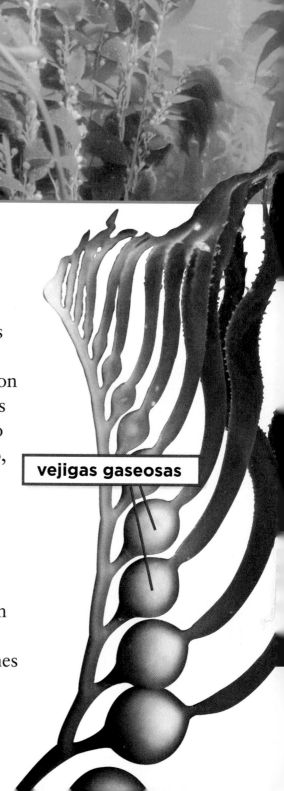

vejigas gaseosas

¿Cómo sobreviven las plantas en el océano?

Pocas plantas verdaderas tienen adaptaciones que les permiten sobrevivir en el océano. La zostera marina es una de ellas. La mayoría de las "plantas" marinas no son plantas verdaderas. Son **algas**. Las algas son seres vivos parecidos a las plantas. Como ellas, usan agua, dióxido de carbono y luz solar para fabricar su propio alimento, además producen oxígeno (el gas que respiramos).

En el océano hay dos tipos principales de algas. Un tipo tiene estructuras parecidas a raíces que se fijan al fondo del océano. Estas plantas viven en aguas poco profundas donde reciben suficiente luz solar para crecer. El otro tipo no tiene raíces. Esta adaptación les permite moverse cerca de la superficie del agua iluminada por luz solar. Ambos tipos tienen adaptaciones para sobrevivir en el agua salada del océano.

Los bosques de algas marrones crecen hacia la superficie del agua iluminada por la luz solar.

Bosques de algas marrones

Las algas crecen muy rápido. El alga marrón puede agruparse y alcanzar un gran tamaño. Los bosques de algas marrones del océano Pacífico pueden alcanzar alturas de 30 metros (98 pies). El alga marrón tiene estructuras parecidas a las hojas que absorben la luz solar. También tiene estructuras en forma de globos llamadas *vejigas gaseosas* que le permiten flotar. Crece en aguas poco profundas y transparentes. Los erizos de mar y las nutrias marinas viven en bosques de algas marrones.

◀ El alga marrón se ve como una planta terrestre, pero tiene adaptaciones que le permiten sobrevivir en el agua.

≡ *Haz la prueba*

El crecimiento de las plantas

1. Consigue dos bolsas de plástico con cierre hermético. Coloca una toalla de papel en cada bolsa de plástico. Vierte 60 ml de agua en una de las bolsas. Ponle el rótulo *Agua dulce*. Vierte 60 ml de agua y 1 cucharadita de sal en la otra bolsa. Ponle el rótulo *Agua salada*.

2. Usa la engrapadora y haz una línea de grapas a 3 cm del fondo de cada bolsa. Mete 5 semillas de frijol en cada bolsa. Cuelga las bolsas en la pared o en la ventana.

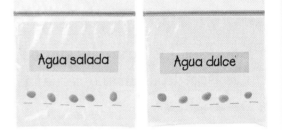

Agua salada   Agua dulce

3. **Compara** ¿Crecen plantas en los dos medioambientes acuáticos?

4. **Saca conclusiones** ¿Necesitan las plantas adaptaciones especiales para sobrevivir en el agua salada?

 Comprobar

Compara y contrasta ¿En qué se parecen las plantas marinas y las plantas terrestres? ¿En qué se diferencian?

Pensamiento crítico ¿De dónde proviene parte del oxígeno que respiramos?

1. El agua entra en la boca del pez.

2. Luego las estructuras de las agallas toman el oxígeno del agua.

3. Las aletas le permiten al pez nadar en cualquier dirección.

4. Un pez se desplaza hacia adelante moviendo en vaivén su musculosa cola.

Estudiar la foto

¿Qué adaptaciones especiales tienen los peces para vivir bajo el agua?

Pista: Relaciona cada parte del cuerpo con el número de la leyenda.

¿Cómo sobreviven los animales bajo el agua?

De todos los animales del océano, los peces son los más numerosos. Los animales marinos tienen adaptaciones que les permiten vivir en su medioambiente.

Respirar

Como las personas, los peces necesitan oxígeno para respirar. Los peces usan unas partes del cuerpo llamadas **agallas** para tomar oxígeno del agua. Las agallas están en ambos lados del pez, justo detrás de su cabeza. El agua que entra en la boca del pez pasa por las agallas. Las agallas toman el oxígeno cuando el agua sale.

Moverse

El cuerpo de un pez tiene tal forma que le permite desplazarse por el agua. Tienen colas fuertes para moverse hacia delante. Las aletas les permiten seguir una dirección.

Los cangrejos están emparentados con las arañas. Como ellas, caminan por el suelo. ▼

Permanecer a salvo

El océano es un lugar salvaje. Muchos animales interactúan en un medioambiente que cambia constantemente. Los peces pequeños se alimentan de plantas y los peces grandes comen peces pequeños. Los animales aún más grandes, como los tiburones y las ballenas, dominan el reino animal submarino. ¿Cómo permanecen a salvo los animales en este medioambiente?

La cola de la pastinaca tiene un aguijón venenoso. Al agitar su cuerpo plano, nada rápidamente en el fondo del océano. Si una pastinaca se siente en peligro, en unos segundos se cubrirá de arena. Su piel es del mismo color que el de la arena. Este *camuflaje* ayuda a la pastinaca y a algunos animales marinos a estar a salvo bajo el agua.

 **Comprobar**

Compara y contrasta ¿En qué se diferencian los animales terrestres de los animales marinos?

Pensamiento crítico ¿Cómo se desplazan los animales por el agua? Menciona algunos ejemplos.

El color de la piel de la pastinaca es similar al del fondo marino. Esto le permite confundirse con el fondo marino y permanecer a salvo.

¿Cómo sobreviven los animales del océano a grandes profundidades?

Muy profundo, cerca del fondo del mar, hace muchísimo frío y está muy oscuro. Sólo animales con adaptaciones especiales pueden vivir allí. Observa la fotografía del pez víbora. Sus ojos gigantes le permiten buscar alimento aun en la oscuridad. El calamar gigante vive en las profundidades del mar y tiene ojos tan grandes como balones de voleibol. En la tierra, los animales que cazan de noche también tienen ojos grandes. Esta adaptación es útil en medioambientes con poca luz.

En contraste, el pejesapo tiene ojos pequeños. Tiene mala vista y una adaptación distinta que le permite obtener alimento. En la parte superior de la cabeza tiene un apéndice que se ilumina. Otros animales son atraídos por la luz y cuando se le acercan, el pejesapo ataca. Tanto el pez víbora como el pejesapo tienen dientes muy filosos.

▲ El pez víbora abre mucho su boca para capturar los peces que nadan a su alrededor.

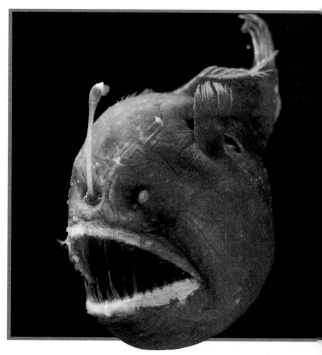

▲ El pejesapo tiene una "caña de pescar" iluminada que atrae a sus presas.

✔ Comprobar

Compara y contrasta ¿Cómo se comparan los animales que cazan de noche y los que cazan cerca del fondo del océano?

Pensamiento crítico ¿Serían los ojos grandes una adaptación necesaria para los animales que viven cerca de la superficie del agua? ¿Por qué?

Los gusanos tubícolas tienen un tubo de concha dura que los protege de los depredadores. ▶

Resumir la idea principal

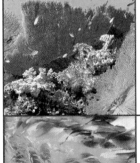

Los **océanos** son el mayor medioambiente de la Tierra. Los océanos cubren casi un tercio del planeta. (págs. 100-101)

Las **plantas marinas** tienen adaptaciones especiales que les ayudan a sobrevivir en el océano. (págs. 102-103)

Los **animales marinos** tienen partes en su cuerpo que les permiten vivir bajo el agua. Algunos viven **a grandes profundidades**. (págs. 104-106)

Hacer una guía de estudio

 MODELOS DE PAPEL™

Haz un boletín con cuatro secciones. Úsalo para resumir lo que aprendiste de la vida en los océanos.

Océanos	Plantas marinas
Las profundidades del océano	Animales marinos

Pensar, comentar y escribir

1. **Idea principal** ¿Por qué la mayor parte de la vida marina está cerca de la superficie?

2. **Vocabulario** ¿Cuál es la función principal de las agallas de un pez?

3. **Compara y contrasta** ¿Cuáles son algunas de las diferencias entre los medioambientes acuáticos de aguas poco profundas y de aguas profundas?

Diferente   Parecido   Diferente

4. **Pensamiento crítico** ¿Por qué es importante el alga marrón para los animales submarinos y terrestres?

5. **Práctica para la prueba** ¿Cómo permanece a salvo un animal en el océano?
   A piel impermeable
   B camuflaje
   C hibernación
   D respirar

 Conexión con Escritura

Escribir un resumen
Escribe sobre un medioambiente submarino con tus propias palabras. Asegúrate de mencionar las plantas y los animales que aprendiste. Incluye datos y detalles importantes.

+6 Conexión con Matemáticas

Medir volúmenes
Si colocas un objeto en un recipiente, el cambio en la medición del agua es el volumen del objeto. Juan mete una piedra en un vaso graduado y el nivel del agua sube de 250 a 320 ml. ¿Cuál es el volumen de la piedra?

Acércate a las Ciencias

Materiales

2 tazones
para mezclar

taza de medir
y agua

cuchara

sal de mar

1 huevo fresco

Investigación estructurada

¿De qué manera afecta la sal la forma en que las cosas flotan en el agua?

Formular una hipótesis

Los animales que viven en los océanos de la Tierra se desplazan fácilmente. ¿Afecta el agua salada la forma en la que se desplazan o flotan? Formula una hipótesis. Comienza con: *"Si el agua es salada, entonces..."*

Comprobar la hipótesis

1. **Mide** Pega en un tazón el rótulo *Agua dulce* y en otro tazón el rótulo *Agua salada*. Pon 400 ml de agua en cada tazón.

2. **Mide** Pon $\frac{1}{8}$ de taza de sal de mar en el tazón con el rótulo *Agua salada*. Revuélvela.

3. **Observa** Coloca cuidadosamente un huevo fresco dentro del tazón con agua dulce. Anota en una tabla lo que sucede.

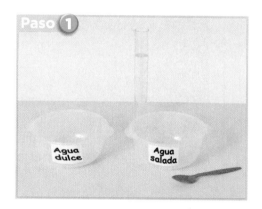

Paso 1

Tazón	Lo que observé
Agua dulce	
Agua salada	

Paso 2

4. **Observa** Saca el huevo y colócalo cuidadosamente en el tazón de agua salada. Anota en tu tabla lo que observes.

Paso 4

Sacar conclusiones

⑤ Analiza los datos ¿Flota el huevo en el agua dulce? ¿En el agua salada?

⑥ Infiere ¿Cómo afecta el agua salada la forma en la que los animales se desplazan por los océanos?

Investigación guiada

¿Afecta el agua salada a las plantas?

Formular una hipótesis

¿Qué efecto tiene el agua salada en algunas plantas? Escribe tu respuesta siguiendo el modelo: *"Si el agua tiene sal, entonces..."*

Comprobar la hipótesis

Diseña un experimento para investigar qué pasa con la lechuga cuando absorbe agua dulce y agua salada. Escribe los pasos que seguirás.

Materiales

sal de mar

agua

lechuga

2 tazones de plástico

Sacar conclusiones

¿Los resultados confirman tu hipótesis? ¿Por qué? Comparte tus ideas con el resto de la clase.

Investigación libre

¿Qué otras preguntas tienes sobre los animales y las plantas que viven en el océano? Comenta con tus compañeros las preguntas que tengas. Decide los pasos que seguirás para responder tus preguntas. Escribe una lista de materiales que usarás en tu investigación.

Recuerda seguir los pasos del método científico.

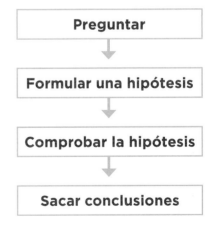

Preguntar
↓
Formular una hipótesis
↓
Comprobar la hipótesis
↓
Sacar conclusiones

3 IE 5.e. Recopilar los datos de una investigación y analizarlos para llegar a una conclusión lógica.

La vida en los humedales

Observa y pregúntate

¿Puedes adivinar cuál es la parte más importante de un humedal? Los pastos y las plantas de un humedal ayudan a limpiar el agua que lo atraviesan. Los humedales son también el hogar de distintas aves y especies silvestres.

3 LS 3.a. Saber que las plantas y los animales tienen estructuras que tienen diversas funciones en el crecimiento, la supervivencia y la reproducción. **•3 LS 3.b.** Conocer ejemplos de diversas formas de vida en diferentes tipos de medioambiente, como océano, desierto, tundra, bosque, pradera y humedal.

¿Cómo filtran el agua los humedales?

Propósito

Descubrir cómo un humedal limpia el medioambiente.

Procedimiento

1. Esparce arcilla en la mitad de una bandeja para representar el suelo. Forma una pendiente hacia la parte vacía de la bandeja.

2. **Observa** Usa la regadera para echar agua limpia sobre el suelo. Esto representa una fuerte lluvia. ¿Qué tan rápido inunda la fuerte lluvia la parte baja del suelo?

3. **Observa** Saca el agua. Coloca el pedazo de pasto sintético sobre la arcilla. El pasto sintético representa los pastos del humedal. Usa de nuevo la regadera para hacer una "fuerte lluvia". Esta vez, ¿qué tan rápido fluye el agua de lluvia a la parte baja del suelo?

4. **Predice** Saca el agua. Haz de nuevo el experimento con agua lodosa. ¿Qué predices que sucederá?

Sacar conclusiones

5. ¿Qué puede enseñarnos un modelo sobre un medioambiente de humedal real?

Explorar más

¿En qué otros filtros puedes pensar? Diseña un experimento que muestre cómo funcionan.

 3 IE 5.e. Recopilar los datos de una investigación y analizarlos para llegar a una conclusión lógica.

Materiales

arcilla para modelar

bandeja de aluminio

regadera

pasto sintético

agua limpia

agua lodosa

Paso 2

Idea principal

3 LS 3.a
3 LS 3.b

Los humedales son lugares donde el suelo es húmedo la mayor parte del año. Las plantas y los animales de los humedales tienen adaptaciones que les permiten sobrevivir en su medioambiente.

Vocabulario

humedal, pág. 112

marisma, pág. 114

pantano, pág. 114

tremedal, pág. 114

anfibio, pág. 116

Destreza de lectura

Predice

Lo que predigo	Lo que sucede

¿Qué son los humedales?

Tu remo va más despacio. Te sientes pequeñísimo en medio de los altos troncos de los árboles. El agua lodosa y oscura está quieta. Las ranas croan y los insectos zumban. Una garceta busca peces calladamente. Estás en los humedales.

Los **humedales** son medioambientes donde el agua cubre el suelo la mayor parte del año. El agua de un humedal puede ser salada, dulce o una mezcla de ambas. El suelo del humedal no retiene mucho oxígeno porque, por lo general, está cubierto de agua. Sólo las plantas con adaptaciones para crecer en este tipo de suelo pueden sobrevivir en los humedales.

Los humedales suelen formarse donde se unen masas de agua con la tierra. Hay humedales en todo el mundo, menos en la Antártida.

Esta gran garceta encuentra todo lo que necesita para sobrevivir en los humedales de los Everglades de Florida.

Los humedales ayudan al medioambiente

Los fertilizantes y sustancias químicas usados en la agricultura pueden dañar las lagunas, los lagos y los ríos. Los humedales filtran y limpian el agua lentamente.

Leer un diagrama

¿Cómo limpian el medioambiente los humedales?

Pista: Observa las diferencias entre las dos ilustraciones.

Las plantas y el suelo de un humedal actúan como esponjas que absorben agua. Cuando los océanos, ríos, lagunas o lagos se desbordan, los humedales absorben el agua excedente. Esto evita que los medioambientes terrestres se inunden.

Los humedales también filtran y limpian el medioambiente. Absorben las sustancias químicas que se filtran en el agua. A medida que el agua fluye a través de los humedales, las plantas y el suelo la filtran. Con este proceso natural se limpia el agua.

✔ Comprobar

Predice Si se sustituyera un humedal cerca de un río por tierras de cultivo, ¿qué pasaría después de fuertes lluvias?

Pensamiento crítico ¿Por qué es importante conservar los humedales?

Pastos y juncos crecen en una marisma.

Los tremedales tienen un terreno húmedo y esponjoso cubierto de musgo.

¿Qué tipo de plantas viven en los humedales?

Hay diferentes tipos de humedales. Cada uno tiene distintos tipos de plantas. Las **marismas** son humedales donde crecen pastos y juncos. En las marismas no hay árboles. Los **pantanos** son humedales con árboles y arbustos. Los cipreses y los sauces crecen bien en los pantanos. Los **tremedales** son humedales de agua dulce llenos de musgo y un rico suelo. El musgo es una planta pequeña y frondosa.

Las plantas que crecen en los humedales tienen adaptaciones que les permiten sobrevivir en su medioambiente húmedo. Por ejemplo, algunas plantas de las marismas tienen tubos especiales en sus tallos. Estos tubos transportan oxígeno desde las hojas hasta las raíces.

Los mangles son árboles del pantano. Tienen raíces leñosas gigantes que crecen sobre el agua. Las raíces toman oxígeno directamente del aire. Las raíces del mangle son el hogar de moluscos y muchos animales pequeños.

Los mangles dejan caer en el agua semillas en forma de palitos. Las semillas pueden flotar durante meses. Cuando el extremo puntiagudo de una semilla toca tierra firme, una nueva planta comienza a crecer.

 Comprobar

Predice ¿Podría crecer un cactus en un pantano?

Pensamiento crítico ¿En qué se parecen las marismas y los pantanos? ¿En qué se diferencian?

Plantas de los humedales y nivel del agua

1 Coloca cuatro esponjas húmedas en una bandeja plana. Cada esponja representa un humedal que absorbe agua. Pon 1 litro de agua en la bandeja para cubrir las esponjas.

2 **Observa** Marca el nivel del agua en la bandeja.

3 Tira el agua fuera de la bandeja y exprime las esponjas. Repite los pasos 1 y 2 con una esponja.

4 **Compara** ¿Cómo varía el nivel del agua en cada situación? ¿Si se destruyeran los humedales, qué pasaría con los demás medioambientes?

Las raíces de los mangles tienen adaptaciones que les permiten tomar oxígeno del aire.

¿Qué tipo de animales viven en los humedales?

Muchos tipos de animales viven en los humedales. Allí encuentran alimento, agua y refugio. Cada uno tiene adaptaciones que le ayudan a sobrevivir.

Los anfibios son especialmente aptos para vivir en los humedales. Los **anfibios** son animales que pasan parte del tiempo en el agua y parte en la tierra. Las ranas son anfibios. Tienen adaptaciones para respirar por la piel.

▲ La rana toro debe volver al agua a menudo para mantener su piel húmeda.

Las garzas son aves de humedal. Tienen adaptaciones que les permiten cazar en los humedales. Permanecen inmóviles y esperan a sus presas. Cuando llega el momento oportuno, la garza abre su largo pico para atrapar ranas, insectos, ratones o lagartijas.

▲ Este pez gato caminante puede sobrevivir fuera del agua por un breve período.

Los peces gato caminantes viven en lagunas de humedales. Una laguna puede desaparecer durante alguna estación seca. Cuando esto sucede, el pez gato se traslada sobre el terreno hacia otra masa de agua. El pez usa sus aletas como "patas". Usa una parte especial del cuerpo que guarda aire para respirar sobre la tierra durante períodos breves.

 Comprobar

Predice Algunas ranas de los humedales están desapareciendo. ¿Cómo afectaría esto a las aves de los humedales?

Pensamiento crítico ¿Por qué la gente debe conservar los humedales?

Esta gran garza azul aprovecha su excelente vista para cazar. ▶

Repaso de la lección

Resumir la idea principal

Los **humedales** son lugares donde el suelo está húmedo la mayor parte del año. (págs. 112-113)

Hay tres tipos de humedales: marismas, pantanos y tremedales. Cada uno tiene distintas **plantas de humedal**. (págs. 114-115)

Los **animales del humedal** tienen adaptaciones que les permiten vivir en medioambientes húmedos. (pág. 116)

Hacer una guía de estudio

MODELOS DE PAPEL™

Haz un boletín con tres secciones. Úsalo para resumir lo que aprendiste de los humedales.

Humedales | Plantas del humedal | Animales del humedal

Pensar, comentar y escribir

1 **Idea principal** Describe los tres tipos de humedales.

2 **Vocabulario** ¿Cuál es la diferencia entre pantano y marisma?

3 **Predice** ¿Qué pasa con los humedales durante una tormenta?

Lo que predigo	Lo que sucede

4 **Pensamiento crítico** ¿Por qué las aves necesitan humedales durante las largas migraciones?

5 **Práctica para la prueba** ¿Cuál de los siguientes no es un tipo de humedal?

A una marisma

B un pantano

C una duna

D un tremedal

 Conexión con Matemáticas

Plan para los humedales
En 1993 había alrededor de 450,000 acres de humedales en California. El gobierno planea agregar 225,000 acres de humedales para el año 2010. Si el plan tiene éxito, ¿cuántos acres de humedales habrá en 2010?

 Conexión con Estudios Sociales

Diseñar un mapa
Dibuja o traza un mapa de California. ¿Cuáles son los tres tipos de medioambientes acuáticos que hay en tu estado? Muéstralos en tu mapa.

Llegó el correo

mariposa buckeye

Los científicos del Museo Estadounidense de Historia Natural trabajan para proteger los hábitats en peligro de todo el mundo. Reúnen historias de gente de todo el planeta para aprender sobre estos medioambientes.

PARA: Museo Estadounidense de Historia Natural
DE: Tomás
ASUNTO: ¡Salvemos los mangles!

Estimados científicos del museo,

Me llamo Tomás. Vivo en la costa de Florida, cerca de un mangle. Mi mamá es guía de recorridos en los que muestra a las personas las increíbles criaturas que viven en los mangles. Les escribo porque estoy preocupado por lo que está sucediendo cerca de mi casa. Los mangles son el hogar de muchos animales, incluidas cigüeñas, mariposas, víboras y cangrejos. Las raíces de los mangles son refugio de peces y camarones. Los mangles protegen también a la costa del viento, las olas y las inundaciones.

Últimamente, se están construyendo muchos vecindarios. Estas construcciones están reemplazando muchos mangles con tiendas, casas, marinas, aeropuertos y estacionamientos. ¿Qué sucederá con los animales que viven en los mangles? Debe haber alguna manera para que nosotros, los mangles y los animales vivamos juntos.

Tomás

AMERICAN MUSEUM ö NATURAL HISTORY

cangrejo terrestre de mangle

Cuando predices,

▶ usas lo que sabes para decir lo que piensas que podría suceder en el futuro

¡A escribir!

Predice ¿Qué pasaría con los humedales que están cerca de la casa de Tomás si las personas siguen ocupándolos y construyendo nuevos vecindarios? Escribe una carta en respuesta a la de Tomás, en la que expliques por qué es importante salvar los humedales. Menciona cómo podemos ayudar a protegerlos.

CONÉCTATE ⓔ **–Diario** Escribe en **www.macmillanmh.com**

La cigüeña calva y la culebra de agua viven en los mangles de Florida.

ELA R 3.2.4. Recuerdan los puntos principales en el texto y hacen o modifican sus predicciones acerca de información futura.

Un relato sobre los humedales

En este capítulo aprendiste de la vida en los humedales. Ahora imagina que visitas un medioambiente de humedal. ¿Cómo describirías ese lugar? ¿Qué plantas y animales verías?

Una buena narración

▶ tiene un comienzo, un desarrollo y un final

▶ tiene un argumento con un problema que debe resolverse

▶ tiene personajes que hacen cosas y un escenario donde se desarrollan los sucesos

▶ usa palabras y detalles descriptivos para hablar sobre los personajes, el escenario y la acción

▶ suele tener diálogos

▲ Los humedales son un importante hábitat natural para las plantas, los animales y las personas.

¡A escribir!

Ficción Escribe una narración sobre una excursión a los humedales. ¿Quiénes van? ¿Cómo llegan? ¿Qué dice el guía del recorrido? Usa en tu relato todas las partes de una buena narración.

CONÉCTATE ⊜**-Diario** Escribe en **www.macmillanmh.com**

ELA W 3.2.1. Escriben narraciones donde:
a. Proveen el contexto que enmarca la acción.
b. Incluyen detalles cuidadosamente seleccionados para desarrollar la trama.
c. Ofrecen reflexiones sobre las razones por las cuales el suceso es memorable.

El agua de la Tierra

El Dr. Peter Gleick del Instituto del Pacífico, en Oakland, California, estudia el agua dulce del mundo y todas las formas en las que se usa. Observa cuánta agua dulce hay disponible en comparación con la de los hielos y el agua de mar. Las personas usan agua dulce para beber, cocinar, lavar y para la jardinería. Los agricultores la usan para sus animales y sus cultivos.

Observa la tabla que sigue. La cuadrícula de 100 representa toda el agua de la Tierra.

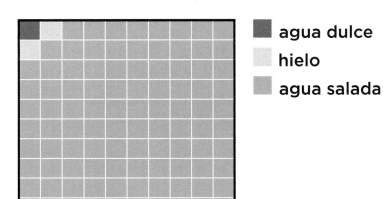

■ agua dulce
■ hielo
■ agua salada

Fracciones de agua

▶ Usas el número 100 como denominador y el 1 como numerador: $\frac{1}{100}$ = 1 parte de agua dulce en 100 partes de agua, muestra el agua dulce como fracción de toda el agua

▶ Escribe una fracción que muestre 2 partes en 100; la cantidad de hielo como parte de toda el agua = $\frac{2}{100}$

▶ Usa 100 como denominador para mostrar 97 partes de 100 para representar el agua marina como fracción = $\frac{97}{100}$

Resuélvelo

Mira los zapatos de todos los que están en el salón de clases. Cuenta cuántos tienen cordones, cuántos están atados con algo que no sean cordones y cuántos son zapatos sin cordones. Representa tus datos en forma de fracciones.

MA NS 3.3.0. Los estudiantes entienden la relación entre números enteros, fracciones simples y decimales.

121
EXTENDER

Resumir las ideas principales

Los medioambientes acuáticos de la Tierra difieren en contenido de sal, profundidad y temperatura. (págs. 88-95)

Las plantas y animales marinos tienen adaptaciones para sobrevivir en agua salada. (págs. 98-107)

Las plantas y los animales de los humedales tienen adaptaciones que les permiten sobrevivir en medioambientes húmedos. (págs. 110-117)

Hacer una guía de estudio MODELOS DE PAPEL™

Pega tus guías de estudio de la lección en una hoja de papel como se muestra. Usa tu guía de estudio para repasar lo que aprendiste en este capítulo.

Vocabulario

Completa los espacios en blanco con la palabra apropiada de la lista.

alga, pág. 102   **agallas**, pág. 104

tremedal, pág. 114   **marisma**, pág. 114

medioambiente de agua salobre, pág. 91   **medioambiente de agua salada**, pág. 91

medioambiente de agua dulce, pág. 91   **pantano**, pág. 114

1. Las plantas de humedal, como juncos y pastos, crecen principalmente en una _____. 3 LS 3.b

2. Un océano es un _____. 3 LS 3.b

3. Los peces usan órganos especiales llamados _____ para obtener oxígeno. 3 LS 3.a

4. Un _____ es un humedal de agua dulce lleno de musgo esponjoso y suelo rico. 3 LS 3.b

5. Los seres vivos que parecen plantas llamados _____ tienen adaptaciones que les permiten sobrevivir en agua salada. 3 LS 3.a

6. Los nenúfares tienen adaptaciones que les permiten vivir en _____. 3 LS 3.b

7. Los árboles de humedal crecen principalmente en un _____. 3 LS 3.b

8. Un _____ es un medioambiente acuático que es una mezcla de agua dulce y agua salada. 3 LS 3.b

Comenta o escribe sobre lo siguiente.

9. Predice ¿Qué piensas que pasaría si un pez que vive en un medioambiente de agua dulce fuera colocado en un océano? Explica las razones de tu respuesta. 3 LS 3.a

10. Escritura explicativa Explica en un párrafo en qué se parecen y en qué se diferencian las algas marrones y las zosteras marinas. 3 LS 3.a

11. Predice ¿Qué podría pasarle a algunos animales marinos si desaparecieran los bosques de algas marrones? Explica tu repuesta. 3 LS 3.b

bosque submarino de algas marrones

12. Pensamiento crítico ¿Encontrarías a estos animales en el mismo medioambiente acuático? Explica el porqué. 3 LS 3.b

rana toro

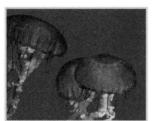

medusas

Responde a las siguientes preguntas con oraciones completas.

13. ¿Por qué el agua que está cerca de la superficie de un océano es más caliente que el agua de las profundidades? 3 LS 3.b

14. ¿Cómo toman los peces el oxígeno que necesitan del agua? 3 LS 3.a

15. ¿Cuáles son los tres tipos principales de humedales? ¿En qué se diferencian? 3 LS 3.b

16. ¿Qué tipo de adaptaciones necesita una planta para vivir en una marisma? 3 LS 3.a

marisma

 ¿Qué adaptaciones permiten a los seres vivos sobrevivir bajo el agua? 3 LS 3

CAPÍTULO 2

Hacer un libro sobre un medioambiente acuático

- Haz un libro sobre uno de los medioambientes acuáticos de la Tierra. Incluye información sobre el contenido de sal, la profundidad y la temperatura.

- Habla de las plantas y animales que viven allí. Explica qué adaptaciones les permiten sobrevivir en su medioambiente.

- Haz una portada y dibujos en cada página.

medioambiente de agua salada

medioambiente de agua dulce

humedales

1 En un humedal viven garzas y ranas. La tabla muestra la cantidad de ranas entre 1995 y 2004. ¿Qué podría explicar la disminución en la cantidad de ranas? 3 IE 3.c

Año	Cantidad de ranas
1995	200
2000	150
2004	100

A Hay menos garzas en el humedal.

B Hay más garzas en el humedal.

C Las garzas dejaron de comer ranas.

D Las ranas se mudaron a un desierto.

2 ¿Cómo contribuyen los humedales al medioambiente? 3 LS 3.b

A Filtran y retienen agua.

B Recolectan agua y luz solar.

C Tienen agua dulce y agua salada.

D Son bellos y silenciosos.

3 ¿Qué tipos de plantas pueden haber en un medioambiente de agua dulce? 3 LS 3.b

A cactus

B nenúfares

C palmeras

D artemisas

4 ¿Qué característica permite al alga marrón flotar? 3 LS 3.a

A estructuras parecidas a raíces

B estructuras parecidas a hojas

C arbustos juntos

D estructuras en forma de globos

5 Observa el siguiente dibujo.

¿Qué parejas de animales viven en este medioambiente? 3 LS 3.b

A salmones y patos

B pastinacas y estrellas marinas

C anguilas y zosteras marinas

D ranas y peces gatos

6 ¿Qué animales viven en un medioambiente de agua dulce? 3 LS 3.b

A ballenas

B estrellas de mar

C ranas

D pulpos

7 Los mangles toman oxígeno por sus
3 LS 3.a

A troncos.

B raíces.

C flores.

D semillas.

Los medioambientes cambian

¿Cómo afectan los cambios en el medioambiente a los seres vivos?

3 LS 3. Las adaptaciones en la estructura física o el comportamiento pueden aumentar la supervivencia de los organismos.

Literatura
Libro de no ficción

ELA R 3.3.4.
Determinan el mensaje o el tema del autor en un texto de ficción o no ficción.
ELA W 3.1.1. Escriben párrafos simples donde:
a. Desarrollan una oración sencilla que exprese el tema. **b.** Incluyen hechos y detalles sencillos de apoyo.

halcón peregrino

128

¿Podemos salvar el halcón peregrino?

David Dobson

Los **halcones peregrinos** . . . eran muy comunes en Estados Unidos hasta aproximadamente 1950, pero durante los siguientes 20 años casi se extinguieron. La mayoría de las personas culpa al DDT, una sustancia química que se usa para matar insectos dañinos. Los insectos se comían el DDT, las aves se comían los insectos, y los halcones peregrinos se comían las aves. El veneno hizo que el cascarón de los huevos de los halcones se volviera delgado y frágil, por lo que los peregrinos no pudieron tener más crías. Los halcones están mucho mejor desde que se prohibió el DDT. . .

Algunos halcones peregrinos han encontrado maneras de vivir con las personas. Se han mudado de los altos árboles y acantilados, donde suelen construir sus nidos, a los altos edificios de las ciudades, donde los halcones encuentran palomas y otros pájaros para alimentarse.

¡A escribir!

Respuesta a la literatura El libro nos habla de cómo los halcones peregrinos casi se extinguieron. ¿Qué intenta decirnos el autor de los cambios en el medioambiente? Escribe un párrafo sobre los cambios en el medioambiente. Menciona qué podemos hacer para protegerlo.

Los seres vivos cambian su medioambiente

Observa y pregúntate

Las hojas de los árboles caen y cubren el estrato rasante. Con el tiempo, las hojas desaparecen. ¿Alguna vez te has preguntado qué pasa con las hojas caídas? ¿Qué las hace desaparecer?

3 LS 3.c. Saber que los seres vivos causan cambios en el medioambiente en el que viven. Algunos cambios son dañinos; otros son benéficos para ellos mismos o para otros organismos.

¿Cómo pueden las lombrices cambiar su medioambiente?

Propósito

Descubrir cómo un ser vivo cambia su medioambiente.

Procedimiento

1 Coloca un poco de tierra en un recipiente de plástico. Luego coloca piedras pequeñas y hojas sobre la tierra. Éste es un modelo del estrato rasante.

2 Coloca lombrices vivas sobre el "estrato rasante".

3 **Predice** ¿Qué harán las lombrices? Haz una lista breve de las cosas que podrías ver que hacen las lombrices.

4 **Observa** Revisa las lombrices, la tierra, las hojas y las piedras cada tres o cuatro días. Mantén el recipiente húmedo. ¿Cómo cambian las lombrices su medioambiente? Anota tus observaciones.

Sacar conclusiones

5 ¿Cómo cambian las lombrices el medioambiente en el que viven?

Explorar más

¿Cómo cambian otros seres vivos su medioambiente? Haz un plan para comprobar tus ideas. Luego pon a prueba tu plan.

 3 IE 5.e. Recopilar los datos de una investigación y analizarlos para llegar a una conclusión lógica.

Materiales

tierra húmeda

hojas

recipiente de plástico

piedras

lombrices

Paso 1

Paso 2

¿Cómo cambian los seres vivos su medioambiente?

Idea principal 3 LS 3.c

Los seres vivos cambian el medioambiente de tal forma que pueden ser dañinos o útiles. Las personas pueden mejorar las formas dañinas en las que los seres vivos cambian el medioambiente.

Vocabulario

competencia, pág. 132

contaminación, pág. 136

reducir, pág. 136

reutilizar, pág. 136

reciclar, pág. 136

Destreza de lectura

Predice

Lo que predigo	Lo que sucede

Todos los seres vivos cambian su medioambiente de alguna manera. Algunos seres vivos hacen cambios pequeños. La araña teje una telaraña. El ave construye un nido. La ardilla entierra una bellota. Todas estas acciones cambian un poco el medioambiente.

Los seres vivos también pueden cambiar su medioambiente en forma más evidente. Las bacterias, los gusanos y los hongos viven en el suelo. Descomponen las hojas y otra materia vegetal muerta. Contribuyen a que los nutrientes vuelvan al suelo. Estos seres vivos hacen grandes cambios que ayudan al medioambiente.

La competencia puede ser una causa importante del cambio. La **competencia** es la lucha entre seres vivos para obtener alimento, agua y satisfacer otras necesidades.

Un medioambiente que cambia

El pasto y otras plantas brotan en suelos cálidos y húmedos. Cuando crecen, cambian el medioambiente que no tenía vegetación.

Mientras más plantas crecen, otros seres vivos se mudan al medioambiente. Estos seres vivos usan las plantas como alimento y refugio.

A medida que el pasto crece, absorbe nutrientes y agua del suelo. El pasto cambia el medioambiente para satisfacer sus necesidades. Con el tiempo, los animales se alimentan del pasto. Estos animales cambian el medioambiente a medida que satisfacen sus necesidades. Cuando empiezan a crecer arbustos y árboles, compiten por espacio, luz y agua. Los árboles impiden que la luz solar llegue a las plantas pequeñas y éstas pueden morir. Así, el medioambiente cambia cuando los seres vivos compiten para satisfacer sus necesidades.

 Comprobar

Predice ¿Cómo cambiaría un bosque si se cayera un enorme árbol?

Pensamiento crítico ¿Cómo cambias tu medioambiente?

Leer un diagrama

¿Cómo cambia este medioambiente con el paso del tiempo?

Pista: Las flechas muestran una secuencia.

Cuando los arbustos echan raíces, más animales se mudan al medioambiente. Las plantas y los animales compiten para satisfacer sus necesidades.

Con el tiempo, los árboles crecen y el medioambiente sigue cambiando.

¿Cómo cambia un castor su medioambiente?

Los castores son maestros constructores. Cortan árboles pequeños y plantas con sus fuertes dientes. Luego apilan estos materiales para construir presas en arroyos. Las presas impiden que el agua fluya por los arroyos. Esto causa que se formen profundas charcas en donde los castores pueden construir madrigueras. Las madrigueras son refugios construidos con árboles, arbustos y lodo. Los castores usan las madrigueras para protegerse y cuidar a sus crías.

Los castores usan ramas para construir presas y madrigueras en el agua. ▼

▲ Los castores cortan árboles con sus fuertes dientes incisivos.

Cuando los castores construyen madrigueras y presas, cambian el medioambiente. En ocasiones, cambian grandes extensiones de tierra y agua. Las presas construidas por castores pueden inundar las tierras. Algunas plantas pueden morir. Los hogares de otras plantas y animales pueden ser arrasados. Las presas también dañan las plantas y los animales que dependen del flujo de agua.

Los cambios que los castores hacen también ayudan a algunos seres vivos. Cuando los castores cortan árboles, hacen espacio para que crezcan plantas pequeñas. Sus presas ayudan a la formación de humedales. Los humedales son el hogar de muchas plantas y animales.

Haz la prueba

Las herramientas de los castores

1. Consigue varias fotos de castores.

2. **Observa** Observa el cuerpo del castor. ¿Qué partes le permiten nadar, masticar madera y mantenerse caliente en el agua?

3. **Comunica** Haz una tabla para mostrar cómo cada parte del cuerpo le permite al castor satisfacer sus necesidades.

Parte del cuerpo	Función
dientes filosos	
cola plana	
patas traseras	
garras delanteras	
pelaje	

Comprobar

Predice ¿Si no hubiera árboles, los castores podrían construir presas?

Pensamiento crítico ¿Un castor beneficia o perjudica el medioambiente?

Una presa construida por castores forma una charca profunda. ▶

La basura en Estados Unidos

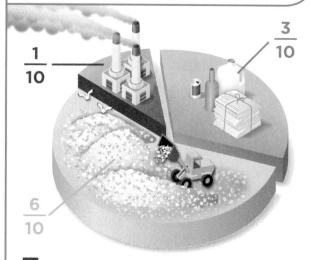

$\frac{1}{10}$

$\frac{3}{10}$

$\frac{6}{10}$

- ■ basura quemada en plantas de combustión

- ■ basura reciclada o convertida en composta

- ■ basura en rellenos sanitarios

Leer una tabla

¿Adónde va a parar nuestra basura?

Pista: Cada sección de la tabla representa una fracción.

NOSOTROS RECICLAMOS

¿Cómo cambian las personas su medioambiente?

Las personas causan más cambios en el medioambiente que cualquier otro ser vivo. Algunos cambios son dañinos. Por ejemplo, las personas producen basura. La mayoría de los estadounidenses produce unos 2.1 kilogramos (4.5 libras) de basura al día. ¿Adónde va toda esta basura? Los pueblos y ciudades ponen la basura en rellenos sanitarios. Los rellenos sanitarios pueden causar contaminación. La **contaminación** es lo que sucede cuando materiales dañinos llegan al aire, al agua o la tierra.

¿Cómo podemos proteger el medioambiente? Algo fácil de hacer es poner en práctica las tres *R*: reducir, reutilizar y reciclar. **Reducir** es usar menos de algo. **Reutilizar** es volver a usar algo. **Reciclar** es convertir cosas viejas en nuevas. Si pones en práctica las tres *R*, produces menos basura y ayudas al medioambiente.

✓ Comprobar

Predice ¿Qué pasaría si produces menos basura?

Pensamiento crítico Menciona algunas de las cosas que puedes reutilizar.

Repaso de la lección

Resumir la idea principal

Los **seres vivos** cambian su medioambiente. (págs. 132-133)

Los **castores** cambian el medioambiente en forma tanto dañina como útil. (págs. 134-135)

NOSOTROS RECICLAMOS

Las **personas** pueden cuidar el medioambiente poniendo en práctica las tres *R*. (pág. 136)

Hacer una guía de estudio

 MODELOS DE PAPEL™

Haz un boletín con tres secciones. Úsalo para resumir lo que aprendiste acerca de los medioambientes y los cambios.

Los seres vivos cambian su medioambiente

Los castores cambian el medioambiente

Las personas pueden cuidar el medioambiente

Pensar, comentar y escribir

1 **Idea principal** ¿Cuáles son algunas maneras en las que las plantas y los animales cambian su medioambiente?

2 **Vocabulario** ¿Cómo se dice cuando los seres vivos luchan para obtener lo que necesitan?

3 **Predice** ¿Qué pasaría si las personas siguen contaminando el medioambiente?

Lo que predigo	Lo que sucede

4 **Pensamiento crítico** Menciona algunas cosas cuyo uso podrías reducir.

5 **Práctica para la prueba** Los castores construyen

A madrigueras

B guaridas

C nidos

D colmenas

 **Conexión con Matemáticas**

Hacer una gráfica circular
Registra toda la basura que tiras. Haz una gráfica circular que muestre la basura de una semana de tu casa. Incluye papel, metal, plástico y restos de comida.

 Conexión con Arte

Hacer un cartel
Haz un cartel sobre las cosas que las personas pueden hacer para ayudar al medioambiente. Incluye lo que hayas aprendido en esta lección, y lo que ya sabías.

Anotar datos

Leíste que la mayoría de los estadounidenses cambia diariamente su medioambiente al producir casi 2 kg (4 libras) de basura ¡cada uno! Nunca podremos deshacernos por completo de la basura, está en manos de cada persona reducir la basura que produce. ¿Ponen en práctica los estudiantes de tu escuela las tres *R*? Descúbrelo como los científicos: recopila y **anota datos**.

❶ Estúdialo

Cuando **anotas datos**, escribes o dibujas información recopilada a través de mediciones, cuentas y experimentos. Es más fácil estudiar información si la organizas en una tabla o gráfica. A menudo, los científicos recopilan y anotan datos al formular preguntas o al pedir a las personas que respondan encuestas. Tú también puedes hacerlo.

❷ Inténtalo

En esta actividad, recopilarás y **anotarás los datos** de cuánta basura tiran los estudiantes de tu escuela. No puedes encuestar a toda la escuela, pero puedes hacer una miniencuesta.

▶ Elige a cinco estudiantes en el comedor para encuestar.

▶ Pregunta a cada estudiante cuántas piezas de basura de su almuerzo tiró. Pregúntales sobre los recipientes que usaron. ¿Reutilizarán algo?

 3 IE 5.e. Recopilar los datos de una investigación y analizarlos para llegar a una conclusión lógica.

▶ Anota los datos de cada estudiante en una tabla como la que se muestra a continuación

Nombre del estudiante	Piezas reutilizadas	Piezas recicladas	Piezas descartadas	Total de piezas de basura

Ahora responde estas preguntas:

▶ ¿Todos los estudiantes tiraron alguna basura o material de empaque?

▶ ¿Te sorprendieron los datos que anotaste?

▶ ¿Cuántas piezas de basura produjeron estas cinco personas en un almuerzo?

③ Aplícalo

Ahora combina tus datos con los de tus compañeros de clase. Anoten estos datos más amplios. Luego hagan una gráfica de barras para mostrar los resultados.

¿Predices que estos mismos estudiantes tirarán más o menos basura mañana? Planea otra encuesta para recopilar y **anotar los datos**. Compara esos resultados con tu primer resultado, ¡como lo hacen los científicos!

Los cambios afectan a los seres vivos

Observa y pregúntate

Lluvia, lluvia y más lluvia. Cuando llueve mucho, todo se moja. ¿Qué les pasa a los seres vivos cuando hay una inundación?

3 LS 3.d. Saber que cuando el medioambiente cambia, algunos animales y plantas sobreviven y se reproducen, mientras que otros mueren o emigran.

Explorar

Actividad de investigación

¿Qué pasa con algunas plantas cuando hay una inundación?

Hacer una predicción

¿Qué pasa con las plantas cuando reciben demasiada agua? Escribe una predicción.

Comprobar la predicción

1. Rotula tres plantas *A*, *B* y *C*. Riega la planta A una vez por semana con 60 ml de agua; la planta B a diario con 60 ml de agua y la planta C a diario con 120 ml de agua.

2. **Predice** ¿Qué pasará con las plantas después de tres semanas? Anota tu predicción.

3. **Anota los datos** Observa tus plantas cada tres días. Mide cuánto han crecido. Anota el aspecto que tienen con palabras y dibujos.

4. **Observa** Después de tres semanas, revisa las plantas cuidadosamente. ¿Qué observas?

Sacar conclusiones

5. ¿Cómo se ven las plantas después de tres semanas? ¿Qué planta se ve más saludable? ¿Qué planta recibió la cantidad adecuada de agua?

6. **Infiere** ¿Qué pasa con algunas plantas cuando hay una inundación?

Explorar más

Experimenta Deja de regar la planta C durante una semana. ¿Cómo cambia la planta?

 3 IE 5.d. Predecir el resultado de una simple investigación y comparar los resultados obtenidos con la predicción.

Materiales

3 plantas idénticas

probeta graduada y agua

regla

Paso 1

Paso 3

141
EXPLORAR

Idea principal 3 LS 3.d

El medioambiente cambia por muchas razones. Los seres vivos responden a los cambios en su medioambiente de muchas maneras.

Vocabulario

hábitat, pág. 144

ecosistema, pág. 146

población, pág. 146

comunidad, pág. 146

Destreza de lectura

Causa y efecto

Causa	→	Efecto

Tecnología

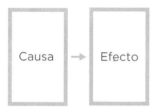 **BÚSQUEDA CIENTÍFICA** Explora cómo cambia un medioambiente.

Las plantas en el Parque Estatal Anza Borrego, California, florecen rápidamente después de una lluvia de primavera.

¿Cómo puede cambiar el medioambiente?

Sabes que los seres vivos cambian su medioambiente. El tiempo atmosférico y otras cosas también pueden cambiar un medioambiente. Los relámpagos pueden iniciar un incendio forestal en el bosque o en el pastizal natural. Demasiada lluvia puede causar una inundación.

Algunos cambios duran poco tiempo. Una sequía veraniega puede volver marrón una pradera verde. La lluvia de primavera puede causar que el desierto se llene de flores. Otros cambios tienen efectos duraderos. Los terremotos, las tormentas y las erupciones volcánicas pueden provocar cambios repentinos en un medioambiente. El daño producido por esos cambios puede durar años.

◄ Entre las flores del desierto están las margaritas del desierto.

Algunos seres vivos pueden recuperarse de cambios dañinos en su medioambiente. Los pastos de los pastizales naturales tienen raíces que almacenan alimento y humedad. Los pastos sobreviven y crecen rápidamente después de un incendio. Sin embargo, pueden pasar cientos de años para que los árboles crezcan tras un incendio.

Las personas causan a menudo daños permanentes. Cuando se talan grandes árboles en bosques viejos, esos árboles se pierden para siempre. Los ríos y lagos contaminados con basura o sustancias químicas no se recuperan a menos que las personas los limpien.

 **Comprobar**

Causa y efecto Menciona algo que pueda causar cambios repentinos en un medioambiente.

Pensamiento crítico ¿Por qué los pastos sobreviven mejor a un incendio que los árboles?

En 1980 hizo erupción el monte St. Helens, un volcán de Washington. La erupción tiró o quemó los árboles en casi 230 millas cuadradas de bosque. El medioambiente está cambiando lentamente conforme nuevos seres vivos comienzan a crecer de nuevo.

¿Cómo afectan los cambios a las plantas y a los animales?

Las plantas y los animales tienen adaptaciones que les permiten sobrevivir en su medioambiente. Las cebras tienen dientes planos para masticar pasto. Los peces tienen agallas que les ayudan a tomar oxígeno del agua. ¿Qué les pasaría a estos seres vivos si su medioambiente cambiara de repente? ¿Qué le sucedería a una cebra si su hábitat se volviera demasiado seco por mucho tiempo? Un **hábitat** es el hogar de un ser vivo. ¿Qué le sucedería a los seres vivos de una laguna si su hábitat se secara?

▲ Los animales, como esta gacela, dependen de las charcas.

Cuando un medioambiente cambia, las plantas y los animales que tienen adaptaciones para ese medioambiente pueden sufrir daños. Si los cambios duran mucho tiempo, algunos animales se mudan a un hábitat nuevo. Algunas plantas y animales tienen adaptaciones que les permiten sobrevivir al cambio. Otras plantas y animales sobreviven al modificar su comportamiento. Los seres vivos que no se desplazan ni cambian pueden morir.

Cuando no llueve durante mucho tiempo en la sabana, los pastos pueden secarse. Lo mismo puede pasarle a las charcas. Las cebras y otros animales se mudan a un hábitat nuevo donde puedan encontrar alimento y agua. Las ranas cavan en el lodo. Saldrán cuando vuelva a llover. Los pastos y la mayoría de los peces no pueden mudarse. Pueden morir si su hábitat permanece seco demasiado tiempo.

▲ Muchas ranas tienen adaptaciones para cavar y sobrevivir en el subsuelo cuando su medioambiente se seca.

 Comprobar

Causa y efecto ¿Qué cambios en el medioambiente pueden ocasionar que un animal se mude a otro lugar?

Pensamiento crítico ¿Qué le pasaría a un elefante si su hábitat se volviera frío de repente?

◄ Los animales migran, o se mudan a otro lugar, en busca de alimento, agua y refugio cuando su hábitat cambia por las estaciones.

¿Cómo dependen los seres vivos unos de otros?

Los seres vivos de un medioambiente dependen unos de otros para satisfacer sus necesidades. Las ranas dependen de los insectos para obtener alimento. Las aves dependen de las plantas para obtener alimento y estar a salvo. Los seres vivos que dependen unos de otros son parte de un ecosistema. Un **ecosistema** lo forman todos los seres vivos y los componentes no vivos que interactúan en un medioambiente. Los ecosistemas pueden ser de cualquier tamaño. Pueden ser tan pequeños como una charca o tan grandes como un océano.

En un ecosistema viven muchas poblaciones de plantas y animales. Una **población** la forman todos los miembros de un solo tipo de ser vivo de un ecosistema. Por ejemplo, todas las marmotas de las praderas de un pastizal natural forman una población. Los cambios en una población pueden afectar a la comunidad entera. Una **comunidad** la integran todas las poblaciones de un ecosistema. Los pastos, las marmotas de las praderas y las águilas forman una comunidad de pradera.

Una comunidad de pradera

Las águilas y los coyotes dependen de los animales de la pradera para obtener alimento.

Las marmotas de las praderas cavan túneles que se conectan, o madrigueras.

Otros animales como los ratones y las víboras visitan o viven en las madrigueras.

En algunos ecosistemas de pradera, las marmotas de las praderas construyen túneles y madrigueras. Otros animales de la pradera, como los mochuelos excavadores y los ratones, también hacen su hogar en estas madrigueras. Las águilas y los hurones de pies negros se comen algunos de los animales que viven en las madrigueras. Cuando desaparece una población de marmotas de las praderas, sus madrigueras se vienen abajo. Muchos tipos de animales pierden una fuente de alimento y de refugio.

 Comprobar

Causa y efecto ¿Qué podría pasar con un ecosistema si una población desaparece?

Pensamiento crítico ¿Qué cambios podrían dañar a un ecosistema?

Si la sequía mata el pasto, las marmotas de las paraderas pierden su fuente de alimento.

Sin marmotas de las praderas otras poblaciones de la pradera, como las águilas y los coyotes, perderán una fuente de alimento.

Todo el ecosistema de pradera puede dañarse por un cambio en el medioambiente.

Haz la prueba

Ecosistema de pastizal natural

1. Haz tarjetas de cinco personajes. Rotula las tarjetas: marmota de las praderas, mochuelo excavador, víbora, águila, coyote.

víbo
águila
marmota de las praderas

2. Pega las tarjetas en una hoja de papel grande.

3. Dibuja flechas desde cada tarjeta para mostrar cómo los organismos dependen unos de otros.

4. **Infiere** ¿Qué pasaría si desaparecieran las marmotas de las praderas?

5. **Infiere** ¿Qué pasaría si desaparecieran las águilas?

Leer un diagrama

¿Qué pasa cuando las marmotas de las praderas abandonan un ecosistema de pradera?

Pista: Un diagrama que muestre lo que sucede antes y lo que ocurre después muestra el cambio.

Las chicharras de alas cristalinas pueden destruir las vides.

¿Qué pasa cuando nuevos seres vivos llegan a un lugar?

En ocasiones nuevos seres vivos llegan a un ecosistema. El viento lleva semillas a un ecosistema. Los animales que buscan alimento y agua pueden mudarse a otro ecosistema. Las personas pueden también llevar nuevas plantas y animales, que pueden alterar el equilibrio de un ecosistema. Por ejemplo, las chicharras de alas cristalinas se mudaron a California desde el sureste de Estados Unidos. Se comen las vides de California y transmiten una enfermedad que seca las hojas de parra. Las fotos muestran plantas y animales que han afectado a los ecosistemas de California.

▲ Alguna vez se sembraron eucaliptos para impedir la erosión del suelo. Crecieron rápidamente y expulsaron a los árboles nativos. Como se queman fácilmente, contribuyen a la propagación de incendios forestales. Hoy día se están talando y se sustituyen con árboles nativos.

✔ Comprobar

Causa y efecto ¿Qué puede suceder si un animal nuevo se muda a un ecosistema?

Pensamiento crítico ¿Por qué puede ser dañino llevar nuevas plantas a un ecosistema?

Alguna vez las personas criaron zorros rojos para obtener su piel. Cuando acabó el comercio de pieles, estos animales fueron liberados en la naturaleza. Ahora compiten con los animales nativos por el alimento y el espacio. ▶

Resumir la idea principal

El **medioambiente cambia** de muchas maneras. Algunos cambios duran poco y otros duran mucho tiempo. (págs. 142-143)

Cuando un medioambiente cambia, los **seres vivos resultan dañados**. Algunos se mudan; otros pueden morir. (págs. 144-145)

Los cambios en una **población** de seres vivos pueden afectar a otras poblaciones. (págs. 146-148)

Hacer una guía de estudio

MODELOS DE PAPEL™

Haz un boletín con tres secciones. Úsalo para resumir lo que aprendiste.

Formas en las que puede cambiar el medioambiente

Formas en las que los cambios afectan a los seres vivos

Lo que sucede cuando cambia una población

Pensar, comentar y escribir

1. **Idea principal** ¿Cómo afectan los cambios del medioambiente a los seres que viven en él?

2. **Vocabulario** Explica qué es una población y da un ejemplo.

3. **Causa y efecto** Menciona tres formas en las que un lugar podría ser afectado si una estación muy seca matara a la mayoría de las plantas.

Causa → Efecto

4. **Pensamiento crítico** ¿Por qué las personas deberían ser muy cuidadosas cuando cambian el medioambiente al construir un edificio o cultivar el suelo? Explica.

5. **Práctica para la prueba** En el ecosistema de las marmotas de pradera, las marmotas de las praderas
   A comen águilas.
   B cavan túneles.
   C capturan peces.
   D cazan coyotes.

 ## Conexión con Escritura

Escribir un ensayo
Investiga un medioambiente que haya cambiado recientemente en California. Luego haz una tabla de causas y efectos. Escribe las causas del cambio en el medioambiente y el resultado del cambio. Usa tu tabla para escribir un ensayo.

 ## Conexión con Estudios Sociales

Investiga el monte St. Helens
Usa materiales de investigación para saber cómo era el medioambiente antes de que hiciera erupción el monte St. Helens. Investiga cómo ha cambiado el medioambiente desde la erupción. Haz un cartel o escribe un informe.

Materiales

bandejas de aluminio

tierra

2 cactus

2 plantas de pasto

2 violetas africanas

regadera

regla

Investigación estructurada

¿Cómo afectan los cambios del medioambiente a las plantas?

Formular una hipótesis

Los cambios en el medioambiente afectan a los seres vivos de diferentes maneras. Un cambio puede provocar que alguna planta muera, pero quizá no afecta a otras. ¿Qué les sucede a las plantas mostradas cuando su medioambiente recibe más o menos lluvia de lo usual? Comienza con: *"Si cambia la cantidad de agua que recibe una planta, entonces..."*

Comprobar la hipótesis

1. Llena ambas bandejas con la misma cantidad de tierra. Pega en una el rótulo *Inundación* y en la otra el rótulo *Sequía*.

2. **Usa variables** Siembra en cada bandeja una planta de cada tipo.

3. Riega a diario las plantas de la bandeja con el rótulo *Inundación*. No riegues las plantas de la bandeja con el rótulo *Sequía*.

4. **Anota los datos** Vigila el crecimiento de cada planta. Dibuja y anota el crecimiento de cada planta durante dos semanas.

Sacar conclusiones

5. **Comunica** ¿Qué pasó con las plantas de la bandeja con el rótulo *Inundación*? ¿Qué pasó con las plantas que estaban en la bandeja con el rótulo *Sequía*?

Paso 1

Paso 2

Paso 3

6 **Infiere** ¿Qué plantas podrían sobrevivir durante una sequía? ¿Cuáles podrían sobrevivir durante una inundación?

7 **Infiere** ¿Por qué los cambios en el medioambiente afectaron a las plantas de manera diferente?

Investigación guiada

¿Cómo afecta la sombra a las plantas?

Formular una hipótesis

¿Qué pasa con las plantas si los grandes árboles les hacen sombra? Escribe una hipótesis. Comienza con: *"Si las plantas quedan cubiertas por la sombra, entonces..."*

Comprobar la hipótesis

Diseña un experimento para investigar los cambios que la sombra producirá en una planta. Decide qué materiales usarás. Escribe los pasos que seguirás. Anota tus resultados y observaciones.

Sacar conclusiones

¿Los resultados confirman tu hipótesis? ¿Por qué? ¿Qué pasaría si la sombra la produjera un edificio en lugar de árboles? ¿Pasaría lo mismo?

Investigación libre

¿Qué otras preguntas tienes sobre los seres vivos y el cambio en el medioambiente? Diseña un experimento para responder tus preguntas. Tu experimento debe organizarse para comprobar sólo una variable o elemento que cambia. Debes escribir tu experimento para que otro grupo pueda hacerlo siguiendo tus instrucciones.

Recuerda seguir los pasos del método científico.

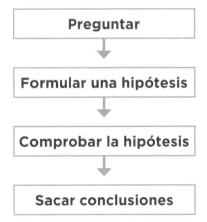

Preguntar
↓
Formular una hipótesis
↓
Comprobar la hipótesis
↓
Sacar conclusiones

3 IE 5.b. Distinguir entre evidencia y opinión. Saber que los científicos no aceptan aseveraciones o conclusiones que no estén respaldadas por observaciones que puedan ser confirmadas.

151
EXTENDER

Seres vivos del pasado

Observa y pregúntate

Muchos fósiles están enterrados en capas de roca y suelo. Los científicos usan herramientas y pinceles para desenterrarlos. ¿Qué pistas sobre la vida de hace mucho tiempo se encuentran en estos fósiles?

3 LS 3.e. Saber que ciertas clases de organismos que vivieron alguna vez en la Tierra han desaparecido completamente y que sólo algunos de los organismos de ahora tienen semejanzas con los organismos del pasado.

¿Cómo nos hablan los fósiles del pasado?

Propósito

Descubrir cómo los fósiles nos hablan del pasado.

Procedimiento

1. Usa la taza de medir para mezclar un poco de pegamento con agua.

2. Pon una capa delgada de arena de colores en un vaso de papel. Coloca un objeto "fósil". Cubre el objeto con arena del mismo color. Agrega agua y pegamento para "fijar" esta capa.

3. Repite el Paso 2 con objetos distintos y diferentes colores de arena dos veces más. Deja que las tres capas se sequen.

4. **Observa** Intercambia vasos con otro grupo. Retira cuidadosamente el papel de las capas de arena. Busca los fósiles.

5. **Anota los datos** Anota en una tabla el orden en el que encontraste cada objeto fósil.

Sacar conclusiones

6. **Analiza los datos** ¿Qué "fósil" fue el primero en ser enterrado? ¿El último?

7. **Infiere** ¿Qué pueden decirnos las capas de roca y tierra de los fósiles y del pasado de la Tierra?

Explorar más

¿De qué otra forma podrías hacer un modelo de fósil? Haz un plan e inténtalo.

3 IE 5.e. Recopilar los datos de una investigación y analizarlos para llegar a una conclusión lógica.

Materiales

taza de medir y agua	pegamento
arena de colores	vaso de papel
objetos "fósiles"	pincel

Paso 4

Paso 5	
Capa	Fósil
superior	
intermedia	
inferior	

Idea principal 3 LS 3.e

Podemos estudiar fósiles para aprender de plantas y animales antiguos y el medioambiente en el que vivían.

Vocabulario

extinto, pág. 154

fósil, pág. 156

Destreza de lectura

Saca conclusiones

Pistas del texto	Conclusiones

¿Qué puede suceder si el medioambiente cambia de repente?

¿Sabías que alguna vez vivieron mamuts en Norteamérica? Eran parientes cercanos de los elefantes que viven actualmente en África y Asia. ¿Qué pasó? ¿Por qué desaparecieron?

Hace diez mil años, Norteamérica pasaba por una edad de hielo. Capas de hielo cubrían gran parte de Estados Unidos. Grandes animales como el mamut y el tigre dientes de sable, vivían en este frío medioambiente. Luego, el clima cambió. Las temperaturas aumentaron y el hielo comenzó a derretirse. Desaparecieron las plantas que comía el mamut. Los mamuts empezaron a morir. Con el tiempo el mamut quedó extinto. **Extinto** significa que ya no existe ningún ejemplar de ese ser vivo.

◄ Los científicos creen que la cacería fue una de las razones por las que desapareció el mamut lanudo. Otra razón fue el cambio climático.

Cambio	Ser vivo	¿Qué puede suceder?	¿Por qué?
clima más cálido	tigre dientes de sable	se extingue	no encuentra alimento y no puede sobrevivir en climas cálidos
erupción volcánica	albatros de cola corta	sobrevive	vuela a un nuevo medioambiente
clima más frío	oso	sobrevive	le crece un pelaje más grueso

El cambio climático puede causar la extinción de poblaciones. Las enfermedades y las actividades humanas también causan la extinción de poblaciones. Cuando una población se muda a un ecosistema, toda una comunidad puede estar en peligro. Algunas poblaciones pueden sobrevivir a los cambios repentinos como éstos y otras no.

Leer una tabla

¿Qué le sucedió al tigre dientes de sable cuando cambió su medioambiente?

Pista: Los encabezados te ayudan a hallar información.

✓ *Comprobar*

Saca conclusiones ¿Por qué razones se extinguieron algunos seres vivos?

Pensamiento crítico Las altas temperaturas están causando que los glaciares se derritan. ¿Qué podría pasarles a los osos polares?

¿Cómo podemos aprender de los seres que vivieron hace mucho tiempo?

Podemos conocer las plantas y los animales que vivieron hace mucho tiempo si estudiamos los fósiles. Los **fósiles** son restos de seres vivos. Algunos fósiles nos dan pistas del tamaño y la forma de un ser vivo. Un gran diente o mandíbula fósil nos dicen que el animal era muy grande. Otros fósiles nos dicen qué comía un animal. Los dientes filosos nos dicen que el animal comía carne. Los dientes planos nos dicen que el animal comía plantas. Los fósiles también nos enseñan cómo se movía un animal. Los huesos de los pies y las patas nos dicen si el animal podía correr o escalar. Los fósiles con alas nos dicen que el animal podía volar.

Este diente de megalodon (derecha) es mucho mayor que el diente de un tiburón blanco (izquierda). Esto nos dice que los megalodones eran muy grandes.

◀ Algunos fósiles de dinosaurios nos dan pistas de que algunos dinosaurios estaban emparentados con las aves actuales.

Los fósiles pueden decirnos cómo han cambiado la Tierra y los seres vivos con el paso del tiempo. Muchos fósiles de peces se hallan en la tierra. Esto nos dice que hace millones de años, esa parte estaba cubierta de agua. Con el tiempo, el fondo marino se elevó y cambió. Ahora hay capas de rocas y suelo donde antes hubo agua. Las capas fósiles nos dan pistas de la historia de la Tierra. Los fósiles que están más cerca de la superficie suelen ser los más recientes. Los fósiles que están a mayor profundidad son los más antiguos.

▲ El fósil de este mamut lanudo fue hallado en el hielo. Su pesado pelaje nos permite saber que los mamuts vivieron en un medioambiente frío.

 **Comprobar**

Saca conclusiones ¿Qué puedes concluir de un fósil con pulmones?

Pensamiento crítico ¿Por qué el estudio de los fósiles es una ciencia importante?

Este fósil de un pez proviene de un medioambiente marino. Este fósil de una planta proviene de un medioambiente terrestre.

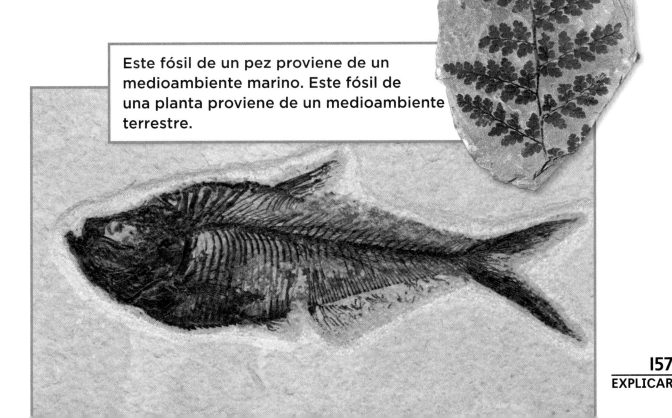

¿En qué se parecen los seres vivos de hoy a los que vivieron hace tiempo?

Podemos saber mucho de los animales antiguos al compararlos con los animales actuales. Por ejemplo, los mamuts lanudos vivieron hace mucho tiempo durante la edad de hielo. Eran muy parecidos a los elefantes actuales, con pocas diferencias importantes.

Los mamuts eran del tamaño de los elefantes, pero les salían colmillos muy grandes. Los colmillos de los mamuts podían medir hasta 5 metros (16 pies). Los mamuts tenían un denso pelaje para sobrevivir en climas fríos.

elefante

mamut lanudo

lagarto golado

dilophosaurus

Los mamuts, al igual que los elefantes, vivían en grupos. Sus dientes planos eran aptos para comer pasto, arbustos leñosos y corteza de árboles. ¡Debían comer todos los días cerca de dos veces su peso en alimento!

Algunos dinosaurios se parecen a los lagartos actuales. El lagarto golado tiene una gola de piel alrededor del cuello. Para asustar a sus enemigos despliega su gola y muestra sus escamas de colores. ¿Inferirías que algunos dinosaurios usaban partes de su cuerpo para defenderse?

La mayoría de los científicos cree que los cangrejos bayoneta son el pariente viviente más cercano al trilobites. Los trilobites eran animales marinos que se extinguieron hace mucho tiempo. Los cangrejos bayoneta se parecen a los trilobites. Probablemente comían alimentos similares y se desplazaban bajo el agua usando partes corporales similares.

✔ **Comprobar**

Saca conclusiones ¿Los trilobites vivían sobre la tierra o en el agua? Explica tu respuesta.

Pensamiento crítico ¿Qué pistas buscarías para conocer la historia de los terrenos de tu escuela?

Haz la prueba

El misterio de los fósiles

1 Observa Observa la fotografía del trilobites. ¿Se parece a algún animal vivo de la actualidad?

trilobites

2 Compara Observa la fotografía de un cangrejo bayoneta. Los cangrejos bayoneta viven cerca del océano. ¿Es similar el trilobites al cangrejo bayoneta?

cangrejo bayoneta

3 Infiere ¿Qué medioambiente era el hogar del trilobites? ¿Por qué se mudó?

4 Saca conclusiones ¿Cómo puedes saber de los animales del pasado al observar a los animales del presente?

¿Algunos animales siguen iguales con el paso del tiempo?

Algunos animales han permanecido casi igual durante millones de años. Los cocodrilos, los camarones y las cucarachas son algunos ejemplos. Los fósiles de estos animales tienen el mismo aspecto que los animales actuales. Estos animales tienen adaptaciones que les han permitido sobrevivir a los cambios.

▲ Algunos camarones tienen adaptaciones para sobrevivir al cambio de la cantidad de sal en el agua. Esto les ha permitido sobrevivir durante más de 100 millones de años.

Muchos cocodrilos fósiles (arriba) se parecen a los cocodrilos que viven actualmente (abajo).

✔ Comprobar

Saca conclusiones ¿Qué características del cuerpo del cocodrilo y de su conducta le han permitido sobrevivir?

Pensamiento crítico ¿En qué se parecen algunos animales que vivieron hace mucho a los actuales?

Resumir la idea principal

Algunos animales pueden quedar **extintos** cuando su medioambiente cambia de repente. (págs. 154-155)

Los **fósiles** nos hablan de los animales y los medioambientes del pasado. (págs. 156-157)

Algunos fósiles se parecen a plantas y animales que **viven en la actualidad**. (págs. 158-160)

Hacer una guía de estudio MODELOS DE PAPEL™

Haz un boletín con tres secciones. Úsalo para resumir lo que aprendiste de los seres vivos del pasado.

Extinto

Registro fósil

Vida en la Tierra, pasada y presente

Pensar, comentar y escribir

1 Idea principal ¿Qué puede sucederle a los seres vivos cuando su medioambiente cambia de repente?

2 Vocabulario ¿Qué es un fósil?

3 Saca conclusiones ¿Cuáles son algunas de las razones por las que un animal puede quedar extinto?

Pistas del texto	Conclusiones

4 Pensamiento crítico ¿Por qué las personas estudian los fósiles?

5 Práctica para la prueba Los trilobites son animales que

A vivieron en bosques, desiertos y granjas.

B eran cazados por los seres humanos.

C eran criaturas marinas que vivieron hace millones de años.

D estaban emparentados con los mamuts.

Conexión con Escritura

Escribir un informe
Usa materiales de investigación para aprender sobre los mamuts lanudos. ¿Cuándo vivieron? ¿Cómo era su medioambiente? Escribe un informe para compartir lo que aprendas.

Conexión con Matemáticas

Estimar
La capa inferior de un lecho fósil contenía un trilobites de 400 millones de años de antigüedad. La capa superior tenía un trilobites de 300 millones de años. Entre las dos capas había una tercera capa que contenía un pez fósil. ¿Cuál sería tu estimación de la antigüedad del pez?

Una mirada a los DINOSAURIOS

Antes los dinosaurios eran muy comunes en la Tierra. Muchos se extinguieron hace millones de años. Nuevas evidencias están ayudando a los científicos a saber cómo vivían y por qué desaparecieron. Echa un vistazo a cómo han cambiado nuestras ideas de los dinosaurios con la nueva información .

1842

Se nombra a los dinosaurios

El científico británico Richard Owen nombra el grupo de enormes reptiles extintos *"dinosauria"*, que proviene de unas palabras griegas que significan "lagarto terrible". ¡Antes de eso las personas pensaban que estos extraños huesos eran de dragones o de gigantes!

1923

Se descubren nidos de dinosaurios

Los científicos estadounidenses Roy Chapman Andrews y Walter Granger descubren nidos de dinosaurios en el desierto de Gobi en China. Los nidos demuestran que los dinosaurios ponían huevos y no daban a luz a crías vivas.

1995

Los dinosaurios no arrastran la cola

El esqueleto del *T. rex* del Museo Estadounidense de Historia Natural se modifica para mostrar al depredador parado en dos patas con la cabeza gacha y la cola en el aire. Esto se basa en estudios fósiles, huellas de dinosaurios y en cómo se mueven diferentes animales.

 ELA R 3.2.3. Demuestran comprensión del texto identificando las respuestas en el mismo.

El mundo real

Los dinosaurios tienen plumas Un equipo de científicos chinos y estadounidenses encuentra un dinosaurio fósil de 130 millones de años cubierto de pies a cabeza con plumas primitivas. Ahora la mayoría de los científicos concuerdan en que ¡los pájaros son dinosaurios vivientes!

Causa y efecto

▶ La *causa* dice cómo pasó algo.

▶ El *efecto* es lo que sucedió debido a la causa.

▶ Palabras clave como *porque*, *si*, *luego* y *a fin de* describen una relación de causa y efecto.

2000

Los científicos siguen encontrando nuevos fósiles y usan nuevos instrumentos para descubrir más sobre los dinosaurios.

¡A escribir!

Causa y efecto ¿Qué hizo que los científicos modificaran algunas de sus ideas sobre los dinosaurios? Llena una tabla de causa y efecto para mostrar cómo la nueva información modificó sus ideas. Luego usa tu tabla para escribir sobre descubrimientos de dinosaurios.

CONÉCTATE e-Diario Escribe en **www.macmillanmh.com**

Fósiles en ámbar

Hace millones de años, un insecto se posó sobre resina de árbol. Como la resina era pegajosa, el insecto quedó atrapado. Mientras más resina salía del árbol, más se cubría el insecto. Con el paso del tiempo, la resina se endureció y se convirtió en ámbar. El insecto quedó conservado en el ámbar. Al observar los insectos conservados en ámbar, los científicos pueden tener una idea del aspecto de los insectos del pasado.

Un párrafo expositivo

▶ tiene una oración del tema que habla de la idea principal

▶ incluye hechos y detalles que respaldan la idea principal

▶ usa palabras que unen como *porque, por lo tanto, entonces,* y *a fin de* para pasar de una idea a otra

▶ saca conclusiones basadas en hechos

◀ Éste es un fósil de insecto conservado en ámbar.

¡A escribir!

Escritura expositiva Escribe un párrafo. Menciona lo que los científicos pueden aprender al observar las huellas de los animales que vivieron hace mucho tiempo. Incluye hechos y detalles. Usa palabras como *porque* y *entonces* para pasar de una idea a otra. Al final de tu párrafo, menciona las conclusiones que los científicos pueden sacar al observar las huellas fósiles.

CONÉCTATE ℮-Diario Escribe en www.macmillanmh.com

 ELA W 3.1.1. Escriben párrafos simples donde:
a. Desarrollan una oración sencilla que exprese el tema.
b. Incluyen hechos y detalles sencillos de apoyo.

Usar la forma desarrollada

Algunas especies de animales que viven en la actualidad podrían extinguirse. Los cóndores de California se salvaron de la extinción. Los científicos trabajaron para buscar formas que les ayudaran a sobrevivir.

Mira la información que aparece en la tabla. Muestra algunas especies que se han salvado de la extinción.

Cómo usar la forma desarrollada

▶ Primero, identifica el valor posicional de cada dígito.

▶ Luego, escribe cada valor en una oración de suma.

El incremento en leopardos nevados es de 5,105. Escrito en la forma desarrollada:
5,105 = 5,000 + 100 + 0 + 5

El incremento en cóndores de California es de 183. Escrito en la forma desarrollada:
183 = 100 + 80 + 3

Nombre del animal	Año del conteo original	Conteo original	2005
leopardo nevado	1960	1,000	6,105
cóndor de California	1986	17	200
carnero cimarrón de California	1995	100	250
panda gigante	1965	1,000	1,817
ballena jorobada	1966	20,000	35,105

+6 Resuélvelo

Investiga la población de estudiantes en tu escuela. Escribe el número en la forma desarrollada. Luego investiga si la población ha aumentado o disminuido desde el año pasado. Escribe la diferencia en la forma desarrollada.

▲ Cóndor de California

MA NS 3.1.5. Usar la forma desarrollada para representar números (por ejemplo, 3,206 = 3,000 + 200 + 6).

165
EXTENDER

Resumir las ideas principales

Los seres vivos cambian el medioambiente en formas que pueden ser útiles o dañinas. (págs. 130-137)

Cuando cambia su medioambiente, los seres vivos pueden sufrir daños. Algunos sobreviven y otros mueren. (págs. 140-149)

Algunos seres vivos se extinguen cuando su medioambiente cambia rápidamente. Podemos aprender sobre ellos con el estudio de los fósiles. (págs. 152-161)

Hacer una guía de estudio MODELOS DE PAPEL™

Pega tus guías de estudio de la lección en una hoja de papel como se muestra. Usa tu guía de estudio para repasar lo que aprendiste en este capítulo.

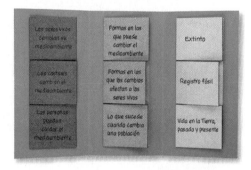

Completa los espacios en blanco con la palabra apropiada de la lista.

comunidad, pág. 146   **fósil**, pág. 156

competencia, pág. 132   **contaminación**, pág. 136

ecosistema, pág. 146   **población**, pág. 146

extinto, pág. 154   **reciclar**, pág. 136

1. Todos los seres vivos y los componentes no vivos que comparten un medioambiente son parte de un _____. 3 LS 3.d

2. La _____ ocurre cuando los seres vivos luchan por los recursos que necesitan. 3 LS 3.c

3. Las marmotas de las praderas son una _____ que se encuentra en algunos ecosistemas de pradera. 3 LS 3.d

4. Cuando materiales dañinos están en el aire, el agua o la tierra hay _____. 3 LS 3.c

5. Un _____ son los restos de un ser vivo que vivió hace mucho tiempo. 3 LS 3.e

6. Todos los seres vivos de un ecosistema forman una _____. 3 LS 3.d

7. Cuando un grupo de organismos desaparece, se vuelve _____. 3 LS 3.e

8. Convertir cosas viejas en nuevas se llama _____. 3 LS 3.c

Comenta o escribe sobre lo siguiente.

9. **Causa y efecto** ¿Qué pudo haber causado la extinción del animal que se muestra en la foto? 3 LS 3.e

mamut lanudo

10. **Escritura persuasiva** Un constructor quiere talar un bosque y hacer espacio para un centro comercial. Escribe al constructor una carta en la que le expliques cómo dañarán sus acciones el medioambiente. 3 LS 3.c

11. **Anota los datos** Imagina que estudias cómo los cambios en las charcas afectan a las poblaciones animales. Describe cómo obtendrías y anotarías tus datos. 3 LS 3.d

charca

12. **Pensamiento crítico** Menciona dos cosas que podrían suceder cuando una población no puede satisfacer sus necesidades en su medioambiente. 3 LS 3.d

Responde a las siguientes preguntas con oraciones completas.

13. ¿Cómo puede la presa de un castor ayudar y dañar el medioambiente? 3 LS 3.c

14. Menciona tres formas en las que las personas pueden cuidar el medioambiente. 3 LS 3.c

15. ¿Cómo podría el cambio mostrado en la foto afectar a las plantas y a los animales que viven en ese medioambiente? 3 LS 3.d

inundación

16. ¿Por qué estudiamos los fósiles? 3 LS 3.e

 ¿Cómo afectan los cambios en el medioambiente a los seres vivos? 3 LS 3

CAPÍTULO 3

Hacer una estampilla postal

- Diseña una estampilla postal sobre el medioambiente. Puedes usar las tres *R* o dibujar un ecosistema, un animal o una planta que necesite protección.

- Escribe un aviso para tu periódico local en el que presentes la estampilla.

- Menciona por qué las personas deberían proteger el medioambiente.

Lo que puedes hacer para proteger el medioambiente

Los estudiantes diseñan nuevas estampillas postales

37¢ Reducir Reutilizar Reciclar

37¢ Salvemos el cóndor

1 Algunos fósiles de dinosaurios tienen estructuras que parecen alas. ¿Qué podrías inferir de estos animales? 3 LS 3.e

- **A** Vivían en el agua.
- **B** Podían volar.
- **C** Eran grandes.
- **D** Comían peces.

2 La competencia es una lucha por los recursos. ¿Cuáles son los tres recursos por los que compiten los seres vivos? 3 LS 3.c

- **A** alimento, agua y espacio
- **B** alimento, agua y aire
- **C** alimento, agua y combustible
- **D** espacio, aire y combustible

3 El grupo de la señora Carroll estudió gusanos. Hicieron un experimento para probar cuánto comía un gusano en una semana. Los estudiantes obtuvieron resultados diferentes en sus experimentos. ¿Qué deben hacer? 3 IE 5.a

- **A** conseguir nuevos gusanos
- **B** leer más libros sobre gusanos
- **C** preguntarle a algún jardinero sobre los gusanos
- **D** hacer el experimento de nuevo

4 ¿Qué pasaría si se sacara a las marmotas de las praderas de un pastizal natural? 3 LS 3.d

- **A** Los conejos tendrían más lugares para construir sus hogares.
- **B** Los coyotes tendrían más alimento.
- **C** Las águilas tendrían menos alimento.
- **D** El suelo tendría más nutrientes.

5 ¿Qué cambio en el medioambiente es demasiado lento para percibirlo? 3 LS 3.c

- **A** las arañas tejen una telaraña entre las hojas
- **B** las aves reúnen materiales y construyen un nido
- **C** las bacterias descomponen las hojas
- **D** una ardilla esconde una bellota

6 En el siguiente dibujo de un bosque tropical, se han cortado árboles.

¿Qué sucederá en el estrato rasante? 3 LS 3.d

- **A** No habrá ningún cambio.
- **B** Los animales no notarán un cambio.
- **C** Crecerán nuevas plantas bajo la luz solar.
- **D** Crecerán raíces de enredaderas por los árboles nuevos.

7 ¿Cuál de los siguientes es un ejemplo de un animal actual y un animal antiguo que se parecen? 3 LS 3.e

- **A** un mamut y un tigre
- **B** un colibrí y un águila
- **C** un elefante y un mamut
- **D** un dragón y un lagarto

Había una vez un

pájaro carpintero

¡Tap! ¡Rap-tap-tap!
¿Escuchas ese tamborileo? Ah, mira, allí hay un pájaro carpintero golpeando sobre ese árbol muerto. Acerquémonos para verlo mejor. Si lo hacemos callados, podremos observar al pájaro carpintero trabajando.

Los pájaros carpinteros tienen asombrosas adaptaciones que les permiten sobrevivir. ¿Ves lo fuerte que martillea el tronco del árbol? Los fuertes músculos de su cuello le dan fuerza a cada golpe. Estos músculos absorben también el impacto, porque a un pájaro carpintero ¡no le da dolor de cabeza!

Un pájaro carpintero martillea el tronco de un árbol. ▶

¿Puedes ver los dedos del pájaro carpintero? A diferencia de la mayoría de las aves, el pájaro carpintero tiene dos dedos que apuntan hacia delante y dos hacia atrás. Eso le permite sostenerse en el tronco de un árbol. El pájaro carpintero tiene un agarre aún mejor al apoyar las duras plumas de su cola contra el tronco.

Mira como el pájaro carpintero se detiene e inclina la cabeza. Está escuchando los sonidos que hacen los insectos que están dentro del árbol. Usa su fuerte pico para hacer un hoyo y hallar el túnel construido por un insecto. ¿Pero obtendrá el sabroso refrigerio en el túnel? El pájaro carpintero saca su larguísima lengua para ensartar el insecto. Una lanceta en la punta de la lengua hace las veces de anzuelo para recoger la comida. ¡Cuidado, insectos! No podrán ocultarse del bien adaptado pájaro carpintero.

▲ Un pájaro carpintero escucha los sonidos de los insectos dentro del árbol.

▲ Un pájaro carpintero ensarta insectos con su lengua.

3 LS 3 Las adaptaciones en la estructura física o el comportamiento pueden aumentar la supervivencia de los organismos. ELA R 3.2.5. Distinguen entre la idea principal y los detalles de apoyo en un texto expositivo.

Especialista en la vida silvestre

¿Te gusta aprender sobre las plantas y los animales? ¿Quieres mantener el medioambiente limpio y saludable? Entonces algún día podrías convertirte en especialista en la vida silvestre.

Los especialistas en la vida silvestre cuidan de los animales y su medioambiente. Vigilan las plantas y animales en lugares como santuarios de la vida silvestre. Buscan formas de ayudar a la vida silvestre y enseñan a las personas por qué es importante cuidar del medioambiente.

Para ser especialista en la vida silvestre, debes cuidar del medioambiente y de los seres vivos. Planea estudiar ciencias en la preparatoria y la universidad. Necesitarás una licenciatura en un campo como la biología o ciencia medioambiental.

Estas son otras carreras en Ciencias Naturales:

- veterinaria o técnico veterinario
- técnico en urgencias médicas
- rescate de animales
- florista
- guardabosques

▲ Rescatistas de animales miden a un demonio de Tasmania.

▲ Un guardabosque coloca un collar satelital a un oso polar para seguir sus movimientos.

Ciencias de la Tierra

El Sol es la única estrella de nuestro sistema solar.

CAPÍTULO 4

Nuestra Tierra, el Sol y la Luna

 ¿Cómo se desplazan por el espacio la Tierra y la Luna?

3 ES 3. Los objetos celestes se mueven de manera predecible.

175

Literatura
Poema

ELA R 3.3.5. Reconocen las similitudes de los sonidos en las palabras y los patrones rítmicos (aliteración, onomatopeya) en un texto. **ELA W 3.2.2.** Escriben descripciones empleando detalles sensoriales concretos para presentar, apoyar y unir las impresiones sobre personas, lugares, cosas o experiencias.

El Sol

y la Luna

Elaine Laron

▲ salida de la Luna en el Parque Nacional Joshua Tree

El Sol rebosa de luz brillante
brilla a lo ancho y a lo largo
la Luna refleja la luz solar rutilante
mas no tiene luz para hacerse cargo.

Creo que ser el Sol prefiero
que alumbra tan brillante
y ser la Luna no quiero
pues sólo refleja la luz del gigante.

¡A escribir!

Respuesta a la literatura La poeta usa la rima, el ritmo y palabras intensas para mostrar sus sentimientos hacia el Sol y la Luna. Escribe un poema sobre el Sol y la Luna. Muestra en qué se diferencian. Usa palabras que den una fuerte impresión y muestren tus sentimientos.

CONÉCTATE ℮ **-Diario** Escribe en **www.macmillanmh.com**

puesta de sol en el Serengeti

El día y la noche

Observa y pregúntate

¿Alguna vez has visto la salida del sol? En el horizonte aparece una luz brillante. El Sol sale lentamente y la noche se convierte en día. La luz del sol proyecta largas sombras. ¿Cómo cambian las sombras durante el día?

3 ES 4.e. Saber que la posición del Sol en el cielo cambia durante el día y de estación a estación.

¿Cómo cambian las sombras?

Formular una hipótesis

¿Cómo afecta la ubicación del Sol en el cielo la longitud de las sombras en el suelo? ¿Cómo afecta la posición de las sombras? Escribe una hipótesis.

Comprobar la hipótesis

1. Trabaja en pareja afuera durante una mañana soleada. Usa la tiza para escribir una *X* en el piso. Pide a tu pareja que se pare sobre la *X*.

2. Traza la sombra de tu pareja.

3. **Mide** Usa la cinta de medir para hallar la longitud de la sombra. Anota los resultados en una tabla. Haz un dibujo.

4. **Predice** ¿Cómo piensas que cambiará la sombra durante el día?

5. **Observa** Repite los pasos 2 y 3 a mediodía y luego por la tarde en el mismo lugar. ¿Cómo cambia la sombra?

Sacar conclusiones

6. **Compara** Usa los datos de tu tabla para responder a las siguientes preguntas. ¿Cuándo es muy larga la sombra? ¿Cuándo es muy corta?

7. **Infiere** ¿Qué causa que las sombras cambien de posición y de longitud?

Explorar más

¿Cómo puedes saber en qué mes la posición del Sol parece la más alta en el cielo? ¿Y la más baja?

Materiales

tiza

cinta de medir

Paso 2

Paso 3 Tiempo	Longitud de la sombra
Mañana	
Mediodía	
Tarde	

3 IE 5.d. Predecir el resultado de una simple investigación y comparar los resultados obtenidos con la predicción.

Idea principal 3 ES 4.e

La posición del Sol en el cielo parece cambiar durante el día. La rotación de la Tierra causa el día y la noche.

Vocabulario

horizonte, pág. 180

rotar, pág. 182

eje, pág. 184

esfera, pág. 184

Destreza de lectura

Resumir

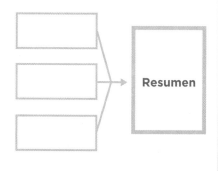

Tecnología

BÚSQUEDA CIENTÍFICA Explora el día y la noche.

El Sol parece salir en el este y ponerse en el oeste. Al observar estas ilustraciones estás mirando hacia el sur. ▶

¿Cómo parece cambiar la posición del Sol en el cielo?

Todos los días parece que el Sol se desplaza en el cielo describiendo un arco gigante. Por la mañana, el Sol aparece cerca del horizonte oriental. A mediodía, aparece en lo alto. Por la tarde aparece cerca del horizonte occidental. El **horizonte** es una línea imaginaria donde parecen juntarse la tierra y el cielo.

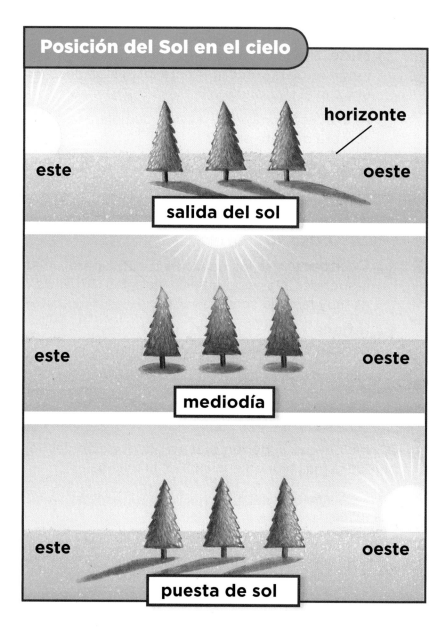

Posición del Sol en el cielo

este   horizonte   oeste
salida del sol

este   oeste
mediodía

este   oeste
puesta de sol

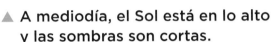 A mediodía, el Sol está en lo alto y las sombras son cortas.

▲ A medida que el Sol se pone, las sombras se hacen más largas.

El Sol y las sombras

¿Alguna vez has notado cómo cambian las sombras durante el día? A veces son largas y a veces son cortas. Las sombras cambian según cambia la posición del Sol.

A mediodía el Sol está en lo alto. El ángulo en el cual la luz solar pega en la Tierra es mayor que por la mañana o por la tarde. La luz solar es más directa y las sombras son muy cortas. A la salida del Sol y cuando el Sol se pone, el ángulo en el que la luz solar pega en la Tierra es menor. La luz solar es menos directa y las sombras son muy largas.

 Comprobar

Resume ¿Cómo parece cambiar la posición del Sol en el cielo durante el día?

Pensamiento crítico Si quisieras evitar la luz solar directa, ¿cuándo deberías quedarte adentro? Explica.

¿Qué causa el día y la noche?

Mientras lees este libro, te estás desplazando por el espacio. No puedes sentir el movimiento de la Tierra. Cuando caminas, el piso permanece inmóvil. Los edificios y los árboles también parecen no moverse, pero tú y todas las cosas que hay sobre la superficie de la Tierra se están moviendo.

La Tierra rota como un trompo gigante que gira en el espacio. **Rotar** significa dar vueltas. La rotación de la Tierra es la que causa el día y la noche. Conforme la Tierra rota, un lado mira el Sol. En ese lado de la Tierra es de día. Al mismo tiempo, el otro lado de la Tierra mira en dirección opuesta al Sol. En ese lado de la Tierra es de noche.

Mientras la Tierra da vueltas, la posición del Sol parece desplazarse en el cielo. Cuando observas la salida y la puesta de sol, lo que ves lo causa la rotación de la Tierra. La Tierra rota de oeste a este.

Cada 24 horas, la Tierra hace una rotación completa. Un día completo dura 24 horas, o todas las horas del día más todas las horas de la noche.

La noche y el día en San Francisco

Sol • California • Norte

Leer un diagrama

¿Por qué es de día en California en el diagrama de la izquierda y de noche en el de la derecha?

Pista: Observa la posición de la Tierra.

Sol

Norte

California

Un modelo de la Tierra

1 Haz un modelo

⚠ **¡Ten cuidado!**
Atraviesa una pelota de espuma con un lápiz. El lápiz representa el eje de la Tierra. Inserta un sujetapapeles en un lado de la pelota. La pelota representa la Tierra. El sujetapapeles te representa a ti.

2 Observa En un cuarto oscuro enciende una luz sobre el sujetapapeles. La luz representa el Sol. ¿Dónde es de día en el modelo?

3 Experimenta Muestra cómo rota la Tierra haciendo girar el lápiz. ¿Qué sucede con la luz sobre el sujetapapeles? ¿Dónde es de día en el modelo? ¿Dónde de noche?

4 Comunica ¿Cómo ayuda este modelo a explicar lo que sabes sobre el día y la noche?

✔ Comprobar

Resume ¿Por qué en la Tierra hay día y noche?

Pensamiento crítico Compara las dos fotografías de San Francisco. ¿Cómo se convierte el día en la noche?

¿Qué es un eje?

¿Has visto alguna vez girar una pelota sobre la punta de un dedo? Piensa en una línea que va desde la punta del dedo hasta la parte superior de la pelota. La línea sería recta de arriba abajo. La pelota gira alrededor de esta línea. La línea se llama **eje**. Un eje es una línea real o imaginaria que pasa por el centro de un objeto que gira.

La Tierra tiene forma de pelota. Su forma se llama **esfera**. La Tierra también gira sobre un eje imaginario. Como puedes observar aquí, el eje de la Tierra no es recto de arriba a abajo, sino que está un poco inclinado. El Polo Norte está en el extremo norte del eje de la Tierra. El Polo Sur está en el extremo sur.

✔ Comprobar

Resume Describe el eje de la Tierra.

Pensamiento crítico ¿Qué pasaría si clavaras un lápiz a través de un modelo de la Tierra y su eje? ¿En qué se parece el modelo a la realidad? ¿En qué se diferencia?

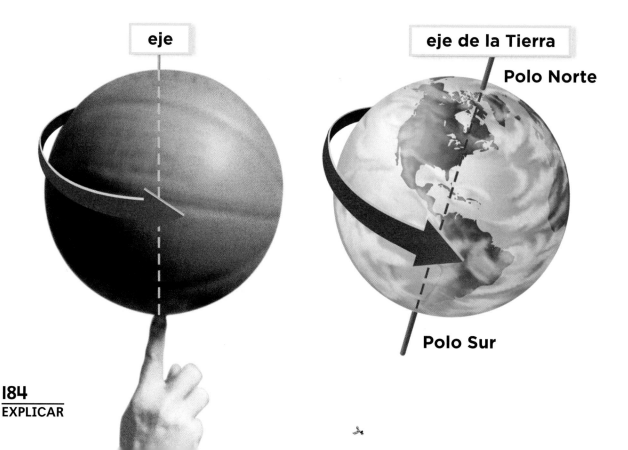

eje

eje de la Tierra

Polo Norte

Polo Sur

Repaso de la lección

Resumir la idea principal

Las sombras cambian a medida que la **posición del Sol** parece cambiar en el cielo.
(págs. 180-181)

La **rotación** de la Tierra causa el día y la noche.
(págs. 182-183)

La Tierra gira sobre su **eje**, la línea imaginaria que pasa a través de su centro. (pág. 184)

Hacer una guía de estudio MODELOS DE PAPEL™

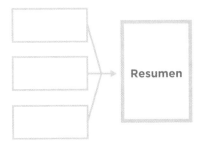

Haz un boletín con tres secciones. Úsalo para resumir lo que aprendiste.

Pensar, comentar y escribir

1 **Idea principal** ¿Por qué parece cambiar la posición del Sol en el cielo?

2 **Vocabulario** ¿Qué significa *rotar*?

3 **Resume** ¿Cuánto dura un día? Describe el movimiento de la Tierra que constituye un día.

4 **Pensamiento crítico** Son las 9.00 a.m. en California, ¿en Nueva York es la misma hora, es más tarde o más temprano? ¿Por qué? Usa un modelo para explicar tu respuesta.

5 **Práctica para la prueba** ¿Qué causa el día y la noche?

  A El Sol rota sobre su eje.

  B La Tierra rota sobre su eje.

  C La Tierra se mueve alrededor del Sol.

  D El Sol se mueve alrededor de la Tierra.

 Conexión con Matemáticas

Resolver un problema
¿Cuántas veces ha rotado la Tierra durante tu vida? Explica cómo podrías resolver este problema. Luego trata de resolverlo. Puedes ayudarte con una calculadora.

 Conexión con Salud

Hacer una entrevista
La luz ultravioleta (UV) que proviene del Sol causa que la piel se broncee o se queme. Entrevista a adultos de tu familia para saber cómo protegen su piel del Sol. Anota lo que te digan.

Analizar datos

¿Alguna vez has notado que unos días parecen más largos que otros? Esto es porque el Sol sale y se pone a distintas horas en diferentes días. Algunos días parecen más largos porque tienen más horas de luz de día que otros. ¿Cómo descubrieron esto los científicos? Lo hicieron **analizando los datos** de años anteriores.

1 Estúdialo

Cuando **analizas los datos**, usas información que se ha recopilado para responder preguntas o solucionar problemas. Es más fácil analizar los datos si se han organizado en una tabla o gráfica. Así se pueden observar rápidamente las diferencias entre los datos.

2 Inténtalo

Aprendiste que los científicos **analizan datos**. Los científicos recopilan información sobre la salida y la puesta de sol en determinados lugares. Usan los datos para conocer el número de horas de luz de día que tenemos en diferentes épocas del año. Puedes organizar y analizar los datos de estos científicos para que tú también saques conclusiones.

Datos promedio sobre la salida y puesta de sol en Los Ángeles, California			
Mes	**Salida del sol**	**Puesta de sol**	**Horas aproximadas de luz de día**
enero	6:59 a.m.	5:07 p.m.	10
marzo	6:04 a.m.	6:01 p.m.	12
mayo	5:52 a.m.	7:48 p.m.	14
julio	5:53 a.m.	8:05 p.m.	14
septiembre	6:37 a.m.	7:00 p.m.	$12\frac{1}{2}$
noviembre	6:27 a.m.	4:50 p.m.	$10\frac{1}{2}$

 3 IE 5.e. Recopilar los datos de una investigación y analizarlos para llegar a una conclusión lógica.

Primero, organiza los datos en una gráfica de barras. Usa la gráfica para mostrar el número de horas de luz al día en cada mes. Sigue estos pasos para hacer tu gráfica de barras.

▶ Haz una lista de los meses en la parte inferior de la gráfica. Escribe los números a lo largo del margen izquierdo de la gráfica.

▶ Dibuja una barra hasta cada uno de los números de los datos.

▶ Escribe un título para la gráfica y rotula los márgenes. Usa los encabezados de las columnas de la tabla como ayuda.

Ahora puedes usar tu gráfica de barras para analizar los datos. ¿Cómo cuántas horas de luz de día habrá mañana? Explica.

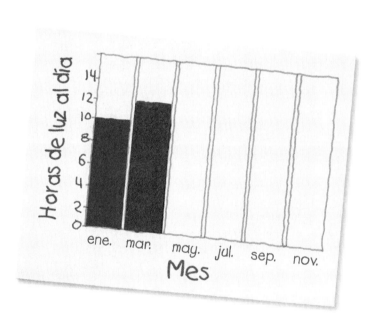

③ **Aplícalo**

Es tu turno de **analizar los datos**. Mide la temperatura del aire cada hora durante un día. Comienza a las 8 a.m. y termina a las 6 p.m. Anota tus datos en una tabla. Usa los datos de la tabla para hacer una gráfica de barras.

Ahora puedes usar tu gráfica de barras para analizar los datos. ¿A qué hora del día la temperatura del aire es la más calurosa? ¿A qué hora es la más fría?

Las estaciones

Observa y pregúntate

¿Tienes una estación favorita? Algunos lugares de la Tierra tienen días más largos y cálidos en determinadas épocas del año. Algunos lugares permanecen iguales o casi iguales. ¿Por qué? ¿Qué sucede cuando cambian las estaciones?

3 ES 4.e. Saber que la posición del Sol en el cielo cambia durante el día y de estación a estación.

¿Qué sucede cuando cambian las estaciones?

Hacer una predicción

¿Qué sucede con la longitud de las sombras cuando las estaciones cambian? Escribe una predicción.

Comprobar la predicción

Paso 1

1. **Haz un modelo** Pega un poco de arcilla en el globo terráqueo sobre California. Clava un popote en la arcilla.

2. Tu maestro colocará la lámpara en el centro de un cuarto oscuro para que la luz dé a la mitad del globo terráqueo. La lámpara representa al Sol.

3. **Experimenta** El globo terráqueo representa a la Tierra. Sostén la Tierra y camina alrededor del Sol. Inclina la Tierra para mostrar su eje inclinado. Mantén la inclinación apuntando en la misma dirección. Mantén el popote hacia el Sol a medida que la Tierra se mueve alrededor de éste.

4. **Observa** ¿Cómo cambia la cantidad de luz que da en el lugar donde estás en la Tierra? ¿Qué sucede con la longitud de la sombra del popote conforme se mueve el globo terráqueo?

Sacar conclusiones

5. **Analiza los datos** ¿Dónde se proyectó la sombra más corta? ¿En dónde la más larga?

6. **Infiere** ¿Dónde era más directa la luz?

Explorar más

¿Cómo crees que este modelo podría ayudar a explicar el cambio de las estaciones?

Materiales

globo terráqueo

pedazo pequeño de arcilla

popote

lámpara

Paso 3

3 IE 5.d. Predecir el resultado de una simple investigación y comparar los resultados obtenidos con la predicción.

Idea principal 3 ES 4.e

El eje inclinado de la Tierra y su órbita alrededor del Sol causan las estaciones. La posición del Sol en el cielo parece cambiar de una estación a otra.

Vocabulario

traslación, pág. 190

órbita, pág. 190

ecuador, pág. 194

Destreza de lectura

Causa y efecto

Causa → Efecto

¿Por qué cambian las estaciones?

Aprendiste que la Tierra rota alrededor de su eje. Éste no es el único movimiento de la Tierra en el espacio. También hace un movimiento de traslación. Un objeto que se mueve alrededor de otro hace un movimiento de **traslación**. La Tierra viaja, hace un movimiento de traslación, en una trayectoria regular alrededor del Sol que se llama **órbita** de la Tierra. La Tierra tarda un año, o unos 365 días, en completar una órbita alrededor del Sol.

Las estaciones cambian por el eje inclinado de la Tierra según rota y realiza su movimiento de traslación alrededor del Sol. Observa el diagrama. No importa en qué punto de su órbita esté, su eje siempre está inclinado hacia la misma dirección.

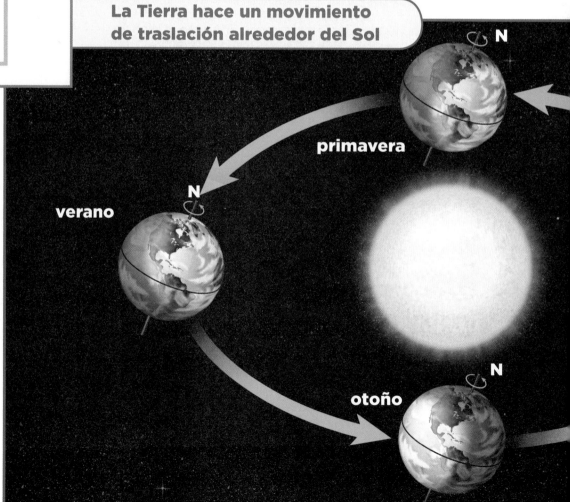

La Tierra hace un movimiento de traslación alrededor del Sol

primavera

verano

otoño

En junio, el Polo Norte está inclinado hacia el Sol. Esto significa que la luz solar es más directa. Llega más energía solar al Polo Norte. Los días son más largos y las temperaturas más cálidas. Es verano.

Para diciembre, la Tierra se ha movido a una posición diferente en su órbita. Ahora el Polo Norte está inclinado lejos del Sol. Llega menos luz directa y menos energía solar al Polo Norte. Los días son más cortos y las temperaturas son más frías. Es invierno allí. El Polo Sur ahora está inclinado hacia el Sol. Es verano allí.

✔ Comprobar

Causa y efecto ¿Por qué cambian las estaciones?

Pensamiento crítico ¿Cómo serían las estaciones si la traslación de la Tierra alrededor del Sol durara más?

primavera (comienza el 20 ó 21 de marzo)

verano (comienza el 21 ó 22 de junio)

otoño (comienza el 22 ó 23 de septiembre)

invierno (comienza el 21 ó 22 de diciembre)

Las estaciones en el hemisferio norte

N

invierno

Leer un diagrama

¿Qué permanece igual en el eje de la Tierra mientras se mueve alrededor del Sol?

Pista: Compara los dibujos de la Tierra durante cada una de las cuatro estaciones.

¿Cómo cambia la trayectoria del Sol de una estación a otra?

Aprendiste que en un sólo día, el Sol parece salir y seguir una trayectoria por el horizonte. El día, la noche y los cambios en las sombras los causa la rotación de la Tierra.

La posición del Sol parece cambiar también de una estación a otra. Cuando es verano en California, el Sol se ve más alto al mediodía. Esto pasa porque la mitad del norte de la Tierra está inclinada hacia el Sol. Esta inclinación hace que la trayectoria del Sol se vea más alta en el cielo.

Cuando en California es invierno, la trayectoria del Sol se ve más baja en el cielo. California está inclinada lejos del Sol. A mediodía el Sol está bajo. La mitad del sur de la Tierra está inclinada hacia el Sol.

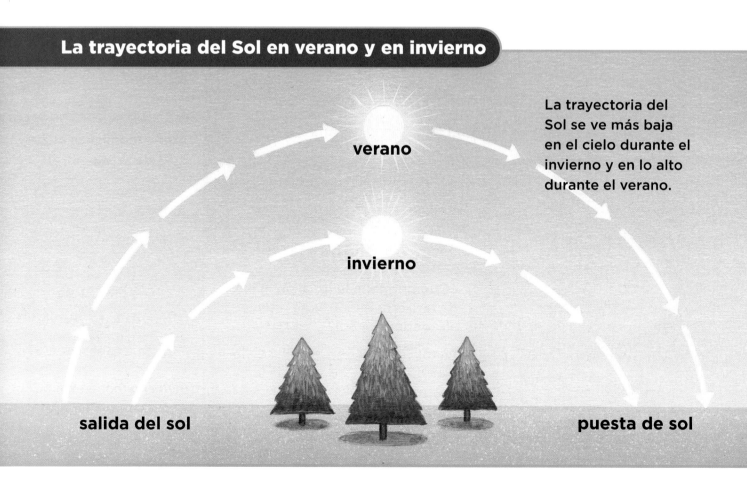

La trayectoria del Sol en verano y en invierno

verano

invierno

La trayectoria del Sol se ve más baja en el cielo durante el invierno y en lo alto durante el verano.

salida del sol

puesta de sol

En la primavera y el otoño, la trayectoria del Sol está a media altura. En California, durante la primavera los días empiezan a ser más largos y las temperaturas mayores; mientras que en el otoño los días empiezan a ser más cortos y las temperaturas menores.

✔ Comprobar

Causa y efecto ¿Qué causa que el Sol se vea en lo alto durante el día en el verano?

Pensamiento crítico Cuando es invierno en el hemisferio sur, ¿la trayectoria del Sol se ve en lo alto o cerca del horizonte? Explica tu respuesta.

≡ Haz la prueba

Las horas de la puesta de sol

① Usa materiales de investigación para hallar la hora promedio de la puesta de sol cada mes en el lugar donde vives.

② Anota esta información en una tabla.

③ **Saca conclusiones** ¿Durante qué mes se pone el sol más tarde? ¿Más temprano?

Mes	Hora de la puesta de sol
enero	
febrero	
marzo	
abril	
mayo	

verano

El Capitán, Parque Nacional Yosemite, California

▲ Durante el verano, las temperaturas son más cálidas y hay más horas de luz de día. En California sigue siendo de día a las 4 p.m.

invierno

▲ Durante el invierno, las temperaturas son más frías y hay menos horas de luz de día. En California el Sol se pone a las 4 p.m.

¿Cómo son las estaciones en otros lugares?

El **ecuador** es una línea imaginaria que rodea la mitad de la Tierra y la separa en dos partes. La parte superior es el hemisferio norte. La parte inferior es el hemisferio sur.

Los lugares cercanos al ecuador tienen más o menos la misma temperatura durante casi todo el año. Esto es porque la cantidad de luz solar que llega al ecuador es constante todo el año. Allí los rayos solares son más fuertes y la temperatura es mayor. Los lugares alejados del ecuador tienen diferentes estaciones. Los lugares más cercanos a los polos tienen tiempo frío casi todo el año.

Hemisferio norte

▲ junio en California

Ecuador

▲ junio cerca del ecuador

Hemisferio sur

▲ junio en Argentina

✔ Comprobar

Causa y efecto ¿Qué causa que los lugares cercanos al ecuador tengan la misma temperatura casi todo el año?

Pensamiento crítico ¿Por qué las estaciones en los lugares alejados del ecuador son diferentes de las estaciones en el ecuador?

Resumir la idea principal

Las estaciones cambian porque la Tierra tiene un eje inclinado y un movimiento de **traslación** alrededor del Sol. (págs. 190-191)

La **trayectoria del Sol** en el cielo parece cambiar de una estación a otra. (págs. 192-193)

Las **estaciones** son diferentes en distintos lugares de la Tierra. (pág. 194)

Hacer una guía de estudio MODELOS DE PAPEL™

Haz un boletín con dos secciones. Úsalo para resumir lo que aprendiste.

Pensar, comentar y escribir

1 Idea principal Describe cómo cambian las estaciones.

2 Vocabulario ¿En qué se diferencian la rotación y la traslación?

3 Causa y efecto ¿Qué causa los inviernos fríos y largos en los polos?

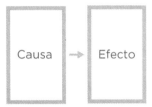

Causa → Efecto

4 Pensamiento crítico ¿Por qué serían distintas las estaciones si la Tierra no estuviera inclinada sobre su eje?

5 Práctica para la prueba ¿Qué estación es en California cuando la mitad del norte de la Tierra está inclinada hacia el Sol?

A otoño

B primavera

C verano

D invierno

 Conexión con Escritura

Escribir un informe
Algunos niños viven donde hay casi 24 horas de luz de día durante el verano y casi 24 horas de oscuridad durante el invierno. ¿En qué lugar de la Tierra pasa esto? Escribe una lista de preguntas que harías si pudieras entrevistar a uno de estos niños. Investiga para hallar las respuestas.

 Conexión con Matemáticas

Resolver un problema
Aprendiste que el eje inclinado de la Tierra, como está en órbita alrededor del Sol, causa las cuatro estaciones. Si cada estación tiene aproximadamente el mismo número de meses ¿cuántos meses dura cada estación? ¿Cómo lo sabes?

Las estaciones en tu zona

Has aprendido sobre las estaciones. Ahora piensa en cómo son las estaciones en California. ¿Las estaciones tienen distintos tipos de tiempo atmosférico? ¿Nieva en invierno? ¿Hace calor en verano? Piensa en las cosas que haces en cada estación.

Una buena narración personal

▶ narra un relato desde la perspectiva personal del escritor

▶ expresa los sentimientos del escritor

▶ describe sucesos en un orden que tenga sentido

¡A escribir!

Narración personal Elige una estación. Escribe un relato sobre algo que hiciste en esa estación. Explica por qué aún recuerdas el suceso. ¿Qué te hizo sentir? Describe cómo era el tiempo atmosférico. Recuerda mencionar los sucesos en un orden que tenga sentido.

CONÉCTATE ⊕**-Diario** Escribe en **www.macmillanmh.com**

ELA W 3.2.1. Escriben narraciones donde:
a. Proveen el contexto que enmarca la acción.
b. Incluyen detalles cuidadosamente seleccionados para desarrollar la trama.
c. Ofrecen reflexiones sobre las razones por las cuales el suceso es memorable.

Convertir horas de luz de día

En el hemisferio norte, los días son más largos en el verano y más cortos en el invierno. Observa la tabla que sigue. Muestra la duración del día más largo y más corto en San Francisco.

Cómo convertir horas

▶ Decide primero si vas a convertir horas en minutos o en segundos.

▶ Luego multiplica las horas por el número de minutos o de segundos que tiene una hora. Recuerda que una hora tiene 60 minutos. Una hora tiene 3,600 segundos.

▶ Éste es un ejemplo:
5 horas x 60 minutos/hora = 300 minutos

El día más largo y el más corto en San Francisco	
Fecha	Horas aproximadas de luz de día
21 de junio	15
21 de diciembre	10

 Resuélvelo

¿Cuánto dura en minutos el día más largo en San Francisco? ¿El día más corto? ¿Cuál es la diferencia en minutos entre el día más largo y el día más corto?

 MA MG 3.1.4. Hacer conversiones de unidades simples de un mismo sistema de medición (por ejemplo: convertir centímetros en metros, horas en minutos).

La Luna

San Francisco,
California

Observa y pregúntate

En ocasiones la Luna parece una pelota brillante. Unas semanas más tarde, lo único que puede verse es una rebanada delgada. ¿Qué sucedió? ¿Cómo parece cambiar la forma de la Luna en una semana?

3 ES 4.b. Saber cómo se ve la Luna en sus distintas fases durante las cuatro semanas del ciclo lunar. •**3 ES 4.d.** Saber que la Tierra es uno de los planetas que se mueven alrededor del Sol y que la Luna se mueve alrededor de la Tierra.

¿Cómo parece cambiar la forma de la Luna?

Hacer una predicción

¿Cómo cambiará la forma de la Luna durante una semana? Escribe una predicción.

Comprobar la predicción

1 **Observa** Mira la Luna justo después de la puesta de sol todas las noches durante una semana.

2 **Anota** Dibuja la Luna como la veas cada noche. Dibuja también su posición en el cielo. Rotula el dibujo con el día de la semana.

Sacar conclusiones

3 **Analiza los datos** ¿Cómo parece cambiar la forma de la Luna cada noche? ¿Cómo parece cambiar su ubicación?

4 **Predice** ¿Cuál será la forma de la Luna durante las siguientes noches?

Explorar más

¿La Luna sale y se pone a la misma hora cada noche? Haz un plan para comprobar tus ideas.

Paso 1

Paso 2

Día	Observación
lunes	
martes	
miércoles	
jueves	
viernes	

3 IE 5.d. Predecir el resultado de una simple investigación y comparar los resultados obtenidos con la predicción.

Idea principal
3 ES 4.b
3 ES 4.d

La Luna tiene su órbita alrededor de la Tierra. La forma de la Luna parece cambiar durante su ciclo lunar de cuatro semanas.

Vocabulario

fase, pág. 200

creciente, pág. 200

menguante, pág. 200

ciclo lunar, pág. 202

eclipse lunar, pág. 204

Destreza de lectura

Secuencia

Primero

↓

Después

↓

Por último

¿Qué son las fases de la Luna?

Todos los días la Luna parece cambiar de forma. A veces sólo podemos ver una parte pequeña de la Luna. Otras, es un gran círculo brillante. Incluso otras veces no podemos verla en absoluto. Cada forma que vemos se llama **fase**. Los científicos tienen un nombre para cada fase de la Luna. Las fotografías de ésta página muestran las ocho fases principales de la Luna. ¿Has visto la Luna en cada una de estas fases? ¿En qué fase estaba la Luna anoche?

Mientras más vemos de la superficie iluminada de la Luna la llamamos luna creciente. **Creciente** significa que algo está aumentando de tamaño. Conforme vemos menos de la superficie iluminada de la Luna decimos que es menguante. **Menguante** significa que algo está disminuyendo de tamaño. Una luna *gibosa* creciente o menguante está casi llena.

Las fases de la Luna

luna nueva

luna creciente

luna en cuarto creciente

luna gibosa creciente

Durante esta fase no se puede ver la luna.

Empieza a aparecer la cara iluminada de la luna.

En ocasiones se le llama media luna.

Una luna gibosa está casi llena.

▲ Así es como ves la Luna a simple vista.

▲ Puedes ver muchos más detalles de la Luna con binoculares.

✔ Comprobar

Secuencia ¿Qué fase de la Luna viene antes de la luna nueva?

Pensamiento crítico Compara la luna creciente y la menguante. ¿En qué se parecen? ¿En qué se diferencian?

luna llena

Puede verse toda la cara visible de la luna.

luna gibosa menguante

Esta luna gibosa está menguando.

luna en cuarto menguante

La luna sigue menguando.

luna menguante

La cara visible casi ha desaparecido.

Hacer un rotafolio de las fases de la Luna

1 Escribe el nombre de una de las ocho fases de la Luna del lado izquierdo de cada tarjeta. Mira el ejemplo de abajo.

2 Dibuja el aspecto de cada fase del lado derecho de cada tarjeta.

3 Coloca las tarjetas en orden y engrapa el libro del lado izquierdo.

4 Haz pasar las páginas con el pulgar para ver cómo cambia la forma de la Luna.

5 ¿En qué se parece este modelo de las fases de la Luna a las fases verdaderas?

¿Por qué parece cambiar la forma de la Luna?

Al igual que la Tierra, la Luna tiene forma de pelota o esfera. La forma de la Luna no cambia. Siempre es una esfera. ¿Por qué entonces la Luna se ve diferente cada noche?

La Luna, como la Tierra, se mueve por el espacio. La Luna orbita alrededor de la Tierra, del mismo modo que la Tierra lo hace alrededor del Sol. La forma de la Luna parece cambiar debido a esta órbita. Mira el diagrama. La mitad de la Luna mira hacia el Sol. El Sol ilumina esta mitad. La otra mitad mira al lado opuesto del Sol y está oscura. La Luna no produce su propia luz. Cuando la Luna orbita alrededor de la Tierra, vemos distintas partes de su mitad iluminada. Estas partes iluminadas son las diferentes formas o fases que vemos.

La Luna tarda unas cuatro semanas en orbitar alrededor de la Tierra. Durante este tiempo, pasa por todas sus fases. El ciclo de cuatro semanas de fases se llama **ciclo lunar**.

Al igual que el Sol, la Luna parece salir, moverse por el cielo y ocultarse. Esto es por la rotación de la Tierra alrededor de su propio eje.

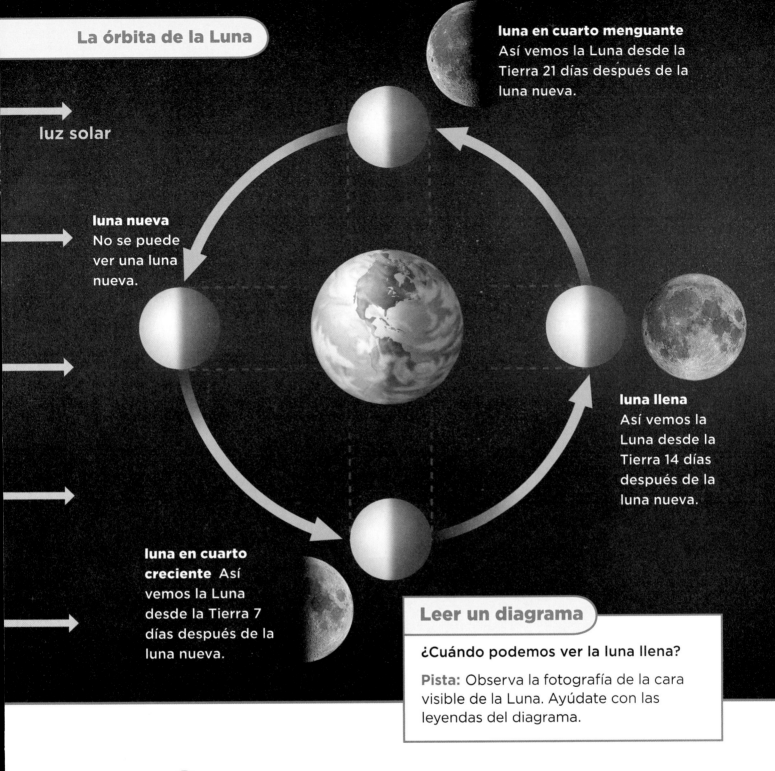

La órbita de la Luna

luz solar

luna nueva
No se puede ver una luna nueva.

luna en cuarto menguante
Así vemos la Luna desde la Tierra 21 días después de la luna nueva.

luna llena
Así vemos la Luna desde la Tierra 14 días después de la luna nueva.

luna en cuarto creciente Así vemos la Luna desde la Tierra 7 días después de la luna nueva.

Leer un diagrama

¿Cuándo podemos ver la luna llena?

Pista: Observa la fotografía de la cara visible de la Luna. Ayúdate con las leyendas del diagrama.

✔ Comprobar

Secuencia Identifica las cuatro fases principales por las que pasa la Luna durante un ciclo lunar.

Pensamiento crítico ¿Cómo puedes predecir qué forma tendrá la Luna mañana? ¿La semana entrante?

¿Qué es un eclipse lunar?

¿Alguna vez has intentado ver la televisión cuando alguien está entre la pantalla y tú? A veces la Tierra puede ser como esa persona. Se interpone entre el Sol y la Luna. No permite que los rayos solares lleguen a la Luna. Observa el siguiente diagrama. La sombra de la Tierra se proyecta sobre la Luna. Cuando esto sucede hay un **eclipse lunar**. Durante un eclipse lunar, la Luna se mueve dentro de la sombra de la Tierra.

✔ Comprobar

Secuencia ¿Qué sucede durante un eclipse lunar?

Pensamiento crítico ¿Puede el Sol interponerse entre la Tierra y la Luna? ¿Por qué?

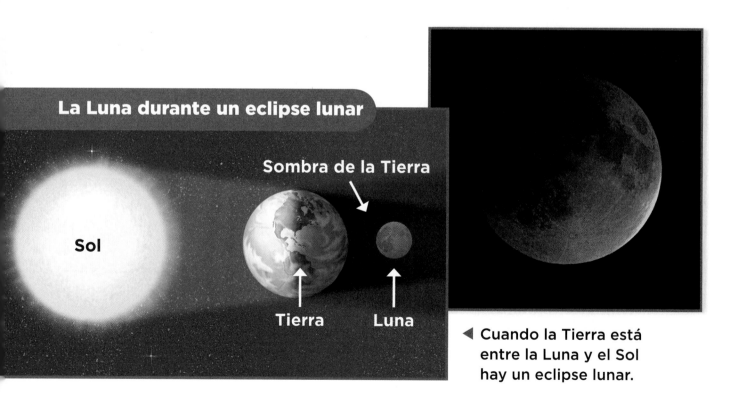

La Luna durante un eclipse lunar

Sombra de la Tierra

Sol

Tierra   Luna

◀ Cuando la Tierra está entre la Luna y el Sol hay un eclipse lunar.

Repaso de la lección

Resumir la idea principal

Las formas cambiantes que vemos de la Luna se llaman **fases**. (págs. 200–201)

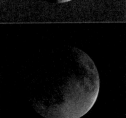

La **forma** de la Luna parece cambiar porque vemos diferentes partes de su cara visible. (págs. 202–203)

Un **eclipse** lunar ocurre cuando la Luna se mueve dentro de la sombra de la Tierra. (pág. 204)

Hacer una guía de estudio MODELOS DE PAPEL™

Haz un boletín con dos secciones. Úsalo para resumir lo que aprendiste sobre la Luna.

Las fases y la órbita de la Luna

Eclipse lunar

Pensar, comentar y escribir

1 **Idea principal** ¿Por qué parece cambiar la forma de la Luna?

2 **Vocabulario** ¿Qué es una fase de la Luna?

3 **Secuencia** Haz una lista de las ocho principales fases por las que pasa la Luna durante un ciclo lunar.

Primero

Después

Por último

4 **Pensamiento crítico** La Luna es como una pelota. ¿Puede parecer que una pelota tiene una forma diferente sin cambiar en realidad su forma? Explica tu respuesta.

5 **Práctica para la prueba** **¿Cómo se llama a la fase de la Luna cuando su cara visible mira al lado opuesto de la Tierra?**

A luna llena

B luna nueva

C mes

D cuarto creciente

 Conexión con Escritura

Escribir un cuento
Escribe un cuento de ciencia ficción sobre cómo sería vivir en la Luna. Incluye personajes, una escena y un orden de los sucesos con un problema que se resuelva al final. Comparte tu cuento con un público.

 Conexión con Estudios Sociales

Hacer una investigación
Veintisiete astronautas han estado en la Luna o cerca de ella. Doce de ellos han alunizado y caminado sobre la Luna. Haz una investigación para saber más sobre alguno de estos astronautas. Comparte los resultados de tu investigación con el resto de la clase.

Materiales

lámpara

pelota

Investigación estructurada

¿Por qué parece cambiar la forma de la Luna?

Formular una hipótesis

La Luna describe una órbita completa alrededor de la Tierra en 28 días. ¿Cómo afecta la posición de la Luna en el espacio lo que vemos de la Luna? ¿Cuándo vemos la luna llena? ¿Cuándo vemos la luna en tercer cuadrante? Escribe una hipótesis.

Comprobar la hipótesis

1. **Haz un modelo** Sostén la pelota y estira el brazo hacia adelante. Coloca tu brazo de tal manera que la pelota esté un poco más alta que tu cabeza. La pelota es la Luna y tu cabeza es la Tierra.

2. **Observa** Tu maestra encenderá una lámpara. La lámpara representa al Sol. Dale la espalda a la luz de tal manera que la luz brille sobre la pelota. ¿Qué parte de la pelota está iluminada?

3. **Experimenta** Gira en tu lugar sosteniendo la pelota. Mantén la pelota frente a ti. Nota el cambio en la luz y en la sombra sobre la pelota.

4. **Anota los datos** Anota tus observaciones en un dibujo o describe lo que observas mientras giras.

5. Repite el experimento varias veces. ¿Son iguales tus observaciones cada vez que haces el experimento?

Paso **2**

Sacar conclusiones

6 Analiza los datos ¿Dónde está la pelota cuando está iluminada como una luna llena? ¿Dónde está la pelota cuando parece una media luna?

7 Infiere ¿Por qué parece cambiar la forma de la Luna? ¿Cómo lo sabes?

Investigación guiada

¿Cómo cambia la posición de la Luna?

Formular una hipótesis

¿Cómo cambia la posición de la Luna en el cielo nocturno? Escribe una hipótesis.

Comprobar la hipótesis

Haz un plan para comprobar tu hipótesis. Recuerda que tu plan debe comprobar sólo una variable: la posición de la Luna en el cielo. Decide los materiales que necesitarás. Luego escribe los pasos que planeas seguir.

Sacar conclusiones

¿Los resultados confirman tu hipótesis? ¿Por qué? Comparte los resultados de tu plan con el resto de tus compañeros.

Investigación libre

¿Qué otras preguntas tienes sobre la Luna? Comenta con tus compañeros las preguntas que tengan. ¿Cómo podrías hallar las respuestas a tus preguntas?

Recuerda seguir los pasos del método científico.

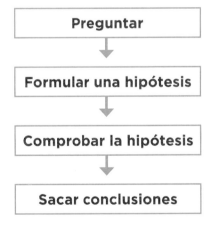

Preguntar
↓
Formular una hipótesis
↓
Comprobar la hipótesis
↓
Sacar conclusiones

3 IE 5.a. Repetir observaciones para mejorar su exactitud y saber que los resultados de investigaciones científicas similares rara vez son exactamente los mismos debido a diferencias en los objetos estudiados, los métodos de estudio o la inexactitud de las observaciones.

¡RUMBO A LA LUNA!

¿Alguna vez te has preguntado algo sobre la Luna? ¿Cómo aprendemos cómo es en realidad? Primero, las personas observaban la Luna a simple vista. Luego inventaron instrumentos como los telescopios. Los astronautas (y los robots) fueron a la Luna para estudiarla de cerca.

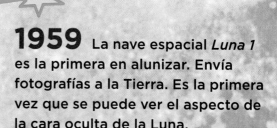

1957 El *Sputnik I* es la primera nave espacial que viaja al espacio.

1959 La nave espacial *Luna 1* es la primera en alunizar. Envía fotografías a la Tierra. Es la primera vez que se puede ver el aspecto de la cara oculta de la Luna.

 ELA R 3.2.6. Sustraen información adecuada y significativa del texto, incluyendo problemas y soluciones.

Historia de las Ciencias

La NASA planea enviar expediciones de nuevo a la Luna para aprender más de ella y lo que se necesita para vivir en su medioambiente extremo. ▼

Una secuencia,

▶ enumera los sucesos en orden

▶ dice qué pasó primero, después y por último

▶ usa términos de orden en el tiempo como *primero*, *después* y *por último*, para narrar el orden de los sucesos

1972 El *Apolo 17* es la última misión tripulada a la Luna. La tripulación pasa allí 75 horas. Los astronautas Gene Cernan y Harrison Schmitt conducen un vehículo lunar por la superficie de la Luna para recoger muestras.

1969 La misión del *Apolo 11* es la primera en alunizar. Neil Armstrong y Buzz Aldrin son los primeros astronautas en caminar sobre la Luna y en recoger muestras lunares.

¡A escribir!

Orden de los sucesos Usa la línea de tiempo para llenar una tabla de orden de los sucesos. Haz una lista de cómo los científicos recopilaron información sobre la Luna. Menciona qué sucedió primero, después y por último. Luego usa tu tabla para escribir un resumen sobre la exploración de la Luna.

CONÉCTATE ⊜ **–Diario** Escribe en **www.macmillanmh.com**

Resumir las ideas principales

Las sombras cambian a medida que la posición del Sol en el cielo parece cambiar. La rotación de la Tierra causa el día y la noche. (págs. 178-185).

Las estaciones cambian porque la Tierra tiene un eje inclinado y un movimiento de traslación alrededor del Sol. (págs. 188-195)

La Luna parece cambiar de forma porque vemos diferentes porciones de su cara iluminada. Las formas cambiantes son las fases.
(págs. 198-205)

Hacer una guía de estudio MODELOS DE PAPEL™

Pega tus guías de estudio de la lección en una hoja de papel como se muestra. Usa tu guía de estudio para repasar lo que aprendiste en este capítulo.

Completa los espacios en blanco con la palabra apropiada de la lista.

eje, pág. 184   **órbita**, pág. 190

ecuador, pág. 194   **fase**, pág. 200

ciclo lunar, pág. 202 **traslación**, pág. 190

eclipse lunar, pág. 204 **menguante**, pág. 200

1. El _____ divide a la Tierra en el hemisferio norte y el hemisferio sur.
   3 ES 4.e

2. Un _____ ocurre cuando la Luna se coloca en la sombra de la Tierra. 3 ES 4.b

3. Una forma de la superficie iluminada de la Luna que se ve desde la Tierra se llama _____. 3 ES 4.b

4. Un objeto que hace un movimiento de _____ se mueve alrededor de otro objeto. 3 ES 4.d

5. Las cuatro semanas de fases de la Luna que cambian se llaman _____.
   3 ES 4.b

6. La Luna está _____ cuando vemos menos de su cara iluminada. 3 ES 4.b

7. Una línea real o imaginaria que pasa por el centro de un objeto que gira es un _____. 3 ES 4.e

8. La _____ de la Tierra es la trayectoria que sigue cuando se mueve alrededor del Sol. 3 ES 4.e

Comenta o escribe sobre lo siguiente.

9. **Secuencia** ¿Qué sucede durante un eclipse lunar? 3 ES 4.b

10. **Escritura explicativa** ¿Qué causa el día y la noche? 3 ES 4.e

11. **Analiza los datos** La gráfica de barras muestra las horas promedio de luz de día durante seis meses en California. ¿Qué mes tiene el menor número de horas de luz de día? ¿Qué meses tienen el mayor? 3 ES 4.e

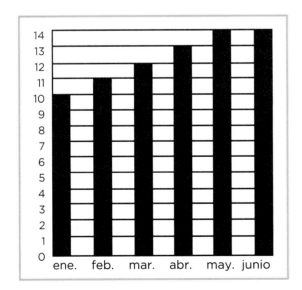

12. **Pensamiento crítico** ¿Si el Sol ilumina siempre la mitad de la Luna por qué no vemos siempre la luna llena? 3 ES 4.d

Responde a las siguientes preguntas con oraciones completas.

13. ¿Por qué el Polo Norte y el Polo Sur tienen estaciones diferentes el mismo día? 3 ES 4.e

14. ¿A qué hora del día es probable que el Sol se encuentre en esta posición? Explica tu respuesta. 3 ES 4.e

15. ¿Por qué las temperaturas del hemisferio norte son más cálidas en el verano y más frías en el invierno? 3 ES 4.e

16. ¿Qué región de la Tierra tiene menos variaciones en las temperaturas de verano y de invierno? Explica tu respuesta. 3 ES 4.e

 ¿Cómo se desplazan por el espacio la Tierra y la Luna? 3 ES 4

Hacer un diagrama

- Haz un diagrama que muestre cómo la órbita que describe la Luna alrededor de la Tierra causa las fases de la Luna.

- Incluye todas las fases mostradas en las fotografías. Asegúrate de incluir la Tierra y el Sol.

- Rotula cada fase de la Luna. Dibuja y rotula flechas que muestren la luna creciente y la luna menguante.

- En la parte inferior de tu diagrama, escribe la fecha de cuando ocurriría cada fase. Comienza con la fase de la luna nueva el 1º de julio.

Elementos a incluir

luna en cuarto creciente

luna llena

luna nueva

luna en cuarto menguante

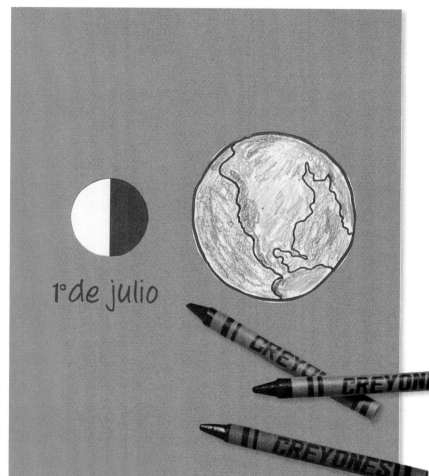

1º de julio

1 ¿Por qué el clima es más cálido en California durante el verano que durante el invierno? 3 ES 4.e

A Durante el verano, la Tierra está más cerca del Sol.

B Durante el verano, el hemisferio norte está inclinado hacia el Sol.

C Durante el verano, el hemisferio norte está inclinado lejos del Sol.

D Durante el verano, el Sol es más caluroso.

2 ¿Por qué parece que la Luna sale y se pone en el cielo? 3 ES 4.b

A La Tierra se mueve alrededor de la Luna.

B La Luna se mueve alrededor del Sol.

C La Luna se mueve por el cielo.

D La Tierra rota sobre su eje.

3 ¿Cuál de los siguientes enunciados explica mejor por qué el Sol parece moverse por el cielo todos los días? 3 ES 4.e

A La rotación de la Tierra

B La inclinación de la Tierra sobre su eje

C La distancia de la Tierra al Sol

D La traslación de la Tierra

4 ¿Qué pasaría si el eje de la Tierra no estuviera inclinado? 3 ES 4.e

A Habría una sola estación.

B Habría sólo dos estaciones.

C Habría estaciones cada año.

D Habría cuatro estaciones.

5 La forma de la Luna parece cambiar porque 3 ES 4.b

A está rotando alrededor del Sol.

B refleja la luz del Sol en diferentes posiciones alrededor de la Tierra.

C está más cerca de la Tierra en el verano y más lejos en el invierno.

D la rotación de la Tierra cambia su tamaño.

6 Observa el calendario que muestra las fases de la Luna.

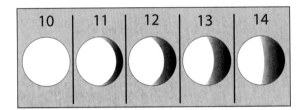

Mediante la observación, un estudiante podría predecir 3 IE 5.e

A la hora en la que la Luna saldrá el día siguiente.

B el aspecto que tendrán las nubes el día siguiente.

C la hora a la que saldrá el Sol el día siguiente.

D el aspecto que tendrá la Luna el día siguiente.

7 ¿Cuál de los siguientes enunciados es una secuencia del ciclo lunar? 3 ES 4.b

A luna nueva, luna llena, media luna

B luna creciente, media luna, luna nueva

C luna llena, luna nueva, luna creciente

D luna nueva, media luna, luna llena

Nuestro sistema solar

 ¿Qué objetos vemos en
el cielo nocturno?

3 ES 4. Los objetos celestes se mueven de manera predecible.

215

Literatura
Narración personal

ELA R 3.3.6 Identifican al narrador o la voz en el texto.
ELA W 3.2.1 Escriben narraciones donde: **a.** Proveen el contexto que enmarca la acción.
b. Incluyen detalles cuidadosamente seleccionados para desarrollar la trama.
c. Ofrecen reflexiones sobre las razones por las cuales el suceso es memorable.

lanzamiento del transbordador espacial

Hacia el espacio y de regreso

Sally Ride y Susan Okie

Tres... dos... uno...

¡Se encienden los cohetes! El transbordador salta de la plataforma de despegue en medio de una nube de vapor y una estela de fuego. Dentro, el inicio del viaje es duro y ruidoso... En apenas unos segundos pasamos las nubes zumbando a toda velocidad. Dos minutos más tarde, los cohetes se apagan y con una brillante chispa entre blanca y anaranjada se desprenden del transbordador, mientras éste empieza su recorrido hacia el espacio exterior. De pronto, el viaje se vuelve muy suave y silencioso...

Sally Ride

Ocho minutos y medio después del despegue. Los motores de despegue se apagan. Ya no hay fuerza y salimos disparados de nuestros asientos hacia el frente. Durante los siguientes minutos el tanque de combustible vacío se desprende y cae hacia la Tierra, y nosotros preparamos el transbordador para entrar en órbita, de pronto vemos que nuestros libros y lápices flotan en el aire. ¡Estamos en el espacio!

¡A escribir!

Respuesta a la literatura Sally Ride nos habla de sus experiencias durante el despegue del transbordador. ¿Cómo te haría sentir un viaje así? Escribe un relato sobre un viaje por el espacio. Inventa un personaje y menciona lo que observa y hace en el espacio.

CONÉCTATE ⊜ — **Diario** Escribe en **www.macmillanmh.com**

El Sol y sus planetas

Observa y pregúntate

¿Qué es ese punto de luz brillante que está cerca de la Luna? No es una estrella. ¡Es el planeta Venus! ¿Qué son los planetas? ¿Cómo se mueven por el espacio?

3 ES 4.d. Saber que la Tierra es uno de los planetas que se mueven alrededor del Sol y que la Luna se mueve alrededor de la Tierra.

¿Cómo se mueven los planetas por el espacio?

Propósito

Explorar cómo cambia la posición de los planetas.

Procedimiento

1. Coloca una silla en el centro del salón. Pega en esa silla el rótulo Sol. Pega una tira de cinta adhesiva de papel desde la silla hasta una pared.

2. Formen dos grupos. Cada estudiante del primer grupo tomará una tarjeta y formará una fila en orden a lo largo de la cinta de papel.

3. **Haz un modelo** Haz un modelo de cómo se mueven los planetas; para ello, camina en un círculo alrededor del Sol. Da pasos de la misma distancia. Cuenten juntos sus pasos.

4. **Observa** Los estudiantes del segundo grupo deberán observar cómo se mueven los planetas. ¿Hacen todos los planetas un círculo alrededor del Sol con el mismo número de pasos?

5. Intercambien papeles y repitan el experimento.

Sacar conclusiones

6. **Compara** ¿En qué se parecen las órbitas? ¿En qué se diferencian?

7. **Infiere** ¿Cómo se mueven los planetas por el espacio?

Explorar más

¿Qué planetas son visibles en el cielo nocturno de la región donde vives?

Materiales

cinta adhesiva de papel

8 tarjetas con los nombres de los planetas y del Sol

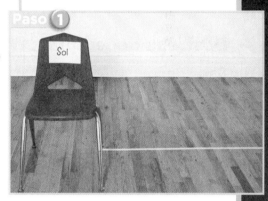

Paso 1

Paso 2

3 IE 5.e. Recopilar los datos de una investigación y analizarlos para llegar a una conclusión lógica.

Idea principal   3 ES 4.d

La Tierra es uno de varios planetas que orbitan alrededor del Sol.

Vocabulario

planeta, pág. 220

sistema solar, pág. 220

estrella, pág. 220

asteroide, pág. 224

cometa, pág. 224

meteoro, pág. 224

Destreza de lectura

Saca conclusiones

Pistas del texto	Conclusiones

Tecnología

BÚSQUEDA CIENTÍFICA  Explora el planeta Tierra.

¿Qué es el sistema solar?

¿Sabías que la Tierra no es el único planeta? Un **planeta** es una gran esfera, o pelota, del espacio que orbita alrededor de una estrella como el Sol. Algunos planetas son más pequeños que la Tierra y otros más grandes.

Cada planeta de nuestro sistema solar rota sobre su propio eje y hace un movimiento de traslación alrededor del Sol. El **sistema solar** lo forman el Sol y los planetas, así como otros objetos que giran a su alrededor. Los planetas son Mercurio, Venus, Tierra, Marte, Júpiter, Saturno, Urano y Neptuno. El diagrama muestra nuestro sistema solar.

El Sol es una estrella. Una **estrella** es una enorme esfera de gases calientes que emite luz. El Sol es una estrella mediana. Se ve más grande que cualquier otra estrella porque es la más cercana a la Tierra.

El sistema solar

Sol

Mercurio

Venus

Tierra

Marte

A menudo los planetas se ven como estrellas en el cielo. Como la Luna, los planetas no producen su propia luz. Parecen brillar porque reflejan la luz solar. La Luna se ve grande porque está cerca de la Tierra. Los planetas están mucho más lejos. Muchos planetas tienen una o más lunas que describen una órbita alrededor de ellos.

 Comprobar

Saca conclusiones ¿Por qué podemos ver algunos planetas en el cielo nocturno?

Pensamiento crítico ¿Cómo afecta la distancia de un planeta al Sol el tiempo que éste tarda en describir una órbita alrededor del Sol?

Leer un diagrama

¿Qué planetas están más cerca de la Tierra?

Pista: Busca a la Tierra en el diagrama. ¿Qué planetas están junto a la Tierra?

Júpiter

Neptuno

Urano

Saturno

¿Cómo son los planetas?

Los cuatro planetas que están más cerca del Sol son Mercurio, Venus, Tierra y Marte. Los llamamos *planetas internos*. Los planetas internos son planetas pequeños. Están formados por materiales rocosos sólidos. También son más calientes que los otros planetas porque están cerca del Sol.

Los cuatro planetas más alejados del Sol son Júpiter, Saturno, Urano y Neptuno. Estos son los *planetas externos*.

Planetas internos

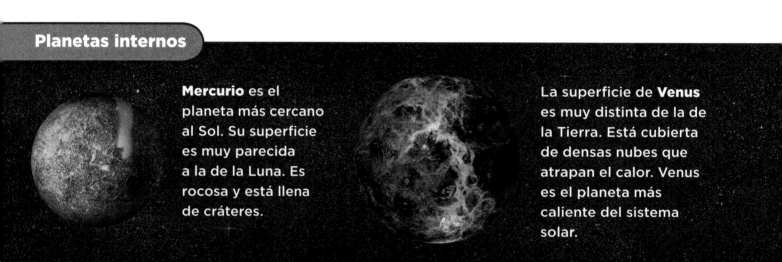

Mercurio es el planeta más cercano al Sol. Su superficie es muy parecida a la de la Luna. Es rocosa y está llena de cráteres.

La superficie de **Venus** es muy distinta de la de la Tierra. Está cubierta de densas nubes que atrapan el calor. Venus es el planeta más caliente del sistema solar.

Planetas externos

Júpiter es el mayor de los planetas. La gran mancha roja de Júpiter ha estado girando por lo menos durante 300 años.

Saturno se conoce por sus miles de hermosos anillos, que están compuestos por fragmentos de hielo y roca de distintos tamaños que orbitan alrededor del planeta.

En el sistema solar también hay varios *planetas enanos*. Uno de ellos es Plutón, que fue considerado antes el noveno planeta. Otro es 2003 UB313, también llamado Xena. El *asteroide* más grande, Ceres, también es un planeta enano.

 Comprobar

Saca conclusiones ¿En qué se diferencia la Tierra de otros planetas?

Pensamiento crítico ¿Qué planeta es el más caliente? Explica por qué.

La **Tierra** es nuestro hogar. Es el único planeta del que se sabe que produce oxígeno y que tiene agua líquida y seres vivos.

Marte se conoce como el planeta rojo por su suelo rojizo. Marte tiene casquetes polares que contienen agua congelada.

A **Urano** se le conoce como el "planeta inclinado" porque gira de lado.

Neptuno está a más de dos mil millones de millas de la Tierra. Tiene una gran mancha oscura similar a la de Júpiter.

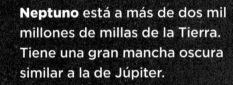

¿Qué más hay en nuestro sistema solar?

Los asteroides, los cometas y los meteoros también orbitan alrededor del Sol. Los **asteroides** son fragmentos de roca o metal. Muchos orbitan en el anillo de asteroides que hay entre los planetas internos y los externos. Los **cometas** son principalmente hielo y fragmentos de roca y polvo. Tienen órbitas largas y estrechas. Los **meteoros** son fragmentos pequeños de roca o de metal que se han desprendido de cometas o de asteroides.

✓ Comprobar

Saca conclusiones ¿Cómo se relacionan los meteoros con los asteroides y los cometas?

Pensamiento crítico ¿Por qué es difícil para los científicos decidir si un objeto es un planeta?

▲ Este objeto se llama 2003 UB313. Se le clasifica como un planeta enano.

◄ El cometa Hyakutake pasó cerca de la Tierra en 1996 y era muy brillante.

▲ Los asteroides pueden ser fragmentos de planetas.

◄ La mayoría de los meteoritos son pequeños.

Un meteoro que cae en la Tierra se llama *meteorito.* Este cráter se formó cuando un enorme meteorito cayó en la Tierra hace miles de años.

Repaso de la lección

Resumir la idea principal

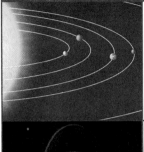

El **sistema solar** está formado por el Sol, los planetas y otros objetos que orbitan a su alrededor. (págs. 220-221)

Hay cuatro **planetas internos** y cuatro **planetas externos**. (págs. 222-223)

Los **asteroides**, los **cometas** y los **meteoros** son otros objetos de nuestro sistema solar. También hay tres planetas enanos. (pág. 224)

Hacer una guía de estudio MODELOS DE PAPEL™

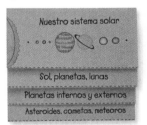

Haz un boletín con capas. Úsalo para resumir lo que aprendiste del sistema solar.

Pensar, comentar y escribir

1 **Idea principal** Describe nuestro sistema solar.

2 **Vocabulario** ¿Qué es una estrella?

3 **Saca conclusiones** ¿Por qué vemos los planetas en diferentes lugares en momentos distintos?

Pistas del texto	Conclusiones

4 **Pensamiento crítico** ¿Qué pasaría si los planetas externos estuvieran más lejos del Sol? ¿Cómo afectaría esto a sus órbitas alrededor del Sol?

5 **Práctica para la prueba** ¿Cuáles son los cuatro planetas formados principalmente de roca?

A Júpiter, Marte, Saturno, Tierra
B Saturno, Venus, Urano, Tierra
C Mercurio, Marte, Venus, Urano
D Mercurio, Venus, Tierra, Marte

 Conexión con Escritura

Escribir un informe
Imagina que pudieras visitar otro planeta de nuestro sistema solar. Investiga sus condiciones. Escribe un informe de lo que necesitarías para vivir allí.

 Conexión con Matemáticas

Hacer una tabla
Usa materiales de investigación para saber a qué distancia del Sol está cada planeta del sistema solar. Usa la información para hacer una tabla.

Observar

Sabes que la Tierra es sólo uno de los planetas del sistema solar. ¿Cómo estudian los científicos a los otros planetas? ¿Cómo saben de los meteoros, cometas y asteroides? Ellos **observan** el Sol, los planetas, las lunas y otros objetos de nuestro sistema solar para conocerlos.

❶ Estúdialo

Cuando **observas** usas uno o más de tus sentidos para aprender sobre un objeto o suceso. Recuerda, tus sentidos son la vista, el oído, el olfato, el gusto y el tacto. Los científicos usan sus sentidos para observar cosas. Suelen usar instrumentos para ayudarse en sus observaciones. Los científicos usan las observaciones para sacar conclusiones de objetos y sucesos.

⚠️ **¡Ten cuidado!** En ciencias, puede resultar peligroso probar las cosas. No debes hacerlo a menos que tu maestro te lo pida.

❷ Inténtalo

También tú puedes **observar** cosas. Mira con atención el detalle del cometa que aparece a continuación. Observa su color y su forma. Trata de hallar características distintivas que te permitan identificar lo que es. ¿Qué observaciones puedes hacer para ayudarte a saber que éste es un detalle de un cometa?

③ Aplícalo

Las siguientes fotografías muestran detalles de planetas y otros objetos de nuestro sistema solar. **Observa** cada fotografía con atención. Usa tus observaciones para identificar de qué es cada detalle. ¿Qué dato de la foto confirma tu manera de identificarlo?

Los telescopios: Descubrir el sistema solar

Observa y pregúntate

¿Cuando miras la Luna en el cielo nocturno, que más puedes ver? Si está lo suficientemente oscuro, puedes ver estrellas. Incluso podrías ver un planeta o dos. ¿Cómo podemos estudiar estos objetos distantes del espacio exterior?

3 ES 4.c. Saber que los telescopios magnifican la apariencia de objetos distantes en el cielo, incluyendo la Luna y los planetas. Se pueden ver muchas más estrellas con un telescopio que a simple vista.

¿Cómo nos ayudan los telescopios a conocer los objetos distantes?

Propósito

Aprender para qué sirven los telescopios.

⚠️ **¡Ten cuidado!** Nunca mires el Sol directamente o con un telescopio.

Procedimiento

1 Coloca el lente grueso en un extremo del tubo pequeño. Usa la arcilla para sostener el lente en su lugar.

2 Haz lo mismo para el lente delgado y el tubo grande.

3 Desliza el extremo abierto del tubo pequeño dentro del extremo abierto del tubo grande.

4 **Observa** Mira un objeto distante. Ahora mira a través del lente grueso de tu telescopio.

Sacar conclusiones

5 **Compara** Describe la diferencia entre lo que ves con y sin el telescopio.

6 **Infiere** ¿Cómo nos ayudan los telescopios a conocer objetos distantes?

Explorar más

Experimenta ¿Cómo se verá la Luna si la miramos con binoculares? ¿Con tu telescopio?

3 IE 5.a. Repetir observaciones para mejorar su exactitud y saber que los resultados de investigaciones científicas similares rara vez son exactamente los mismos debido a diferencias en los objetos estudiados, los métodos de estudio o la inexactitud de las observaciones.

Materiales

arcilla para modelar

1 lente grueso

1 tubo de cartón pequeño

1 lente delgado

1 tubo de cartón grande

Paso 1

Paso 3

Leer y aprender

¿Qué es un telescopio?

Las estrellas, los planetas y la Luna están muy lejos. ¿Cómo los estudian los científicos? Los científicos usan telescopios para estudiar los objetos distantes del espacio exterior.

El **telescopio** es un instrumento que acumula luz para que los objetos distantes se vean más grandes, más cerca y más claramente. Los telescopios acumulan luz con lentes. Un **lente** es un material transparente que cambia la trayectoria de los rayos de luz. Los lentes suelen fabricarse con piezas curvas de vidrio. Los lentes nos ayudan a ver los objetos con mayor detalle.

Idea principal   3 ES 4.c

Los telescopios son instrumentos que parecen agrandar, aclarar y acercar los objetos del espacio exterior.

Vocabulario

telescopio, pág. 230

lente, pág. 230

Destreza de lectura

Resume

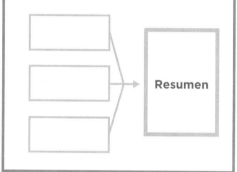

Resumen

Con un telescopio puedes ver muchas más estrellas que a simple vista. ▶

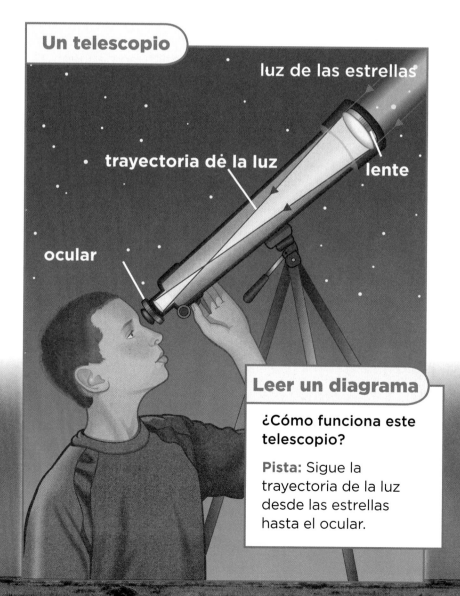

Un telescopio

luz de las estrellas

trayectoria de la luz

lente

ocular

Leer un diagrama

¿Cómo funciona este telescopio?

Pista: Sigue la trayectoria de la luz desde las estrellas hasta el ocular.

Uno de los mejores lugares para poner un telescopio es el espacio exterior. El telescopio espacial Hubble viaja alrededor de la Tierra. Toma fotografías y las envía a la Tierra. Puede ver objetos en el espacio exterior con mayor claridad que los telescopios que están en la Tierra.

Los científicos también estudian el espacio exterior con otros tipos de telescopios. Los radiotelescopios reciben ondas de radio invisibles. Los científicos usan computadoras para convertir las ondas de radio en imágenes. Así saben de objetos que están en el espacio exterior y que no podemos ver.

 Comprobar

Resume ¿Qué puedes ver con la ayuda de un telescopio?

Pensamiento crítico ¿Por qué es el espacio un buen lugar para un telescopio?

≡ Haz la prueba

Un lente de agua

1. Cubre una hoja de periódico con papel encerado.

2. **Observa** Deja caer una gota de agua sobre una letra. ¿Cómo se ve la letra?

3. **Experimenta** ¿Cómo afecta el tamaño de la gota la impresión de la letra?

4. **Infiere** ¿En qué se parece el lente de un telescopio a la gota de agua?

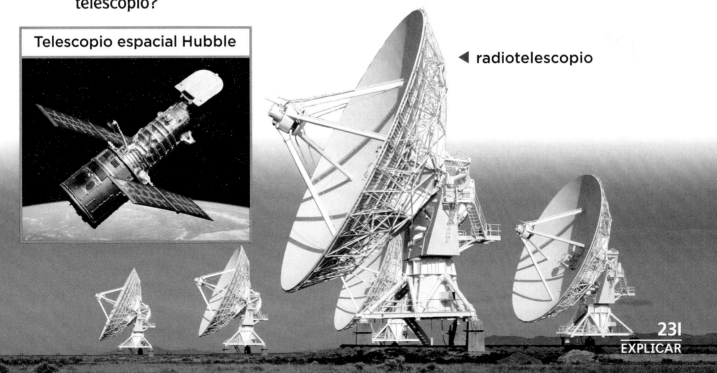

Telescopio espacial Hubble

◀ radiotelescopio

¿Cómo conocimos el espacio?

Hace años, las personas creían que la Tierra era el centro del sistema solar. Pensaban que el Sol viajaba alrededor de la Tierra. Luego, en 1543, un científico llamado Copérnico afirmó que el Sol, no la Tierra, era el centro del sistema solar. En 1609, Galileo usó su telescopio para tener pruebas de que la Tierra orbita alrededor del Sol.

Desde entonces, los científicos han aprendido mucho más sobre nuestro sistema solar con el uso de telescopios. Los científicos vieron por primera vez a Urano, Neptuno y Plutón. También descubrieron que hay miles de millones de estrellas.

Aprendimos mucho sobre el espacio exterior gracias al uso de los telescopios. Hay muchas más preguntas por resolver. Con la ayuda de instrumentos como los telescopios, aprendemos más cada día.

 **Comprobar**

Resume ¿Qué han aprendido los científicos con la ayuda de los telescopios?

Pensamiento crítico ¿Por qué piensas que Galileo no descubrió Urano, Neptuno ni Plutón con su telescopio?

▲ Galileo

▲ Este telescopio ayudó a Galileo a descubrir los cráteres de nuestra Luna y las cuatro lunas de Júpiter.

Repaso de la lección

Resumir la idea principal

Los **telescopios son instrumentos** que parecen agrandar, aclarar y acercar los objetos distantes. (págs. 230-231)

Telescopios como el telescopio espacial Hubble nos permiten observar y aprender de los objetos del espacio exterior. (págs. 230-231)

Científicos como Galileo estudiaron el espacio exterior con **telescopios**. (pág. 232)

Hacer una guía de estudio MODELOS DE PAPEL™

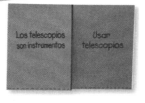

Haz un boletín con dos secciones. Úsalo para resumir lo que aprendiste de los telescopios.

Los telescopios son instrumentos

Usar telescopios

Pensar, comentar y escribir

1 **Idea principal** ¿Cómo nos ayudan los telescopios a conocer el sistema solar?

2 **Vocabulario** ¿Qué es un telescopio?

3 **Resume** Menciona algo que los científicos han aprendido gracias a los telescopios.

Resumen

4 **Pensamiento crítico** ¿Por qué tomó tanto tiempo descubrir cómo funciona nuestro sistema solar?

5 **Práctica para la prueba** ¿Qué descubrió Galileo con la ayuda de un telescopio?
   A que la Tierra es redonda
   B que la Luna orbita alrededor de la Tierra
   C que la Tierra orbita alrededor del Sol
   D que el Sol orbita alrededor de la Tierra

 Conexión con Escritura

Escritura comparativa
Compara el telescopio espacial Hubble con el radiotelescopio. Usa materiales de investigación para saber cómo obtienen imágenes. Escribe las diferencias y semejanzas entre los telescopios.

 Conexión con Arte

Hacer un cartel
Usa materiales de investigación para hallar una fotografía tomada por el telescopio espacial Hubble. Luego busca una imagen de un radiotelescopio. Dibuja o pega estas imágenes en tu cartel. Rotúlalo. Explica qué muestra cada imagen.

Acércate a las Ciencias

Materiales

tarjetas

cinta adhesiva de papel

cinta de medir

telescopio

¿Cómo puedes hacer que objetos distantes se vean más cerca y con mayor claridad?

Formular una hipótesis

Si un objeto está cerca de ti, puedes verlo claramente. Puedes observar sus detalles. ¿Puede un telescopio ayudarte a observar objetos distantes claramente? Escribe una hipótesis.

Comprobar la hipótesis

Escribe más o menos de este tamaño

Paso ①

1. Pide a un compañero o compañera que escriba un mensaje secreto en una tarjeta. Usa la fotografía como guía para saber el tamaño que deben tener las letras. Mantén el mensaje oculto.

2. **Mide** Pega un pedazo de cinta en el suelo. Mide 3 m desde el extremo de la cinta. Marca la distancia con cinta. Pega allí el rótulo *Tres metros*. Sigue midiendo y rotulando distancias de 3 m cuatro veces más. El último pedazo de cinta debe estar a 15 m de tu primer pedazo.

Paso ②

3. **Experimenta** Párate sobre el último pedazo de cinta mientras tu compañero o compañera, que tiene el mensaje secreto, se para en el primero. ¿Puedes leer el mensaje? Si no puedes hacerlo, avanza 3 metros e inténtalo de nuevo. Sigue avanzando 3 metros cada vez hasta que puedas leer bien el mensaje secreto.

4. **Anota los datos** ¿A qué distancia tienes que estar para leer el mensaje?

5. **Usa variables** Pide a tu compañero o compañera que escriba un nuevo mensaje en una tarjeta. Repite los pasos 3 y 4 con un telescopio. Túrnense para cambiar de papel y vuelvan a hacer el experimento.

Sacar conclusiones

6 Analiza los datos Describe las diferencias entre cómo viste el mensaje secreto con y sin el telescopio.

7 Infiere ¿Cómo podrían los telescopios ayudarte a aprender más sobre objetos alejados en el espacio exterior?

Investigación guiada

¿Cómo parecen cambiar de posición las estrellas?

Formular una hipótesis

Parece que las estrellas cambian de posición en el cielo nocturno. ¿Cómo cambian? Escribe una hipótesis.

Comprobar la hipótesis

Diseña un plan para comprobar tu hipótesis. ¿Qué materiales usarás? Escribe los pasos que planeas seguir.

Sacar conclusiones

¿Los resultados confirman tu hipótesis? ¿Por qué? Comparte los resultados con el resto de tus compañeros.

Investigación libre

¿Qué otras preguntas tienes sobre los telescopios y nuestro sistema solar? Platica con tus compañeros de clase sobre las dudas que tengas. ¿Cómo podrías hallar las respuestas a tus preguntas?

Recuerda seguir los pasos del método científico.

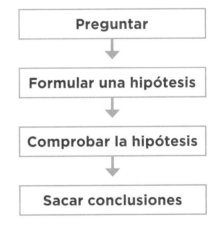

Preguntar

↓

Formular una hipótesis

↓

Comprobar la hipótesis

↓

Sacar conclusiones

 3 IE 5.e. Recopilar los datos de una investigación y analizarlos para llegar a una conclusión lógica.

Las estrellas

Observa y pregúntate

¿Por qué parece que las estrellas se mueven por el cielo nocturno? ¿Por qué no vemos las estrellas durante el día?

3 ES 4.a. Saber que las posiciones relativas de las estrellas que forman las constelaciones no cambian, aunque parezca que se mueven en el cielo en el transcurso de la noche. Los conjuntos de estrellas que se ven en el firmamento varían según la estación del año.

¿Por qué sólo vemos las estrellas de noche?

Hacer una predicción

¿Por qué no vemos las estrellas en el cielo de día? Escribe una predicción.

Comprobar la predicción

1. Dibuja un punto de 3 cm con tiza en el papel negro.

2. Dibuja un punto de 3 cm con tiza en el papel blanco.

3. Pide a tu pareja que sostenga ambas hojas de papel a una distancia de 3 m.

4. **Observa** Describe lo que observes.

Sacar conclusiones

5. ¿Por qué fue más fácil ver un punto y no el otro?

6. **Infiere** Imagina que los puntos de las hojas de papel fueran estrellas. ¿Por qué piensas que sólo se pueden ver las estrellas de noche?

Explorar más

¿Podemos ver la Luna durante el día? ¿Por qué?

3 IE 5.e. Recopilar los datos de una investigación y analizarlos para llegar a una conclusión lógica.

Materiales

tiza blanca   papel negro

papel blanco   cinta de medir

Paso 1

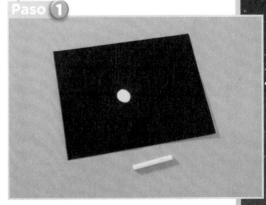

Paso 3

Idea principal 3 ES 4.a

Aunque las estrellas parezcan moverse en el cielo nocturno, las figuras que forman permanecen iguales. Se pueden ver diferentes estrellas en las distintas estaciones.

Vocabulario

galaxia, pág. 238

constelación, pág. 240

Destreza de lectura

Idea principal

¿Qué son las estrellas?

Una estrella es una esfera caliente de gases que emite luz. El Sol es una estrella mediana. Es más pequeña y más joven que otras estrellas de nuestra galaxia. Una **galaxia** es un gran grupo de estrellas. Nuestro sistema solar es parte de una galaxia llamada *Vía Láctea*.

A otras estrellas las vemos como diminutos puntos de luz en el cielo nocturno. Incluso las estrellas que son más grandes que el Sol se ven muy pequeñas porque están muy lejos.

Las estrellas están siempre en el cielo aunque no podamos verlas durante el día. El Sol está tan cerca, que su luz es la única que podemos ver.

El Sol parece más grande y brillante que cualquier otra estrella porque es la más cercana a la Tierra.

Mira el cielo nocturno una tarde despejada. Elige un grupo de estrellas. Haz un dibujo para recordar su aspecto y su posición. Revisa el cielo después de una hora. ¿Por qué las estrellas no están en el mismo lugar? Recuerda que la Tierra rota sobre su eje. Las estrellas no se movieron: Parecen moverse por la rotación de la Tierra.

Algunos objetos parecidos a las estrellas sí se mueven por el cielo nocturno. Estos objetos son los planetas. A medida que la Tierra y los demás planetas realizan su movimiento de traslación, cambian su posición.

 Comprobar

Idea principal ¿En qué se parecen y en qué se diferencian nuestro Sol y otras estrellas?

Pensamiento crítico ¿Por qué algunas estrellas se ven más brillantes que otras?

Júpiter

Saturno
Marte

Venus

Mercurio

El 22 de marzo de 2004, se observaron juntos cinco planetas en el cielo nocturno. ¡No volverán a verse juntos hasta 2036!

Esta fotografía tomada por el telescopio espacial Hubble muestra una estrella muy grande en la nebulosa Pistol.

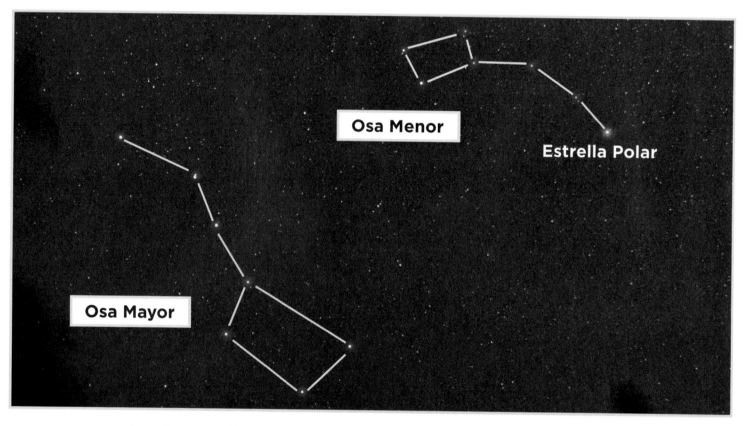

▲ Las dos estrellas de la cola de la Osa Mayor apuntan hacia la Estrella Polar. La Estrella Polar es la estrella brillante que está al extremo de la Osa Menor; siempre apunta hacia el Polo Norte.

¿Qué es una constelación?

¿Alguna vez has visto nubes en forma de animales, de personas o de cosas? Hace muchos años, las personas pensaban que también las estrellas formaban figuras en el cielo nocturno. También nosotros podemos verlas. Los grupos de estrellas se llaman constelaciones.

Una **constelación** es un grupo de estrellas que forman una figura. Las personas nombraron las constelaciones por las figuras que veían. Por ejemplo, la Osa Mayor y la Osa Menor recibieron su nombre de los dioses griegos. Las personas de distintos lugares vieron diferentes dibujos en el cielo nocturno. Inventaron distintos relatos sobre las constelaciones. Las constelaciones contribuyeron a que las personas le encontraran un sentido al cielo nocturno.

Cuando la Tierra rota y realiza su movimiento de traslación, ves diferentes constelaciones. Hace miles de años las personas también notaron que las constelaciones parecían moverse. Usaron las constelaciones para medir el tiempo. Los agricultores las estudiaban para saber las estaciones. Los marinos las observaban para orientarse de noche; sabían que la Estrella Polar siempre apunta hacia el Norte.

Hoy en día, los científicos agrupan las estrellas en 88 constelaciones. Muchas de ellas son las mismas que se usaron hace mucho tiempo.

 Comprobar

Idea principal ¿Cómo usaban las personas las constelaciones?

Pensamiento crítico ¿Por qué las constelaciones parecen moverse en el cielo nocturno?

▲ Casiopea recibe el nombre de una reina que aparece en un relato griego.

Haz la prueba

Hacer una constelación

1. Haz un patrón de estrellas en una hoja de papel negro. Con la punta de un lápiz haz con cuidado agujeros en tu dibujo.

 ¡Ten cuidado!

2. **Haz un modelo** En un cuarto oscuro, sostén el papel con los brazos estirados hacia una fuente de luz.

3. **Observa** ¿Ves una figura en tu dibujo de estrellas? ¿Cómo llamarías a tu constelación?

▲ Para algunas personas la constelación de Escorpión se parece a un escorpión.

¿Por qué vemos diferentes estrellas en las distintas estaciones?

Como la Tierra realiza un movimiento de traslación alrededor del Sol, vemos diferentes constelaciones. Cada mes aparecen nuevas estrellas.

En invierno, no puedes ver las estrellas que estaban en el cielo durante el verano. Estas estrellas están ahora del lado contrario de nuestra órbita. Halla Orión en el diagrama. En invierno, lo observas en el espacio exterior de noche lejos del Sol. Orión se ve en invierno.

En verano, te has movido del otro lado del Sol. Orión está en la dirección del Sol. Eso significa que Orión está en el cielo durante el día. No es posible verlo en verano.

✓ Comprobar

Idea principal ¿Por qué ves diferentes constelaciones durante las distintas estaciones?

Pensamiento crítico ¿Podrías ver a Orión desde la Tierra durante el verano? Explica tu respuesta.

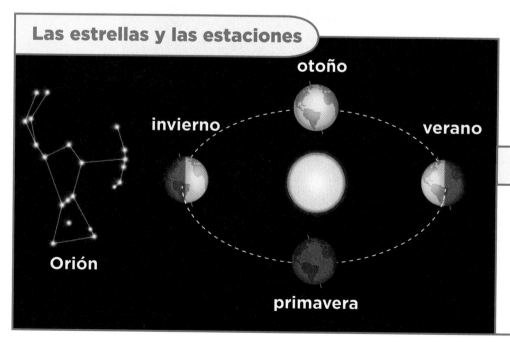

Las estrellas y las estaciones

otoño

invierno

verano

Orión

primavera

Leer un diagrama

¿Puedes ver a Orión en verano?

Pista: Compara la vista de Orión en el cielo de invierno y en el cielo de verano.

Repaso de la lección

Resumir la idea principal

Las **estrellas** son esferas de gas que producen luz. Nuestro Sol es una estrella mediana. (págs. 238-239)

Una **constelación** es una figura o dibujo formado por estrellas. (págs. 240-241)

Se pueden ver diferentes constelaciones durante las distintas estaciones. (pág. 242)

Hacer una guía de estudio MODELOS DE PAPEL™

Haz un tríptico. Úsalo para resumir lo que leíste.

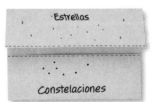

Estrellas

Constelaciones

Pensar, comentar y escribir

1 Idea principal En julio, ves una constelación que puedes ubicar fácilmente. En diciembre no puedes verla. Explica por qué.

2 Vocabulario ¿Qué es una constelación?

3 Idea principal ¿Por qué las personas agrupan las estrellas en constelaciones?

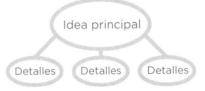

Idea principal

Detalles   Detalles   Detalles

4 Pensamiento crítico ¿Si viviéramos en otro planeta, veríamos las mismas constelaciones? ¿Por qué?

5 Práctica para la prueba ¿Por qué sólo podemos ver algunas constelaciones en primavera y verano?

A La Tierra hace su movimiento de traslación alrededor del Sol.

B Orión, el cazador, las persigue.

C El Sol las está iluminando.

D Las estrellas realizan su movimiento de traslación alrededor del Sol.

 Conexión con Matemáticas

Usar datos
Las estrellas más pequeñas se llaman estrellas de neutrones. Algunas miden apenas diez millas de lado a lado. Si una hilera de estrellas de neutrones mide un total de 30 millas de lado a lado, ¿cuántas estrellas de neutrones hay allí?

 Conexión con Arte

Dibujar constelaciones
Pide a un familiar o tutor que te ayude a observar el cielo nocturno en una zona donde no haya luces. Dibuja las distintas figuras que forman las estrellas. Usa un mapa celeste de la localidad para compararlo con tus dibujos de las constelaciones.

Conoce a Orsola De Marco

¿Alguna vez te has preguntado sobre las estrellas? Orsola de Marco lo hace. Ella es científica del Museo Estadounidense de Historia Natural de Nueva York. Orsola estudia las estrellas que están en pareja. Por lo que sabemos, nuestro Sol es una estrella que está sola, pero casi todas las estrellas del universo tienen una compañera. Se llaman estrellas binarias.

Orsola de Marco es astrofísica. Estudia las estrellas.

AMERICAN MUSEUM OF NATURAL HISTORY

ELA R 3.2.6. Sustraen información adecuada y significativa del texto, incluyendo problemas y soluciones.

Estas estrellas binarias orbitan entre sí a una distancia muy cercana. Los científicos piensan que una estrella es absorbida por la otra. Las "alas" en forma de "mariposa" quizá son causadas por gases provenientes de la superficie de la estrella central.

Un resumen

▶ señala la idea principal

▶ da los detalles más importantes

▶ es breve

▶ se dice con nuestras propias palabras

Como Orsola no puede ir a las estrellas para conocerlas, viaja a Arizona, Hawai y Chile para usar grandes telescopios. Mira a miles de millones de millas en el espacio para observar bien las estrellas binarias. Observa cómo las estrellas se afectan entre sí. Cuando una estrella envejece se expande y si hay otra estrella cerca, la puede devorar o absorver. Nadie está seguro de lo que sucede después de eso. ¿Desaparecerá simplemente la estrella pequeña? Orsola intenta descubrirlo.

¡A escribir!

Resume Lee el artículo con un compañero o compañera. Haz una lista de la información más importante en una tabla. Luego usa la tabla para resumir el artículo. Recuerda comenzar con una oración de la idea principal y procura que tu resumen sea breve.

Estrellas hacia la libertad

Antes de la Guerra Civil, muchos afroamericanos eran esclavos en el sur. Usaban la Osa Mayor para hallar su camino hacia la libertad en el norte. La Osa Mayor les mostraba la dirección en la que debían viajar. Usaban la Osa Mayor porque señala hacia la Estrella Polar. Los afroamericanos cantaban una canción tradicional llamada *Follow the Drinking Gourd* (Sigue el cucharón) como código que los ayudaría a seguir la ruta hacia el norte. Llamaban a la Osa Mayor el "cucharón" porque parece una cuchara grande para beber agua.

Un buen párrafo expositivo

► tiene una oración del tema que incluye la idea principal

► apoya a la idea principal con hechos y detalles

► saca conclusiones basadas en los hechos

▲ La Osa Mayor y la Osa Menor

¡A escribir!

Escritura expositiva Escribe un párrafo que resuma "Estrellas hacia la libertad". Incluye una oración principal. Luego señala los hechos y detalles más importantes. Explica cómo la gente usaba la Osa Mayor para viajar hacia la libertad. No incluyas detalles que no sean importantes para la idea principal.

▲ un cucharón para beber

CONÉCTATE ⊜-Diario Escribe en **www.macmillanmh.com**

 ELA W 3.1.1. Escriben párrafos simples donde:
a. Desarrollan una oración sencilla que exprese el tema.
b. Incluyen hechos y detalles sencillos de apoyo.

Hallar distancias entre estrellas

¿Alguna vez te has preguntado a qué distancia de la Tierra están algunas estrellas? Los científicos usan los años luz para medir las distancias. Un año luz es la distancia que recorre la luz en un año. ¡La luz recorre aproximadamente 6 trillones de millas en un año!

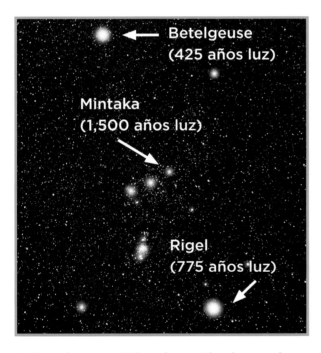

▲ Betelgeuse, Mintaka y Rigel son algunas de las estrellas de la constelación de Orión.

Restar números de tres dígitos

▶ Primero resta las unidades. Reagrupa si hace falta.

$$\begin{array}{r} \overset{3\ 12}{6\cancel{4}\cancel{2}} \\ -467 \\ \hline 5 \end{array}$$

▶ Luego resta las decenas. Reagrupa si hace falta.

$$\begin{array}{r} \overset{5\ 13\ 12}{\cancel{6}\cancel{4}\cancel{2}} \\ -467 \\ \hline 75 \end{array}$$

▶ Resta las centenas. Reagrupa si hace falta.

$$\begin{array}{r} \overset{5\ 13\ 12}{\cancel{6}\cancel{4}\cancel{2}} \\ -467 \\ \hline 175 \end{array}$$

 Resuélvelo

La fotografía anterior te dice a qué distancia de la Tierra están algunas estrellas. ¿Cuál de estas estrellas es la más cercana a la Tierra? ¿Qué tan separadas están? Usa la resta para hallar la distancia.

MA NS 3.1.2. Comparar y ordenar números enteros hasta 10,000.
MA NS 3.2.1. Hallar la suma o la diferencia de dos números enteros entre 0 y 10,000.

247
EXTENDER

Resumir la idea principal

La Tierra es uno de varios planetas que orbitan alrededor del Sol. (págs. 218-225).

Los telescopios hacen que los objetos del espacio exterior se vean más grandes, más cerca y con mayor claridad. (págs. 228-233)

Las figuras que forman las estrellas permanecen iguales. Vemos diferentes estrellas en las distintas estaciones del año. (págs. 236-243)

Hacer una guía de estudio MODELOS DE PAPEL™

Pega tus guías de estudio de la lección en una hoja de papel como se muestra. Usa tu guía de estudio para repasar lo que aprendiste en este capítulo.

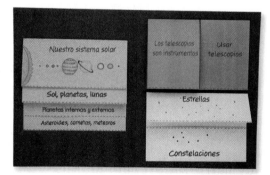

Completa los espacios en blanco con la palabra apropiada de la lista.

asteroide, pág. 224   **planeta**, pág. 220

constelación, pág. 240   **sistema solar**, pág. 220

galaxia, pág. 238   **estrella**, pág. 220

lente, pág. 230   **telescopio**, pág. 230

1. Los objetos distantes parecen más grandes, más cercanos y más claros cuando se ven con un _____.
   3 ES 4.c

2. Un grupo de estrellas que parece formar una figura en el cielo se llama _____. 3 ES 4.a

3. Una gran esfera que está en el espacio y orbita alrededor de una estrella, como nuestro Sol, se llama _____. 3 ES 4.d

4. Un fragmento de roca o metal que orbita alrededor del Sol es un _____. 3 ES 4.d

5. El Sol y los objetos que orbitan a su alrededor forman un _____.
   3 ES 4.d

6. Una esfera caliente de gases que emite luz se llama _____. 3 ES 4.a

7. La mayoría de los telescopios tienen un pedazo de vidrio curvo llamado _____. 3 ES 4.c

8. Una _____ es un grupo muy grande de estrellas. 3 ES 4.a

Comenta o escribe sobre lo siguiente.

9. **Resume** La Tierra tiene un movimiento de traslación. ¿Cómo afecta este movimiento nuestra perspectiva del espacio? 3 ES 4.a

10. **Escritura comparativa** ¿En qué se parecen los planetas internos y los externos? ¿En qué se diferencian? 3 ES 4.d

11. **Observa** ¿Por qué las constelaciones en la fotografía se llaman Osa Mayor y Osa Menor? 3 ES 4.a

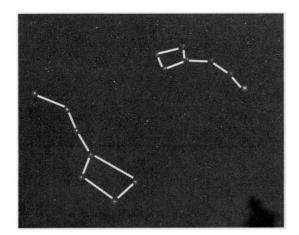

La Osa Mayor y la Osa Menor

12. **Pensamiento crítico** ¿Cuál de estos planetas tiene la órbita más grande? ¿Por qué? 3 ES 4.d

Venus   **Plutón**

Responde a las siguientes preguntas con oraciones completas.

13. ¿Si los planetas no producen luz, cómo podemos verlos en el cielo nocturno? 3 ES 4.d

14. ¿En qué se parecen los asteroides a los planetas? 3 ES 4.d

15. ¿Cómo ha cambiado nuestra comprensión del sistema solar con el paso del tiempo? 3 ES 4.c

16. ¿Si las estrellas están siempre en el cielo, por qué no podemos verlas en el día? 3 ES 4.a

17. ¿Cómo te ayuda un telescopio a ver claramente objetos alejados? 3 ES 4.c

⭐ ¿Qué objetos vemos en el cielo nocturno? 3 ES 4

CAPÍTULO 5

Diseñar un juego de correspondencias

- Diseña un juego de cartas de correspondencias que muestre las partes del sistema solar.

- Haz un juego de dos cartas para cada elemento. En una tarjeta haz un dibujo y rotúlalo. Escribe en otra tarjeta uno o más hechos sobre tu dibujo.

- Haz tantos pares de tarjetas como quieras, pero asegúrate de incluir al Sol, a la Luna y a cada uno de los elementos mostrados.

- Juega con un compañero o compañera. Gana el que junte más pares.

Elementos a incluir

cuatro planetas internos

cuatro planetas externos

asteroides

Tierra

Asteroide

Luna

Planeta interior que tiene oxígeno y seres vivos

Pedazos de roca o metal que orbitan en el anillo de asteroides

Objeto que orbita alrededor de la Tierra

1 ¿Por qué las constelaciones parecen moverse por el cielo nocturno? 3 ES 4.a

A Cuando la Tierra realiza su movimiento de traslación, parece que las estrellas son más brillantes.

B Cuando la Tierra rota, parece que las estrellas se están moviendo.

C Las estrellas se mueven por la Luna.

D Las estrellas se mueven alrededor del Sol.

2 ¿Cuál de los siguientes tiene más estrellas? 3 ES 4.a

A el sistema solar

B la Tierra

C una galaxia

D una constelación

3 ¿En qué se diferencian los planetas y las estrellas? 3 ES 4.a

A Los planetas tienen su propia luz; las estrellas reflejan la luz del Sol.

B Los planetas parecen moverse; las estrellas permanecen en las figuras que forman.

C Los planetas se mueven en figuras; las estrellas se mueven en todas direcciones.

D Los planetas están muy alejados; las estrellas están más cerca de la Tierra.

4 De la siguiente lista ¿cuál muestra el orden correcto de los cuatro planetas más cercanos al Sol? 3 ES 4.d

A Mercurio, Venus, Tierra, Marte

B Tierra, Mercurio, Venus, Marte

C Marte, Venus, Tierra, Mercurio

D Mercurio, Venus, Marte, Júpiter

5 Al usar un telescopio para observar objetos en el cielo nocturno, un estudiante podría ver más detalles de la Luna porque el telescopio 3 IE 5.b

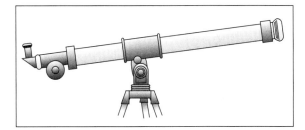

A hace que los objetos alejados se vean más cerca.

B hace que los objetos alejados se vean más oscuros.

C hace que los objetos alejados se vean más pequeños.

D hace que los objetos alejados se vean más brillantes.

6 ¿Cuál de los siguientes enunciados explica por qué la Luna se ve más grande que los planetas? 3 ES 4.d

A Es grande y brillante.

B Está más cerca de la Tierra.

C Está más cerca del Sol.

D Tiene luz propia.

La duración del día

hace la diferencia

¿Cómo sabes cuándo llega la primavera? Quizá escuches el canto de los pájaros y veas cómo crecen las hojas en los árboles. ¿Cómo sabes que pronto será invierno? Quizá veas volar las aves hacia el sur y los árboles cambiar de color. ¿Alguna vez te has preguntado cómo las aves y los árboles saben que es el momento de hacer estas cosas?

Verano

▲ En verano, los conejos tienen un pelaje más delgado y ligero. Su piel libera calor para mantenerlos frescos.

Invierno

▲ En invierno, a los conejos les crece un pelaje más grueso y pesado para mantenerse calientes.

Las plantas y los animales no tienen calendarios y mucho menos relojes. Sin embargo, notan algo importante. Su cuerpo registra cómo cambia la duración de los días. El cambio es pequeño y lento, pero tiene grandes efectos.

Durante el otoño, el Sol sale un poco después y se pone un poco más temprano cada día. Estos días más cortos le indican a las plantas y a los animales que deben comenzar a prepararse para el invierno. Los árboles pierden sus hojas. Algunas aves vuelan hacia el sur. A los conejos, venados y osos les salen cálidos abrigos de invierno. Las ardillas juntan nueces y forran sus nidos de hojas.

Cuando se acerca la primavera, el Sol comienza a salir más temprano y a ponerse más tarde. Los días más largos les dicen a las aves que deben migrar al Norte, cantar para atraer a su pareja y comenzar a construir nidos. Las plantas y los árboles despiertan y les empiezan a salir hojas y flores.

¿Cómo te hace sentir el cambio en la duración de los días? ¿Ves cosas diferentes en las distintas épocas del año? ¡Para muchos seres vivos, la duración del día representa una gran diferencia!

Otoño

▲ Cuando los días se acortan y las hojas empiezan a caer, las ardillas juntan nueces. Se las meten en las mejillas y las llevan a sus nidos.

Primavera

▲ En primavera, el Sol sale más temprano. Los animales salen de sus refugios para darse un festín con las plantas que crecen.

3 ES 4. Los objetos celestes se mueven de manera predecible.
ELA R 3.2.3. Demuestran comprensión del texto identificando las respuestas en el mismo.

253

Cartógrafo

¿Te gusta hacer rompecabezas de piezas pequeñas? ¿Eres bueno para dar instrucciones o describir lugares? Podrías pensar en convertirte en cartógrafo.

Los científicos que hacen mapas tienen varias destrezas. Algunos recopilan datos sobre la geografía de una zona. Otros fabrican modelos tridimensionales de los accidentes geográficos. Algunos más usan datos y modelos para trazar sus mapas con programas computarizados especiales.

Hay cosas que puedes hacer ahora mismo a fin de prepararte para este trabajo. Aprende sobre los terrenos y el agua de la Tierra. Participa en juegos en los que debas resolver un problema. En la escuela secundaria toma clases de matemáticas, ciencias y computación. Más adelante, estudia una licenciatura.

▲ Esta científica recopila datos de accidentes geográficos.

Éstas son otras carreras de Ciencias de la Tierra:

- meteorólogo
- oceanógrafo
- diseñador de joyas
- astrónomo

Este agrimensor está usando un *teodolito*. La información que anota le permitirá hacer un mapa de una zona.

Ciencias Físicas

La mayor parte de un iceberg está bajo el agua.

CAPÍTULO 6

La materia

 ¿Cuáles son algunas formas de la materia y cómo pueden cambiar?

Río Merced,
Parque Nacional Yosemite,
California

3 PS 1. La energía y la materia se manifiestan de distinta manera y pueden cambiar de una forma a otra.

Literatura
Poema

ELA R 3.3.1.
Distinguen las diferentes formas de literatura (poesía, dramaturgia; ficción y no ficción). ELA W 3.2.2. Escriben descripciones empleando detalles sensoriales concretos para presentar, apoyar y unir las impresiones sobre personas, lugares, cosas o experiencias.

aire frío, agua y hielo

Lluvia helada

John Frank

La suave lluvia que cae
en el aire invernal
ensombrece el camino,
se aferra a los árboles
que coronan las colinas,
y los convierte en cristal.

¡A escribir!

Respuesta a la literatura Durante el invierno, la lluvia se congela y se vuelve hielo. ¿Qué palabra usa el autor del poema para describir el hielo? ¿Qué palabras describen lo que hay a tu alrededor? Elige un objeto para escribir sobre él. Usa todas las palabras que puedas para describirlo.

CONÉCTATE @ **-Diario** Investiga y escribe en **www.macmillanmh.com**

Sólidos, líquidos y gases

Observa y pregúntate

¿Alguna vez has observado un parapente en el aire? ¿Qué puedes ver desde las alturas en el cielo? ¿Qué aspecto tiene el suelo? ¿Cómo puedes describir los objetos y los lugares que están abajo?

3 PS 1.e. Saber que hay tres estados de la materia: sólido, líquido y gas.
3 PS 1.f. Saber que la evaporación y la fusión son cambios que pueden ocurrir en los objetos cuando se les calienta.

¿Cómo describes los objetos?

Propósito

En esta actividad explorarás cómo describir los objetos.

Procedimiento

1. **Observa** Selecciona un objeto secreto de tu salón de clases. Observa el objeto. ¿De qué color es? ¿Cómo se siente? ¿Qué forma y tamaño tiene?

2. **Comunica** Anota tus observaciones en una red de conceptos como la que se muestra. Rotula cada línea con una palabra que describa tu objeto secreto. Deja el círculo en blanco.

3. **Infiere** Intercambia tu red de conceptos con un compañero o compañera. Piensa en las palabras descriptivas. ¿Qué objeto del salón describen las palabras? Rotula el círculo con el nombre del objeto secreto de tu compañero.

Sacar conclusiones

4. ¿Pudiste adivinar el objeto secreto de tu compañero? ¿Pudo tu compañero adivinar tu objeto secreto?

5. ¿Qué fue lo que más te ayudó para adivinar el objeto de tu compañero?

Explorar más

Experimenta ¿En qué sería distinta tu red de conceptos si tuvieses los ojos vendados y sólo pudieras tocar el objeto secreto? Prueba de nuevo para saberlo.

Materiales

objetos del salón de clases

lupa

Paso 1

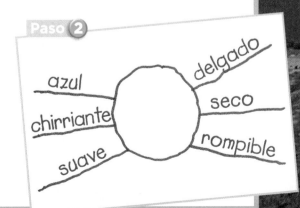

Paso 2

azul delgado
seco
chirriante
rompible
suave

3 IE 5.e. Recopilar los datos de una investigación y analizarlos para llegar a una conclusión lógica.

Leer y aprender

▶ **Destreza de lectura**

Idea principal

▶ **Tecnología**

BÚSQUEDA CIENTÍFICA 💿 Explora la materia.

¿Qué es la materia?

Si miras a tu alrededor, verás muchas cosas de diferentes tamaños, colores y formas. Cambian en cuanto a su aspecto, a la sensación que dejan al tacto, cómo suenan y a qué huelen. Todas las cosas que te rodean se parecen en algo. Todas son algún tipo de materia.

La **materia** es cualquier cosa que ocupa espacio. Tú eres materia. Este libro es materia. Incluso el aire que respiras es materia. Todas estas cosas ocupan espacio. La materia tiene también masa. La **masa** mide la cantidad de materia que hay en un objeto. Un ladrillo y una esponja pueden tener la misma forma y tamaño. Sin embargo, la masa del ladrillo es mayor que la masa de la esponja porque el ladrillo tiene más materia que la esponja.

Propiedades de la materia

Cada tipo de materia tiene sus *propiedades*, o rasgos. El color y la forma son propiedades que puedes ver. Cómo sabe, huele, se siente al tacto y suena un objeto, son otras propiedades que puedes observar. Las propiedades pueden usarse para describir e identificar a la materia.

Muchas propiedades de la materia pueden medirse. Mides la longitud y el ancho de un objeto con una regla o una vara métrica. Mides la masa de un objeto con una balanza de platillos.

▲ Dondequiera que vayas, habrá materia a tu alrededor.

Una balanza de platillos se usa para medir la masa de los objetos. ¿Qué objeto tiene más masa? ¿Por qué? ▶

bolsa de palomitas

bolsa de canicas

 Comprobar

Idea principal Menciona dos propiedades de todos los tipos de materia.

Pensamiento crítico ¿Por qué la *idea* del número 3 no es materia, pero 3 ladrillos sí lo son?

¿Cómo clasificamos la materia?

Una forma en la que los científicos clasifican la materia es en grupos llamados *estados*. Los tres estados de la materia son sólido, líquido y gas. Cada uno de estos estados de la materia tiene determinadas propiedades.

La mayoría de las cosas que ves a tu alrededor son sólidos. Los lápices, los escritorios, los cojines y las sillas son ejemplos de sólidos. Un **sólido** es materia que tiene una forma definida y ocupa un volumen determinado. El **volumen** es la cantidad de espacio que ocupa un objeto. Este libro es un sólido. Tiene una forma definida. Ocupa un espacio determinado.

Un **líquido** es materia que tiene un volumen determinado, pero no una forma definida. Un líquido toma la forma del recipiente que lo contiene. El agua, el aceite, el jugo y el champú son líquidos. La leche también es un líquido. Cuando está dentro de un envase de cartón, la leche toma la forma de éste. Cuando viertes la leche en un vaso, ésta toma la forma del vaso. Cualquiera que sea la forma o el tamaño de su recipiente, el volumen de la leche no cambia. Ocupa la misma cantidad de espacio sin importar dónde está metida.

▲ El vaso es un sólido. Tiene una forma y volumen definidos. ¿El líquido tiene una forma definida y un volumen determinado?

▲ Los líquidos toman la forma de sus recipientes. Los líquidos también ocupan una cantidad determinada de espacio dentro de los recipientes que los contienen.

Los gases son el tercer estado de la materia. Casi todos los gases son invisibles. No puedes verlos, aunque están a tu alrededor. El aire está formado por gases que necesitas para sobrevivir. Un **gas** es materia que no tiene forma definida ni ocupa un volumen determinado. ¿Qué pasa cuando soplas dentro de un globo? El gas toma la forma del recipiente que lo contiene: el globo. Como el gas no tiene un volumen determinado, se expande y llena el globo.

 Comprobar

Idea principal ¿Cuáles son los estados de la materia?

Pensamiento crítico Compara sólidos, líquidos y gases. ¿En qué se parecen? ¿En qué se diferencian?

◀ El gas usado para llenar todos estos globos viene de este pequeño tanque. Los gases no tienen un volumen determinado. Se expanden y llenan cualquier cosa que los contenga.

Haz la prueba

Sólidos, líquidos y gases

gas

líquido

sólido

1. Sopla dentro de una bolsa vacía. Después sella rápidamente la bolsa.

2. Llena una segunda bolsa con un poco de agua y séllala rápidamente. Coloca una piedra en una tercera bolsa pequeña y sella la bolsa.

3. **Observa** Cada bolsa contiene materia en un estado diferente. ¿Qué aspecto tiene cada bolsa y qué sensación produce al tacto? Anota tus observaciones en una tabla.

4. **Predice** ¿Qué pasará con la materia que está dentro de cada bolsa cuando la abras? Anota tus predicciones en una tabla.

5. **Observa** Abre cada bolsa. ¿Qué sucede?

⚠ **¡Ten cuidado!** Sostén la bolsa con agua sobre un recipiente.

6. **Comunica** Describe las propiedades de un sólido, un líquido y un gas. Menciona en qué se parecen y en qué se diferencian los tres estados de la materia.

▲ Cuando el acero sólido acumula suficiente energía calorífica, se funde y se convierte en líquido.

▲ El puente *Golden Gate* se construyó con toneladas de acero sólido.

La lava que fluye de este volcán es roca que se fundió bajo la superficie de la Tierra. ▶

¿Qué sucede cuando se calienta la materia?

Cuando se calienta la materia, acumula energía calorífica. Aumenta su temperatura. Si la materia recibe la suficiente energía calorífica, cambia de estado.

Elevar el calor de los sólidos

La cantidad de energía calorífica necesaria para hacer que la materia cambie de estado varía. Cuando un sólido recibe suficiente energía calorífica se **funde**, o se vuelve líquido. El chocolate y el helado se funden o derriten con muy poca energía calorífica. Las rocas que están a grandes profundidades bajo la superficie de la Tierra, se funden después de recibir una enorme cantidad de energía calorífica.

Calentar líquidos

Cuando un líquido recibe energía calorífica, se produce la **evaporación**; es decir, el líquido se convierte en gas. Por ejemplo, cuando ponemos la ropa lavada en el tendedero, el agua que está en la ropa se evapora. El agua líquida en la ropa recibe energía calorífica y la convierte en gas. El estado gaseoso del agua se llama *vapor de agua*. No puedes ver el vapor de agua, pero es parte del aire que te rodea. Mientras el agua líquida se convierte en vapor de agua, tu ropa se seca.

▲ Cuando el agua líquida de esta ropa reciba la suficiente energía calorífica, se evaporará o se convertirá en gas.

Aumento de la energía calorífica

cubos de hielo   agua   vapor

 Comprobar

Idea principal ¿Qué pasa con la materia cuando recibe energía calorífica?

Pensamiento crítico Te lavas el cabello y lo secas con la secadora. ¿Qué sucede con el agua que está en tu cabeza? ¿Por qué sucede esto?

Leer un diagrama

¿Qué pasa cuando se eleva la temperatura de los cubos de hielo?

Pista: Las flechas muestran una secuencia.

¿Qué sucede cuando la materia pierde energía?

Cuando la materia se enfría, pierde energía calorífica. Su temperatura baja. Si pierde suficiente energía calorífica, su estado puede cambiar. Cuando un líquido pierde suficiente energía calorífica, se puede **congelar**, o volverse sólido. Cuando un gas pierde suficiente energía calorífica, se **condensa**, o se vuelve líquido. Por ejemplo, en las mañanas frías, pueden aparecer sobre los objetos gotas de agua llamadas *rocío*. Esto sucede cuando el vapor de agua del aire toca objetos fríos y pierde energía calorífica. El vapor de agua se condensa y forma el rocío.

▲ El rocío que está en la telaraña se formó cuando el vapor de agua se enfrió y se condensó.

 Comprobar

Idea principal ¿En qué se parecen el congelamiento y la condensación?

Pensamiento crítico ¿Por qué el agua líquida se convierte en hielo después de ponerla en el congelador?

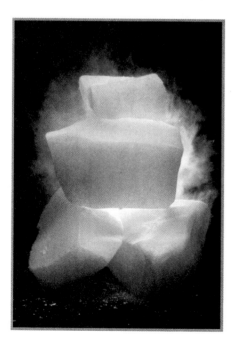

◀ Cuando el gas dióxido de carbono pierde energía calorífica, cambia de estado y se convierte en sólido.

Cuando el jugo se enfría lo suficiente, cambia de estado y se convierte en sólido. ▶

Repaso de la lección

Resumir la idea principal

Materia es cualquier cosa que tiene masa y ocupa espacio.
(págs. 262-263)

La materia se clasifica en **tres estados**: sólido, líquido y gas.
(págs. 264-265)

La materia puede **cambiar** de estado si recibe o pierde energía calorífica.
(págs. 266-268)

Hacer una guía de estudio MODELOS DE PAPEL™

Haz un boletín con tres secciones. Úsalo para resumir lo que aprendiste sobre la materia.

Pensar, comentar y escribir

1. **Idea principal** ¿Qué es la materia?

2. **Vocabulario** ¿Cuáles son los tres estados de la materia?

3. **Idea principal** ¿Qué propiedades de un sólido puedes medir?

4. **Pensamiento crítico** Después de tomar un baño caliente, Luis se dio cuenta de que había gotas de agua en el espejo del baño. ¿Qué causó que se formaran las gotas de agua?

5. **Práctica para la prueba** El aire es un ejemplo de este estado de la materia.
   - **A** líquido
   - **B** sólido
   - **C** forma
   - **D** gas

Conexión con Escritura

Escribir un artículo
¿Qué pasa cuando se mezclan petróleo y agua? En 1989 un buque derramó petróleo en la costa de Alaska. Investiga sobre el derrame de petróleo del *Exxon Valdez*. Escribe un breve artículo que describa lo que sucedió.

Conexión con Matemáticas

Resolver un problema
Hacen falta 80 calorías de energía calorífica para fundir un gramo de agua sólida (hielo) y convertirla en agua líquida. Hacen falta 539 calorías de energía calorífica para que un gramo de agua líquida se convierta en gas. ¿Cuántas calorías de más se necesitan para evaporar el agua que para fundirla?

Medir

Aprendiste que la materia es cualquier cosa que ocupa espacio y tiene masa. El agua es materia que tiene tres formas: sólida, líquida y gas. ¿La forma sólida del agua tiene la misma masa que la forma líquida? Para responder preguntas como ésta, los científicos deben **medir** las cosas.

taza de medir

① Estúdialo

Cuando **mides**, hallas el tamaño, la distancia, el tiempo, el volumen, el área, la masa o la temperatura de un objeto. Los científicos usan muchos instrumentos para medir las cosas. Algunos de estos instrumentos se muestran en esta página. Los científicos usan mediciones para describir y comparar objetos.

cinta de medir

② Inténtalo

Sabes que los científicos **miden** las cosas para responder preguntas. Tú también puedes medir para responder esta pregunta. ¿Los cubos de hielo sólidos tienen la misma masa cuando se funden?

balanza

termómetro

3 IE 5.c. Usar datos numéricos para comparar objetos, eventos y medidas.

▶ Para comenzar, coloca varios cubos de hielo en una taza. Luego, cubre la taza con una envoltura de plástico para que el agua no se evapore.

▶ Mide la masa colocando la taza en un extremo de una balanza de platillos. Agrega masas del otro lado de la balanza hasta que ambos lados estén equilibrados. Anota la masa en una tabla.

Masa inicial	Masa cada media hora	Masa final

▶ Mide la masa cada media hora hasta que el hielo se haya fundido por completo.

▶ Ahora usa tus mediciones para responder la pregunta. ¿Los cubos de hielo tienen la misma masa cuando se funden?

3 Aplícalo

Ahora **mide** para responder esta pregunta: ¿El helado tiene la misma masa cuando se funde? ¿Cómo cambia la masa cuando la materia cambia de estado?

Componentes básicos de la materia

Observa y pregúntate

Imagina que tienes una colección de cuentas. ¿Cómo organizarías tu colección? ¿Cómo piensas que los científicos clasifican la materia?

3 PS 1.h. Saber que toda la materia está compuesta de partículas pequeñas llamadas átomos, los cuales son tan pequeños que no los podemos ver con nuestros ojos. **•3 PS 1.i.** Saber que hace tiempo la gente pensaba que los elementos básicos que formaban toda la materia eran tierra, viento, fuego y agua. Los experimentos científicos demuestran que existen más de 100 tipos diferentes de átomos, los cuales se exhiben en la Tabla Periódica de los Elementos.

¿Cómo puedes clasificar la materia?

Propósito

Hallar formas en las que se puede clasificar la materia.

Procedimiento

① **Observa** Observa las propiedades de cada objeto. Anota tus observaciones en una tabla.

② **Clasifica** Divide los objetos en grupos que tengan propiedades similares.

③ **Comunica** Escribe un nombre para cada grupo que describa en qué se parecen los objetos.

Sacar conclusiones

④ **Analiza los datos** ¿Tenían algunos objetos de un grupo las mismas propiedades que objetos de otro grupo? ¿Cómo decidiste la manera de clasificar cada objeto?

⑤ **Infiere** ¿Por qué los científicos son cuidadosos para clasificar la materia?

Explorar más

Experimenta ¿Qué pasaría si tuvieras una lata de cacahuates y una lata de tomates guisados? Las latas se ven iguales salvo por las etiquetas. ¿Cómo podrías distinguir las latas si alguien les quitara las etiquetas? ¿Qué experimentos podrías hacer para saber qué hay en las latas sin abrirlas?

Materiales

objetos cotidianos

Paso ①	
Objeto	Propiedades

3 IE 5.e. Recopilar los datos de una investigación y analizarlos para llegar a una conclusión lógica.

► **Idea principal**   3 PS 1.h
                        3 PS 1.i

Toda la materia está formada por elementos. Un átomo es la mínima unidad de un elemento. La tabla periódica agrupa los elementos según sus propiedades.

► **Vocabulario**

elemento, pág. 274

átomo, pág. 276

tabla periódica, pág. 278

► **Destreza de lectura**

Saca conclusiones

Pistas del texto	Conclusiones

¿Qué son los elementos?

Sabes que todo lo que te rodea está formado por materia, ¿pero sabes de qué está hecha la materia? Los antiguos también se preguntaban de qué estaban hechas las cosas de su mundo. Hicieron observaciones y realizaron investigaciones. Decidieron que toda la materia estaba formada por tierra, aire, fuego y agua.

Hoy día, los científicos hacen experimentos y usan instrumentos modernos, como microscopios muy potentes, para observar la materia. Estos instrumentos les permiten observar cosas que los antiguos no pudieron ver. Ahora sabemos que toda la materia está formada por elementos. Los **elementos** son los componentes básicos de la materia. Hay más de 100 elementos. Todo está formado por uno o más de estos elementos.

fuego

agua   **aire**

Alguna vez las personas pensaron que la tierra, el aire, el fuego y el agua eran los elementos básicos que formaban toda la materia. ►

tierra

Algunos elementos, como el oro o el cobre, tienen nombres que quizás hayas oído. Otros se llaman como científicos famosos o lugares. El *einstenio* se nombró en honor de Albert Einstein, el *californio*, en honor de California.

Uno o más elementos

Es poca la materia que está compuesta por un solo elemento. Un clavo de hierro tiene principalmente el elemento hierro. El papel aluminio contiene casi únicamente el elemento aluminio.

Casi toda la materia está formada por más de un elemento. El agua está formada por los elementos hidrógeno y oxígeno. Estos mismos dos elementos están también en el azúcar. El azúcar contiene un tercer elemento llamado *carbono*. Los elementos se unen de distintas maneras y en diferentes cantidades para formar todo en nuestro mundo.

✓ Comprobar

Saca conclusiones ¿Por qué los elementos reciben el nombre de componentes básicos de la materia?

Pensamiento crítico ¿Por qué son diferentes las propiedades del agua y del azúcar?

grafito   diamante   azúcar

▲ Estos tres tipos de materia tienen el elemento carbono.

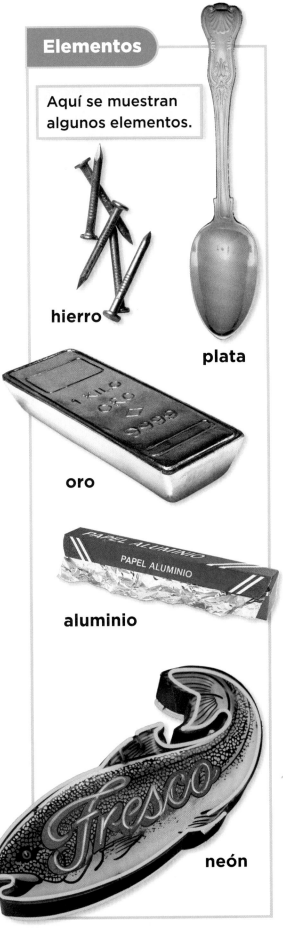

Elementos

Aquí se muestran algunos elementos.

hierro

plata

oro

aluminio

neón

¿Qué son los átomos?

Los elementos están formados por partículas diminutas llamadas átomos. Un **átomo** es la partícula más pequeña de un elemento que mantiene sus propiedades. Todos los átomos de un elemento determinado son idénticos entre sí.

Piensa en dividir un objeto en partes cada vez más pequeñas. A la larga, obtendrías la partícula más pequeña del objeto que mantiene sus propiedades: un átomo.

Los átomos están por todas partes, pero no puedes verlos. Un átomo es más pequeño que una partícula de polvo. Es demasiado pequeño para verlo a simple vista. Los átomos no pueden verse ni a través de la mayoría de los microscopios. Los científicos estudian los átomos con instrumentos especiales llamados *microscopios electrónicos*. Estos potentes instrumentos ayudan a los científicos a aprender sobre estas partículas diminutas de materia.

Así se ve el carbono bajo un microscopio de barrido en túnel. ▼

Átomos de carbono

Estudiar la foto

¿Cómo estudian los científicos los átomos?

Pista: Observa los instrumentos que está usando la científica.

◀ Los científicos estudian los átomos con un microscopio de barrido en túnel.

¿Cómo pueden los objetos estar formados por algo tan diminuto? Observa la portada de una revista. Los colores que ves parecen sólidos. Pero si miras la portada de la revista a través de un microscopio, verás un dibujo de puntos de colores.

✓ Comprobar

Saca conclusiones El agua está compuesta por los elementos hidrógeno y oxígeno. ¿Qué tipos de átomos tiene el agua?

Pensamiento crítico ¿Por qué los científicos estudian cosas que son demasiado pequeñas para verse a simple vista?

Los átomos son muy pequeños. Si pudieras comparar el tamaño de un átomo con el de una manzana, sería lo mismo que comparar el tamaño de una manzana con el de la Tierra. ▼

Un modelo de átomo

① **Observa** Mira cuidadosamente una hoja de papel aluminio. Haz una lista de sus propiedades.

② Rompe la hoja de papel en dos. Luego rompe cada mitad en dos. Sigue rompiendo los pedazos hasta que tengas pedacitos.

③ **Compara** ¿Cuáles son las propiedades de los pedacitos de papel aluminio? Lee la lista de propiedades que hiciste para la hoja completa. ¿Son iguales las propiedades?

④ **Saca conclusiones** ¿Cambiaron las propiedades del papel cuando cambió su tamaño? ¿Los pedacitos siguen siendo papel aluminio? ¿En qué se parecen los pedacitos de papel aluminio a los átomos de un elemento?

¿Cómo agrupamos los elementos?

La **tabla periódica** es una tabla que incluye todos los elementos conocidos. La letra o las letras de cada cuadro son los símbolos de los elementos.

Cada columna de la tabla periódica incluye un grupo de elementos. Todos los elementos de un grupo tienen propiedades similares. La tabla también clasifica los elementos como metales y no metales. El hierro (Fe) es un metal. También lo son otros elementos que aparecen a la izquierda de la tabla. El carbono (C) es un no metal. Aparece del lado derecho de la tabla con otros no metales.

El hierro es un elemento usado para fabricar cosas como clavos, herraduras y máquinas. ¿Cuál es el símbolo de este importante elemento?

✓ Comprobar

Saca conclusiones ¿Qué es la tabla periódica?

Pensamiento crítico ¿Por qué los elementos helio (He), neón (Ne) y argón (Ar) están en la misma columna de la tabla periódica?

Tabla periódica de los elementos

Clave

- 11 — Número atómico
- **Na** — Símbolo del elemento
- Sodio — Nombre del elemento

☐ Metales
☐ Metaloides (semimetales)
☐ No metales

1	2	3	4	5	6	7	8	9	10	11	12	13	14	15	16	17	18
1 **H** Hidrógeno																	30 **He** Helio
3 **Li** Litio	4 **Be** Berilio											5 **B** Boro	6 **C** Carbono	7 **N** Nitrógeno	8 **O** Oxígeno	9 **F** Flúor	10 **Ne** Neón
11 **Na** Sodio	12 **Mg** Magnesio											13 **Al** Aluminio	14 **Si** Silicio	15 **P** Fósforo	16 **S** Azufre	17 **Cl** Cloro	18 **Ar** Argón
19 **K** Potasio	20 **Ca** Calcio	21 **Sc** Escandio	22 **Ti** Titanio	23 **V** Vanadio	24 **Cr** Cromo	25 **Mn** Manganeso	26 **Fe** Hierro	27 **Co** Cobalto	28 **Ni** Níquel	29 **Cu** Cobre	30 **Zn** Zinc	31 **Ga** Galio	32 **Ge** Germanio	33 **As** Arsénico	34 **Se** Selenio	35 **Br** Bromo	36 **Kr** Criptón
37 **Rb** Rubidio	38 **Sr** Estroncio	39 **Y** Itrio	40 **Zr** Zirconio	41 **Nb** Niobio	42 **Mo** Molibdeno	43 **Tc** Tecnecio	44 **Ru** Rutenio	45 **Rh** Rodio	46 **Pd** Paladio	47 **Ag** Plata	48 **Cd** Cadmio	49 **In** Indio	50 **Sn** Estaño	51 **Sb** Antimonio	52 **Te** Telurio	53 **I** Yodo	54 **Xe** Xenón
55 **Cs** Cesio	56 **Ba** Bario	57 **La** Lantano	72 **Hf** Hafnio	73 **Ta** Tantalio	74 **W** Tungsteno	75 **Re** Renio	76 **Os** Osmio	77 **Ir** Iridio	78 **Pt** Platino	79 **Au** Oro	80 **Hg** Mercurio	81 **Tl** Talio	82 **Pb** Plomo	83 **Bi** Bismuto	84 **Po** Polonio	85 **At** Astato	86 **Rn** Radón
87 **Fr** Francio	88 **Ra** Radio	89 **Ac** Actinio	104 **Rf** Rutherfodio	105 **Db** Dubnio	106 **Sg** Seaborgio	107 **Bh** Bohrio	108 **Hs** Hassio	109 **Mt** Meitnerio	110 **Ds** Darmstadtio	111 **Rg** Roentgen	**Uub** Ununbio						

58 **Ce** Cerio	59 **Pr** Praseodimio	60 **Nd** Neodimio	61 **Pm** Prometio	62 **Sm** Samario	63 **Eu** Europio	64 **Gd** Gadolinio	65 **Tb** Terbio	66 **Dy** Disprosio	67 **Ho** Holmio	68 **Er** Erbio	69 **Tm** Tulio	70 **Yb** Iterbio	71 **Lu** Lutecio
90 **Th** Torio	91 **Pa** Protactinio	92 **U** Uranio	93 **Np** Neptunio	94 **Pu** Plutonio	95 **Am** Americio	96 **Cm** Curio	97 **Bk** Berkelio	98 **Cf** Californio	99 **Es** Einstenio	100 **Fm** Fermio	101 **Md** Mendelevio	102 **No** Nobelio	103 **Lr** Laurencio

Repaso de la lección

Resumir la idea principal

Los **elementos** son los componentes básicos de la materia. (págs. 274-275)

Un **átomo** es la unidad más pequeña de un elemento que conserva sus propiedades. (págs. 276-277)

11

Na

Sodio

La **tabla periódica** es una tabla que muestra información sobre los elementos. (pág. 278)

Hacer una guía de estudio MODELOS DE PAPEL™

Elementos

Átomos

Tabla periódica

Haz un boletín con tres secciones. Úsalo para resumir lo que aprendiste sobre los elementos y los átomos.

Pensar, comentar y escribir

1 **Idea principal** ¿Cuáles son los componentes básicos de la materia?

2 **Vocabulario** ¿Qué es un átomo?

3 **Saca conclusiones** Menciona algunas de las preguntas que podrías responder al leer la tabla periódica.

Pistas del texto	Conclusiones

4 **Pensamiento crítico** ¿Cómo nos ayudan los microscopios muy potentes a conocer la materia?

5 **Práctica para la prueba** ¿Cuál de los siguientes es un elemento?

A el oxígeno

B la arena

C las piedritas

D las células

 Conexión con Escritura

Escribir un informe
Investiga y escribe un artículo sobre Glenn Seaborg y su papel en el descubrimiento de elementos de la tabla periódica.

 Conexión con Matemáticas

Hacer una gráfica de barras
Los científicos descubrieron los elementos con el paso de los años. En 1789 los científicos sólo conocían 33 elementos. Para 1850 habían identificado 57. En 1900 el número aumentó a 81 y en 1950 a 96. Hoy día conocemos 115 elementos. Haz una gráfica de barras que muestre esta información.

Conoce a Neil deGrasse TYSON

¿Sabías que eres "polvo de estrellas"? Neil deGrasse Tyson puede decirte lo que eso significa. Él es un científico del Museo Estadounidense de Historia Natural de Nueva York que estudia cómo funciona el universo.

Tu cuerpo está lleno de hidrógeno, carbono, calcio y otros muchos átomos. Todos estos átomos se formaron originalmente en las estrellas hace mucho tiempo. Así que somos átomos de silicio, hierro y oxígeno que forman casi todo el interior de la Tierra. ¿Cómo llegaron estos elementos desde las estrellas hasta tu cuerpo?

La mayoría de los elementos se forman dentro de los centros ardientes y densos de las estrellas. En estas condiciones, el hidrógeno, el más simple de los elementos, se combina para formar helio, carbono y todos los demás elementos. A lo largo de su vida, las estrellas dispersan elementos en el espacio. Tras millones de años, estos elementos se combinan para formar nuevas estrellas o planetas io incluso seres vivos, como tú!

▲ Neil deGrasse Tyson es astrofísico, un científico que estudia cómo funciona el universo.

AMERICAN MUSEUM ö NATURAL HISTORY

ELA R 3.2.5. Distinguen entre la idea principal y los detalles de apoyo en un texto expositivo.

▲ Una nebulosa es una nube de gas y polvo de estrellas en el espacio. La nebulosa Cabeza de caballo, arriba, recibe su nombre por su forma de caballo.

Una idea principal

▶ señala de lo que trata principalmente el artículo

▶ la justifican detalles, hechos y ejemplos

¡A escribir!

Idea principal Lee el artículo con un compañero o compañera. ¿Cuál es la idea principal? ¿Qué detalles la enriquecen? Usa una tabla de idea principal. Luego escribe unas oraciones para explicar la idea principal.

CONÉCTATE **e-Diario** Escribe en **www.macmillanmh.com**

Materia, materia por todas partes

En este capítulo, aprendiste que todo está formado por materia. Aprendiste lo que es un átomo. Aprendiste de qué está formada toda la materia. Piensa en cómo ayudarías a un amigo a comprender qué es la materia. ¿Qué le dirías para explicarle qué son los elementos? ¿Algunos tipos de materia están formados por más de un elemento? ¿Qué información darías sobre los átomos?

Un buen párrafo expositivo

▶ presenta la idea principal

▶ apoya la idea principal con hechos y detalles sobre el tema

▶ saca una conclusión con base en los hechos y los detalles

sodio + cloro = sal

hierro + oxígeno = óxido

carbono + oxígeno + hidrógeno = madera

 ¡A escribir!

Escritura expositiva Escribe un párrafo en el que hables sobre los componentes básicos de toda la materia. Comienza tu párrafo con una oración principal. Esta oración debe señalar la idea principal. Incluye luego hechos y detalles que la justifiquen o den más información sobre ésta. Termina con una conclusión basada en los hechos y los detalles.

CONÉCTATE ⊜-**Diario** Escribe en **www.macmillanmh.com**

 ELA W 3.1.1. Escriben párrafos simples donde:
a. Desarrollan una oración sencilla que exprese el tema.
b. Incluyen hechos y detalles sencillos de apoyo.

Las formas de la materia

¿Alguna vez has observado con atención la sal o el azúcar? Es difícil distinguirlas porque las dos son blancas, tienen granos pequeños y se sienten igual. Si las observas cuidadosamente verás que las dos tienen forma de cubo.

Un cubo es una forma tridimensional. Observa las siguientes formas tridimensionales y describe en qué se parecen y en qué se diferencian.

¿Cómo identificar un cubo o un sólido rectangular?

▶ Un cubo tiene seis caras cuadradas idénticas. Todos los lados de un cubo son exactamente del mismo tamaño.

▶ Un sólido rectangular tiene 4 caras rectangulares del mismo tamaño y 2 caras cuadradas del mismo tamaño.

vértices

cara cuadrada

cara rectangular

Número de	Cubo	Sólido rectangular
caras	6	6
vértices	8	
caras cuadradas		2
caras rectangulares		4

Resuélvelo

Copia la tabla y completa la información faltante sobre el cubo y el sólido rectangular. ¿En qué se parecen las dos formas? ¿En qué se diferencian?

MA MG 3.2.5. Identificar, describir y clasificar figuras geométricas tridimensionales (Por ejemplo: cubo, sólido rectangular, esfera, prisma, pirámide, cono, cilindro).

La materia cambia

Observa y pregúntate

¿Alguna vez has horneado un pastel? ¿Por qué el pastel no sabe como los ingredientes con los que está hecho? ¿Por qué mezclar las cosas hace que esas cosas cambien?

3 PS 1.g. Saber que cuando dos o más sustancias se combinan, se puede formar una nueva sustancia con propiedades diferentes a las de los materiales originales.

¿Cómo cambia la materia?

Hacer una predicción

La materia puede cambiar de muchas formas. ¿Cómo cambian la harina y el bicarbonato de soda cuando cada uno se mezcla con vinagre? Escribe una predicción.

Comprobar la predicción

① **Observa** Haz una lista de las propiedades de cada sustancia. Anota tus observaciones en una tabla.

② **Experimenta** Agrega 2 cucharadas de harina en una botella. Agrega 50 mililitros de vinagre. Rápidamente coloca el globo sobre la abertura de la botella. Observa lo que ocurre. Anota tus observaciones en tu tabla.

③ Repite el paso 2 con bicarbonato de soda en lugar de harina.

④ **Comunica** Haz un dibujo en la parte inferior de cada columna de tu tabla para mostrar qué pasó con los globos.

Sacar conclusiones

⑤ ¿Tus resultados fueron iguales a tu predicción? Explica tu respuesta.

⑥ **Infiere** ¿Qué crees que causó las diferencias en los globos?

Explorar más

Experimenta ¿Qué podría sucederle al globo si agregaras 2 cucharadas de bicarbonato de soda y 50 mililitros de agua a una botella?

Materiales

vinagre, harina y bicarbonato de soda

dos botellas de plástico transparente y globos

gafas protectoras

taza y cucharas de medir

Paso ②

3 IE 5.d. Predecir el resultado de una simple investigación y comparar los resultados obtenidos con la predicción.

¿Qué son los cambios físicos?

La materia puede cambiar. Un **cambio físico** es un cambio en el aspecto de la materia. La materia se ve distinta después de un cambio físico, pero no se ha alterado su composición. Sigue siendo el mismo tipo de materia.

Romper una hoja de papel a la mitad es un cambio físico. El tamaño del papel roto difiere del tamaño de la hoja original, pero sigue siendo papel. Estirar una liga elástica también causa un cambio físico. El tamaño y la forma de la liga cambian, pero sigue siendo una liga.

También hay un cambio físico cuando la materia cambia de estado. Cuando el agua líquida se congela, su estado cambia de líquido a sólido. El agua tiene un aspecto diferente, pero sigue siendo agua. El agua líquida y el agua sólida tienen los mismos elementos. Ambas contienen los mismos átomos de hidrógeno y oxígeno.

Cuando el agua pasa del estado líquido al sólido, experimenta un cambio físico. ▶

Cuando juntas distintos tipos de materia, puedes obtener una **mezcla**. En una mezcla no cambian las propiedades de cada sustancia que la forman. La ensalada de frutas es una mezcla de frutas. Una mezcla puede ser cualquier combinación de sólidos, líquidos o gases. Una mezcla puede separarse en sus partes originales.

 Comprobar

Predice ¿Qué sucederá cuando mezcles un huevo con harina?

Pensamiento crítico Haz una lista de tres cambios físicos que podrías hacerle a una hoja de papel.

▲ ¿Cómo puedes separar las frutas de esta mezcla?

Cuando se moldea la arena, su forma cambia, pero sigue siendo arena.

Cuando un vidrio cambia de estado sólido a líquido, pasa por un cambio físico. ▼

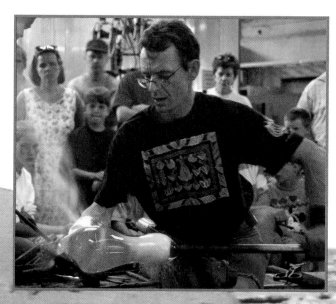

¿Qué son los cambios químicos?

Algunos cambios causan que la materia se convierta en sustancias diferentes. A este cambio se le llama cambio químico. Un **cambio químico** es un cambio que causa la formación de distintos tipos de materias. Las propiedades de la materia nueva son diferentes a las de las sustancias originales.

Un leño que se quema experimenta un cambio químico. El leño comienza como madera sólida. Cuando se le prende fuego, cambia químicamente. Se forman el gas dióxido de carbono y cenizas. Las propiedades de estas sustancias son muy diferentes a las de la madera. Esto sucede porque están formadas por diferentes combinaciones de elementos.

Los alimentos se echan a perder como resultado de cambios químicos. Las sustancias que contienen los alimentos se descomponen y forman nuevas sustancias. Cuando esto sucede, los alimentos pueden cambiar de color y producir mal olor.

▲ ¿En qué se diferencian las propiedades de un leño de las propiedades de las cenizas?

Días después de haber sido recogidos de un árbol, los cambios químicos hacen que estos plátanos comiencen a echarse a perder. ▶

Cuando horneas un pastel, los ingredientes pasan por un cambio químico. Forman sustancias nuevas. Las propiedades de esta sustancia nueva no son las mismas que las de los ingredientes originales. Por ello el pastel horneado tiene un sabor distinto al de los huevos, la leche y la harina.

 Comprobar

Predice ¿Qué pasará si enciendes una vela?

Pensamiento crítico ¿Cuándo cocinas un huevo para hacer huevos revueltos, causas un cambio físico o químico?

≡ *Haz la prueba*

Cambios químicos

1. **Observa** Mira cuidadosamente algunas monedas de un centavo. Haz una lista de sus propiedades.

2. Coloca 1 cucharadita de sal en un tazón. Agrega 150 mililitros de vinagre. Agita hasta que la sal se disuelva.

3. **Compara** Sumerge la mitad de una moneda de un centavo en el líquido. Cuenta lentamente hasta 20 mientras sostienes la moneda. Luego saca la moneda. Compara la mitad que sostuviste con la mitad que metiste en el líquido.

4. **Infiere** ¿Qué causó el cambio de aspecto?

Un cambio químico

ingredientes

masa

pan

Leer un diagrama

¿Qué causó que la masa de pan experimentara un cambio químico?

Pista: Observa las fotografías para ver cómo fue el cambio.

¿Cuáles son los signos de un cambio químico?

Ciertos signos pueden mostrar que ha ocurrido un cambio químico. Aquí hay algunos.

Luz y calor

Cuando una vela se quema, libera luz y energía calorífica. Se forman nuevos tipos de sustancias. La luz y el calor son signos de un cambio químico.

▲ El calor y la luz son signos de un cambio químico.

Cambios de color

En ocasiones un color cambia para mostrar que ha ocurrido un cambio químico. Cuando la fruta se echa a perder, puede ponerse café. El cambio de color muestra que la fruta está convirtiéndose en otro tipo de materia. En los objetos de hierro, como los autos y las bicicletas, pueden aparecer manchas rojas-parduscas de óxido. Las propiedades del óxido son distintas a las del hierro. Esto es porque el óxido es un tipo de materia diferente.

▲ Un cambio químico ha causado que parte del hierro de este auto se oxide.

Formación de gas

Cuando se mezcla bicarbonato de soda con vinagre hay un cambio químico. Se forma una nueva sustancia, gas dióxido de carbono. Mientras se forma el gas, ves burbujas que te indican que hay un cambio químico.

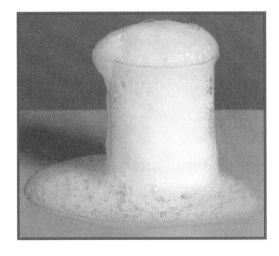

▲ La formación de gas es signo de un cambio químico.

✓ Comprobar

Predice ¿Qué le pasará a la leche si la dejas en el sol?

Pensamiento crítico ¿Cuando el agua hierve hay un cambio físico o un cambio químico? ¿Por qué?

Resumir la idea principal

Los **cambios físicos** causan que la materia se vea diferente. Mezclar, romper y fundir son cambios físicos. (págs. 286-287)

Los **cambios químicos** causan la formación de distintos tipos de materia. (págs. 288-289)

La luz, el calor, los cambios de color y la formación de gases son signos de un cambio químico. (pág. 290)

Hacer una guía de estudio MODELOS DE PAPEL™

Haz un tríptico. Úsalo para resumir lo que aprendiste sobre cómo cambia la materia.

Cambios físicos

Cambios químicos

Pensar, comentar y escribir

1 **Idea principal** Menciona dos maneras en las que la materia puede cambiar.

2 **Vocabulario** ¿Qué es una mezcla?

3 **Predice** Se mezclan dos líquidos transparentes. Se forma un polvo verde. ¿Qué tipo de cambio es éste?

Lo que predigo	Lo que sucede

4 **Pensamiento crítico** La señora Díaz se dio cuenta de que una olla de latón estaba decolorada. La limpió con un limpiador especial. La olla recuperó su color original. ¿Qué tipo de cambio ocurrió?

5 **Práctica para la prueba** ¿Cuál de los siguientes es un cambio físico?

A hornear un pastel

B el hielo se funde

C el metal se oxida

D la madera se quema

 Conexión con Escritura

Escribir un ensayo
¿Qué pasaría si los polos de la Tierra cambiaran de hielo a agua? ¿Cómo cambiaría la vida para las personas y los animales que habitan la Tierra?

 Conexión con Matemáticas

Resolver un problema
Un leño tarda una hora para convertirse en cenizas. Un plátano se vuelve café y blando en cuatro días. ¿Cuántos minutos tomó el cambio químico que duró más?

Acércate a las Ciencias

Materiales

tiza

lupa

cartulina negra

vinagre

gotero

¿Cómo pueden los cambios físicos y químicos afectar a la materia?

Formular una hipótesis

Después de un cambio físico, la materia se ve diferente pero sigue siendo el mismo tipo de materia. Durante un cambio químico, la materia cambia para convertirse en un tipo de materia diferente. ¿Cómo pueden afectar los cambios físicos y químicos a la tiza? Escribe una hipótesis.

Comprobar la hipótesis

1. **Observa** Rompe un pedazo de tiza por la mitad. Usa una lupa para observar la parte de la tiza que rompiste. Anota tus observaciones. ¿Es éste un cambio químico o físico?

2. **Experimenta** Usa uno de los trozos de tiza y frótalo en un pedazo de cartulina negra. Usa la lupa para observar la tiza sobre el papel. Anota tus observaciones. ¿Es éste un cambio químico o físico?

Paso 2

3. **Experimenta** Usa un gotero para agregar 1 gota de vinagre a la tiza de la cartulina negra. Anota tus observaciones. ¿Es éste un cambio químico o físico?

Sacar conclusiones

4. **Analiza los datos** ¿Qué observaste? ¿Cuáles fueron los cambios físicos? ¿Hubo algún cambio químico?

Paso 3

5) **Infiere** Describe lo que le sucede a la tiza durante el cambio químico. ¿Qué causó esto?

6) **Comunica** Usa tus observaciones para escribir tus propias definiciones de cambio químico y de cambio físico.

Investigación guiada

¿Cuáles son los signos de un cambio químico?

Formular una hipótesis

¿Cómo puedes saber si ha ocurrido un cambio químico? Escribe una hipótesis.

Comprobar la hipótesis

Diseña un experimento para investigar los cambios químicos. Usa los materiales que se muestran. Escribe los pasos que planeas seguir. Escribe tus resultados y tus observaciones.

Materiales

vasos de plástico   cuchara   leche

fibra metálica   vinagre   bicarbonato de soda

Sacar conclusiones

¿Qué cambios observaste? ¿Confirmó tu experimento tu hipótesis? ¿Por qué?

Investigación libre

¿Qué más te gustaría saber sobre el cambio físico y el cambio químico? Formula una pregunta de investigación. Por ejemplo, ¿por qué las monedas de un centavo se ponen verdes? Diseña un experimento para responder tu pregunta.

Recuerda seguir los pasos del método científico.

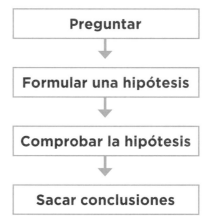

Preguntar

↓

Formular una hipótesis

↓

Comprobar la hipótesis

↓

Sacar conclusiones

 3 IE 5.b. Distinguir entre evidencia y opinión. Saber que los científicos no aceptan aseveraciones o conclusiones que no estén respaldadas por observaciones que puedan ser confirmadas.

Resumir las ideas principales

Los tres estados de la materia son sólidos, líquidos y gases. Cada uno tiene sus propias características. (págs. 260-269)

La materia está formada por elementos. Un átomo es la parte más pequeña de un elemento que mantiene sus propiedades. (págs. 272-279)

Los cambios físicos causan que la materia se vea diferente. Los cambios químicos causan la formación de un tipo de sustancia distinto. (págs. 284-291)

Hacer una guía de estudio MODELOS DE PAPEL™

Pega tus guías de estudio de la lección en una hoja de papel como se muestra. Usa tu guía de estudio para repasar lo que aprendiste en este capítulo.

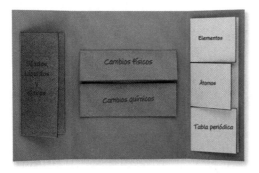

Completa los espacios en blanco con la palabra apropiada de la lista.

cambio químico, pág. 288

condensación, pág. 268

elementos, pág. 274

evaporación, pág. 267

gas, pág. 265

líquido, pág. 264

cambio físico, pág. 286

sólido, pág. 264

1. La materia que tiene un volumen determinado y toma la forma del recipiente que la contiene es un _____. 3 PS 1.e

2. Toda materia está formada por _____. 3 PS 1.i

3. Un cambio que causa la formación de un tipo de sustancia diferente es un _____. 3 PS 1.g

4. La materia que no tiene una forma definida ni un volumen determinado es un _____. 3 PS 1.e

5. Cuando un líquido obtiene energía calorífica, se da la _____ ; es decir, el líquido se convierte en gas. 3 PS 1.f

6. Un cambio en el tamaño o forma de la materia es un _____. 3 PS 1.g

7. La materia que tiene una forma definida y un volumen determinado es un _____. 3 PS 1.e

8. Cuando un gas pierde energía calorífica, ocurre la _____; es decir, el gas se vuelve líquido. 3 PS 1.f

Comenta o escribe sobre lo siguiente.

9. Idea principal ¿Cómo se relacionan la materia, los átomos y los elementos? 3 PS 1.h

10. Escritura expositiva ¿Qué tipo de cambios ocurren cuando mezclas harina para panqueques, leche y un huevo y luego calientas la masa para hacer los panqueques? 3 PS 1.g

11. Mide Menciona el nombre del instrumento para medir que se muestra en la fotografía. ¿Qué propiedad de la materia mide? 3 PS 1.h

12. Pensamiento crítico Explica qué tipo de información podrías descubrir si lees esta tabla. 3 PS 1.i

Tabla periódica

Responde a las siguientes preguntas con oraciones completas.

13. Menciona dos cosas que pueden ocurrir cuando la materia absorbe energía calorífica. 3 PS 1.f

14. ¿En qué se parecen y en qué se diferencian los líquidos y los gases? 3 PS 1.e

15. ¿Cómo ha cambiado nuestro conocimiento de la materia con el tiempo? 3 PS 1.i

16. ¿Qué tipo de cambio se muestra en la fotografía? ¿Qué lo causa? 3 PS 1.g

leños ardientes

17. ¿Cuáles son algunos signos de que la materia ha experimentado un cambio químico? 3 PS 1.g

 ¿Cuáles son algunas formas de la materia y cómo pueden cambiar? 3 PS 1

Hacer un libro sobre la materia

- Haz un libro sobre la materia. Comienza por hacer dibujos que muestren diez tipos distintos de materia.

- Debajo de cada dibujo, haz una lista con cinco propiedades de la materia mostrada. Incluye en tu lista el estado de la materia.

- Incluye una página que ilustre lo que las personas de la antigüedad pensaban de la composición de la materia.

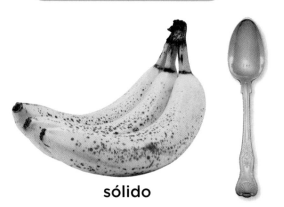

sólido

líquido

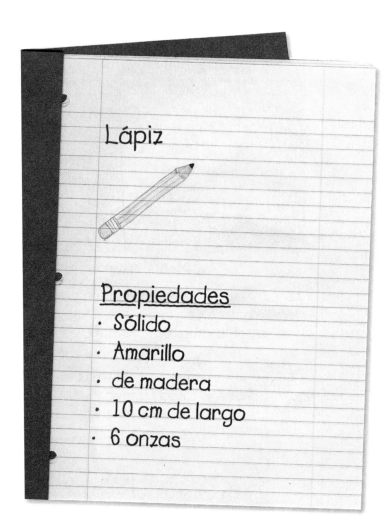

Lápiz

Propiedades
- Sólido
- Amarillo
- de madera
- 10 cm de largo
- 6 onzas

gas

1 ¿Cuál de los siguientes enunciados mostraría el paso del agua del estado sólido al líquido? 3 PS 1.f

   A una olla de agua sobre la estufa

   B una paleta helada dejada al sol

   C una paleta helada dejada en el congelador

   D un vaso de agua junto a una ventana abierta

2 Si dejas un vaso de limonada medio lleno sobre una mesa durante una semana, ¿qué podría sucederle al agua de la limonada? 3 IE 5.e

   A El agua hervirá bajo la luz del sol.

   B Alguien se beberá la limonada.

   C El agua se evaporará.

   D El agua se combinará con el azúcar de la limonada.

3 ¿Qué sucede cuando un cubo de hielo cambia de forma? 3 PS 1.f

   A Un sólido se hace líquido.

   B Un líquido se hace gas.

   C Se congela.

   D Se evapora.

4 Algunos estudiantes mezclaron mantequilla, harina, azúcar y huevos en un tazón.

¿Qué tipo de cambio experimentaron los ingredientes? 3 PS 1.g

   A cambio químico

   B cambio físico

   C cambio sólido

   D cambio de fusión

5 Un estudiante hizo un cartel en el que se mostraban ejemplos de cambios químicos. ¿Qué cartel es éste? 3 PS 1.g

   A agua que se funde

   B un tazón de ensalada de frutas

   C niños haciendo galletas

   D un tazón de fruta cortada

6 Una estudiante escribió sobre la materia en su guía de laboratorio de Ciencias. ¿Cuál de las siguientes oraciones es correcta? 3 PS 1.h

   A La materia es demasiado pequeña para verla a simple vista.

   B La materia proviene del Sol.

   C La materia puede almacenarse y convertirse en energía.

   D La materia está formada por partículas pequeñas llamadas átomos.

7 La tabla periódica muestra 3 PS 1.i

   A los nombres de diferentes cosas que se mezclan.

   B la materia que cambia de líquido a gas.

   C la cantidad de espacio que ocupan todos los objetos.

   D todos los elementos con sus nombres y símbolos.

La energía

 ¿Cuáles son algunos tipos de energía
y cómo pueden cambiar?

3 PS 1. La energía y la materia se manifiestan de distinta manera y pueden cambiar de una forma a otra.

Literatura

Libro de no ficción

ELA R 3.2.5. Distinguen entre la idea principal y los detalles de apoyo en un texto expositivo.
ELA W 3.2.3. Escriben correspondencia formal y personal, notas de agradecimiento e invitaciones.

Paso Tehachapi, cerca de Los Ángeles.

Tomado de *Wind Power*

La fuerza del viento

Christine Petersen

Si vas en auto por el paso Tehachapi, al norte de Los Ángeles, California, podrás ver algo extraordinario: casi 5,000 enormes turbinas eólicas que tapizan las laderas de este amplio valle. Tehachapi alberga turbinas tradicionales de propelas y turbinas tipo "batidora de huevos", que giran todas alocadamente al recibir los fuertes vientos que soplan a través del desierto Mojave y las faldas de las montañas Tehachapi. En conjunto, las turbinas de Tehachapi producen más energía que cualquier otra central energética eólica del mundo.

¡A escribir!

Respuesta a la literatura Este artículo habla de las granjas eólicas que producen electricidad. ¿Qué hace la gente con esa energía? Escribe una carta a un amigo. Describe cómo usas la energía.

CONÉCTATE e-Diario Escribe en **www.macmillanmh.com**

Energía por todas partes

Observa y pregúntate

¿Alguna vez te has preguntado qué hace que los globos aerostáticos se eleven por los aires? ¿Podría ser el aire caliente? ¿Qué pasa con el aire cuando se calienta?

3 PS 1.a. Saber que la energía del Sol llega a la Tierra en forma de luz.

¿Qué pasa con el aire cuando se calienta?

Hacer una predicción

¿Cómo afecta el calor al aire? ¿Hace que el aire se expanda y se eleve? ¿Hace que el aire se contraiga y descienda? Escribe una predicción.

Comprobar la predicción

1. Coloca unas cuantas gotas de agua a lo largo del borde de la abertura de la botella. Coloca el disco de plástico sobre la abertura.

2. **Predice** ¿Qué le pasará al disco a medida que el aire de la botella se caliente?

3. **Observa** Frota tus manos rápidamente de atrás para adelante. Cuando las sientas calientes colócalas sobre la botella. Observa el disco.

Sacar conclusiones

4. **Comunica** ¿Qué le pasó al disco? ¿Los resultados confirmaron tu predicción?

5. **Infiere** ¿Qué pasa con el aire cuando se calienta?

Explorar más

Experimenta Coloca una botella de plástico vacía en el refrigerador durante varias horas. Saca la botella del refrigerador e inmediatamente después coloca un globo sobre la abertura. Predice lo que le sucederá al globo.

 3 IE 5.d. Predecir el resultado de una simple investigación y comparar los resultados obtenidos con la predicción.

Materiales

botella de plástico vacía

agua

disco de plástico

Paso 3

Idea principal 3 PS 1.a

La energía es la capacidad para hacer un trabajo. La energía puede hacer que la materia cambie. El Sol es la principal fuente de energía de la Tierra.

Vocabulario

energía, pág. 304

fricción, pág. 307

energía solar, pág. 308

Destreza de lectura

Saca conclusiones

Pistas del texto	Conclusiones

Tecnología

 BÚSQUEDA CIENTÍFICA Explora la energía.

¿Qué es la energía?

¿En qué piensas cuando escuchas que algo tiene mucha energía? Quizá pienses en un atleta que se esfuerza en la cancha de baloncesto o de fútbol. Quizá pienses en las baterías que hacen funcionar a tu reproductor de mp3. Siempre que se realiza un trabajo hay energía de por medio. La **energía** es la capacidad para realizar un trabajo. La energía puede hacer que la materia se mueva, crezca o cambie.

Usar energía

La energía puede hacer que la materia se mueva, crezca o cambie. Estos animales usan energía todos los días para sobrevivir en su medioambiente.

La energía hace que las cosas se muevan

Mira a tu alrededor. Quizás veas muchos ejemplos de cómo se usa energía para mover la materia. Cuando un jugador de fútbol patea un balón, la energía pasa del pie del jugador al balón. El balón se mueve a un nuevo sitio. Cuando un nadador se desliza por el agua usa energía para desplazarse de un lugar a otro.

La energía hace que las cosas cambien y crezcan

La energía puede causar cambios físicos o químicos en la materia. Un cubo de hielo se funde cuando recibe energía del aire. Pasa de sólido a líquido. Sus propiedades físicas cambian. Cuando el aire recibe energía calorífica, se *expande* o se extiende. Un leño se quema en una chimenea cuando obtiene energía del fuego. Pasa de madera a humo, gases y cenizas. Hay un cambio químico.

La energía causa que los seres vivos crezcan. Las plantas necesitan energía para producir alimento y crecer. Los animales necesitan energía para desplazarse y crecer. Sin energía los seres vivos no pueden sobrevivir.

 Comprobar

Saca conclusiones ¿Cómo afecta la energía a la materia? Da algunos ejemplos.

Pensamiento crítico ¿Se puede hacer un trabajo sin energía? Explica por qué.

Estudiar la foto

¿Cómo están usando los pingüinos la energía?

Pista: Las fotografías te lo cuentan.

¿Cuáles son algunos tipos de energía?

Hay muchos tipos distintos de energía. En la tabla que sigue se muestran algunos de los más comunes.

Tipos de energía

Energía química
La *energía química* es energía almacenada en las sustancias. La energía química de la gasolina se usa para que un auto vaya por la calle. La energía química en los alimentos que comes ayuda a que tu cuerpo crezca y se mantenga caliente. Las baterías tienen también energía química. Esta energía química se usa para operar juegos de video o cámaras portátiles.

Energía eléctrica
La *energía eléctrica* es otro tipo de energía. Cualquier aparato que esté conectado a una toma de corriente eléctrica funciona con energía eléctrica. Los televisores, las computadoras, lavadoras y secadoras de pelo son sólo algunos de los aparatos que usan energía eléctrica.

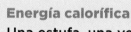

Energía calorífica
Una estufa, una vela y un cerillo producen *energía calorífica*. Cuando te sientes caliente, en realidad estás sintiendo energía calorífica. Se produce calor cuando la energía se transmite de un objeto caliente a uno más frío.

Energía mecánica
La energía que se usa para mover objetos se llama *energía mecánica*. El viento que sopla por la superficie de la Tierra tiene energía mecánica. El agua que corre por un río tiene energía mecánica. Cuando montas en bicicleta, usas energía mecánica para ir de un lugar a otro.

La energía puede cambiar de forma

Cuando usamos energía, no desaparece. La cambiamos de un tipo de energía a otro. Frota tus manos. ¿Qué sientes? Se calientan. Como tus manos se mueven, tienen determinada cantidad de energía mecánica. A medida que la fricción disminuye la velocidad de tus manos, parte de la energía se convierte en energía calorífica. La **fricción** es una fuerza que se produce cuando una superficie roza con otra. La fricción causa que cierta energía mecánica se transforme en energía calorífica.

La fricción causa que la energía mecánica producida por frotar tus manos se transforme en energía calorífica. Tus manos están más calientes. ▼

≡ Haz la prueba

Tipos de energía

1 **Observa** Coloca una liga elástica gruesa contra el dorso de tu mano. ¿La sientes tibia, caliente o fría?

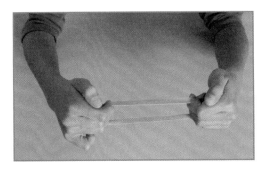

2 Estira y deja de estirar la liga 30 veces.

3 **Observa** Repite el paso 1. ¿Cómo sientes la liga? ¿Está tibia, caliente o fría?

4 **Comunica** Describe cómo cambió la liga.

5 **Saca conclusiones** ¿Cómo se está transformando la energía de un tipo a otro?

✔ Comprobar

Saca conclusiones ¿En qué tipo de energía transforma un automóvil la energía química de la gasolina?

Pensamiento crítico Menciona algunos de los objetos de tu casa que usan energía eléctrica.

¿Cuál es la principal fuente de energía de la Tierra?

El Sol es la principal fuente de energía de la Tierra. La energía que viene del Sol se llama **energía solar.** La energía solar viaja millones de millas por el espacio en forma de rayos de luz. La luz es un tipo de energía. Los rayos del Sol no llegan igual a todas partes en la Tierra. Algunos lugares reciben más luz directa del Sol que otros porque la Tierra está inclinada sobre su eje.

Cuando la energía solar llega a la materia, los átomos que la forman reciben energía. Comienzan a moverse y a chocar entre sí. Este movimiento produce energía calorífica. Vemos la energía solar en forma de luz y la sentimos como calor.

El Sol es la principal fuente de energía de la Tierra. Tú ves la energía del Sol en forma de luz y la sientes en forma de calor.

Cambiar la energía del Sol

Casi todos los tipos de energía en la Tierra vienen de la energía del Sol. Las plantas usan energía solar para producir alimento. Este alimento contiene energía química que las plantas usan para crecer. Cuando los animales comen plantas, parte de esa energía se transmite a ellos.

La energía que viene del Sol no calienta igual el aire de la Tierra, lo que causa la formación de vientos. El viento tiene energía mecánica. Puede usarse para hacer girar las aspas de un molino de viento o impulsar un velero. Puede incluso empujar una cometa por el aire. En el pasado, las personas usaban la energía eólica para moler maíz y bombear agua. Hoy día, la energía eólica hace girar generadores para producir electricidad.

 Comprobar

Saca conclusiones ¿Dónde se origina la mayor parte de la energía de la Tierra?

Pensamiento crítico ¿Cómo usas la energía que viene del Sol?

▲ Las aspas que giran toman la energía del viento y la ponen a trabajar.

Comer partes de una planta le da a tu cuerpo energía química. Tu cuerpo usa esta energía para crecer, permanecer caliente y hacer trabajos. ▶

¿Cómo cambia la energía del Sol a la materia?

La energía solar puede causar que la materia cambie. Sólidos, como el helado y el chocolate, pueden fundirse cuando la energía solar causa que obtengan la suficiente energía calorífica. La energía solar causa también que líquidos, como el agua del océano, se evaporen y se conviertan en gas.

El Sol y el ciclo del agua

La Tierra ha tenido la misma cantidad de agua durante miles de millones de años. La naturaleza usa el agua una y otra vez. El Sol provee energía para convertir la nieve y el hielo en líquido, y para que el agua líquida de los océanos, lagos y ríos se convierta en vapor de agua que se vuelve parte del aire. El vapor de agua del aire se enfría y regresa a líquido, formando nubes. Las nubes se ponen densas y el agua cae de nuevo sobre la Tierra en forma de lluvia, granizo, aguanieve o nieve.

▲ La energía del Sol puede causar que la materia sólida cambie.

Comprobar

Saca conclusiones Menciona algunas formas en las que la energía solar cambia la materia.

Pensamiento crítico José dejó su vaso de agua bajo el sol. Después de unos días, el vaso estaba vacío. ¿Qué causó este cambio?

◀ La luz solar suministra la energía necesaria para que el agua se evapore, se condense y luego caiga de nuevo en los océanos de la Tierra a través del ciclo del agua.

Resumir la idea principal

La **energía** es la capacidad para realizar un trabajo. La energía puede causar que la materia se mueva, cambie o crezca. (págs. 304-305)

Hay varios **tipos** de energía. La química, la eléctrica, la calorífica y la mecánica son algunos tipos de energía. (págs. 306-307)

El **Sol** es la principal fuente de energía de la Tierra. (págs. 308-310)

Hacer una guía de estudio MODELOS DE PAPEL™

Haz un boletín con tres secciones. Úsalo para resumir lo que aprendiste acerca de la energía.

Definir energía

Hay muchos tipos de energía...

La energía del Sol

Pensar, comentar y escribir

1 **Idea principal** ¿Qué es la energía? ¿Cuáles son algunos tipos de energía?

2 **Vocabulario** ¿Qué es la fricción? Habla al respecto.

3 **Saca conclusiones** Las plantas obtienen la energía química que necesitan para sobrevivir de los alimentos que producen. Los animales también necesitan energía química, pero no pueden producir sus propios alimentos. ¿Cómo obtienen energía?

Pistas del texto	Conclusiones

4 **Pensamiento crítico** ¿En qué se parece una manzana a la gasolina de un automóvil?

5 **Práctica para la prueba** La principal fuente de energía de la Tierra viene

A del agua.

B del Sol.

C de baterías.

D de la electricidad.

Conexión con Matemáticas

Resolver un problema
La energía calorífica que viene del Sol causa que los líquidos se evaporen. Imagina que 1 litro de limonada tarda 1 día y medio en evaporarse en el exterior durante el verano. ¿Cuánto tiempo tardarán en evaporarse 4 litros de limonada a la misma velocidad?

Conexión con Arte

Hacer un *collage*
Recorta en una revista fotografías de distintos tipos de energía. Identifica el tipo de energía que se usa. Pega tus fotografías en un cartel. Presenta tu cartel al resto de la clase.

Sacar conclusiones

Acabas de hacer un experimento relacionado con la energía y leíste sobre los distintos tipos de energía. En esta sección, experimentarás con uno de esos tipos de energía. Los científicos hacen muchos experimentos, comprueban sus ideas y luego **sacan conclusiones** de lo que observaron y anotaron.

❶ Estúdialo

Cuando **sacas conclusiones**, interpretas los resultados de un experimento para responder a una pregunta. Miras todos los datos y decides cuál es verdadero. Mientras recopilas datos y haces observaciones, es importante anotar todo en una tabla. Así tendrás todos los datos en un lugar para poder sacar una conclusión.

◀ El molino de agua es una máquina que usa la energía del agua que fluye o que cae para dar potencia a molinos y fábricas.

② Inténtalo

¡Ahora descubre si el agua proporciona la energía suficiente para que un plato de plástico eleve un sujetapapeles! Recopila datos y **saca conclusiones** siguiendo los pasos que aparecen a continuación.

▶ Recorta cuatro ranuras de 3 cm en un plato de plástico. Luego dobla las ranuras para hacer un molinete.

▶ Inserta un lápiz por el centro del plato.

▶ Ata un pedazo de hilo al sujetapapeles y el otro extremo al lápiz, cerca del orificio del plato.

▶ Abre el grifo de tal manera que el agua corra lentamente.

▶ Apoya el lápiz en las palmas de las manos. Luego, dirige el borde del plato a 2 cm debajo del agua que cae. Anota lo que haces y observas.

▶ Repite el experimento con una corriente de agua más fuerte. Anota lo que haces y observas.

Ahora saca conclusiones. Usa los datos y tus observaciones para responder las siguientes preguntas:

▶ ¿Qué conclusión puedes sacar sobre la energía hidráulica?

▶ ¿Qué conclusión puedes sacar de la fuerza del agua para suministrar energía?

▶ ¿Qué piensas que pasaría si usaras un sujetapapeles más pesado?

③ Aplícalo

Ahora que has aprendido a pensar como un científico, recopila datos y saca más conclusiones. ¿Piensas que el molino de agua hecho con un plato de cartón podría elevar un bloque de madera? Comprueba tu idea, anota tus dados y **¡saca conclusiones!**

 3 IE 5.b. Distinguir entre evidencia y opinión. Saber que los científicos no aceptan aseveraciones o conclusiones que no estén respaldadas por observaciones que puedan ser confirmadas.

Usar energía

Observa y pregúntate

¿Alguna vez has ido a una carrera como ésta?
¿Qué causa el movimiento de los coches? ¿Cómo
puedes hacer que vayan más rápido y más lejos?

3 PS 1.b. Saber que hay muchas formas en que la energía puede ser almacenada, como comida, combustible y baterías. **•3 PS 1.c.** Saber que las máquinas y los seres vivos convierten a movimiento y calor la energía almacenada.

¿Cómo puedes aumentar la distancia que recorre un coche de juguete?

Formular una hipótesis

¿Cómo afectará la pendiente de una colina la distancia que recorre un coche? Escribe una hipótesis.

Comprobar la hipótesis

1. Apila tres libros uno sobre otro. Pega con cinta adhesiva de papel el borde del cartón con el borde del libro superior. Pega el borde inferior del cartón al piso. El cartón debe verse como un tobogán.

2. Coloca un coche en el borde del cartón y suéltalo.

3. **Mide** Coloca un pedazo de cinta adhesiva de papel en el lugar donde el automóvil se detenga. Usa una vara métrica para medir la distancia de la parte interior del cartón a la cinta adhesiva de papel. Anota tu medición.

4. **Usa variables** Agrega otro libro a la pila y repite los pasos 2 y 3. Continúa agregando libros hasta que tengas seis. Compara las distancias que el coche recorre cada vez.

Sacar conclusiones

5. **Saca conclusiones** ¿Cómo afectó la pendiente de la colina la distancia que recorrió el coche? ¿Los resultados confirmaron tu hipótesis?

Explorar más

Experimenta Si usas un coche más grande, ¿qué pasará con la distancia total recorrida?

3 IE 5.e. Recopilar los datos de una investigación y analizarlos para llegar a una conclusión lógica.

Materiales

libros   cartón

cinta adhesiva de papel   coche de juguete

vara métrica

Paso 2

Paso 3

▶ **Idea principal** 3 PS 1.b
3 PS 1.c

La energía potencial es energía que se almacena en los objetos. La energía cinética es la energía del movimiento.

▶ **Vocabulario**

energía potencial, pág. 317

energía cinética, pág. 317

combustible, pág. 318

▶ **Destreza de lectura**

Haz inferencias

Pistas	Lo que sabes	Inferencias

¿Qué son la energía potencial y la energía cinética?

Un coche de juguete no puede desplazarse por sí solo. Necesita una fuente de energía para desplazarse. Mover el coche a la parte superior de una rampa o colina puede suministrar la energía. Cuanto más alta la colina, mayor será la cantidad de energía que tendrá el coche. Cuanto mayor sea la cantidad de energía, mayor será la distancia que recorra el coche.

◀ Cuando una montaña rusa está en la parte más alta, tiene energía almacenada.

Cuando un coche está en la parte más alta de una colina, tiene energía almacenada por su posición. La energía almacenada es energía que está disponible para ser usada. La energía almacenada se llama **energía potencial**.

Cuando un coche de juguete se desliza por una rampa y por el piso, usa energía potencial. La energía potencial se transforma en energía cinética. La **energía cinética** es la energía del movimiento. Todos los objetos en movimiento –un coche de juguete, un coche real, incluso un jugador de baloncesto que corre en la cancha– tienen energía cinética.

 **Comprobar**

Haz inferencias ¿Qué tipo de energía tiene una pelota que gira?

Pensamiento crítico ¿Cuándo tiene una montaña rusa más energía potencial?

▲ El martillo en movimiento tiene energía cinética. La energía se transmite al clavo cuando el martillo lo golpea.

◀ Cuando una montaña rusa va hacia abajo tiene energía cinética.

1. En el interior de las baterías se almacena energía química.

2. Cuando la linterna se enciende, parte de la energía química almacenada se transforma en energía eléctrica.

3. El foco transforma la energía eléctrica en luz y calor.

Leer un diagrama

¿Cómo funciona una linterna?

Pista: Observa la ilustración y lee las leyendas.

¿Cuáles son algunas de las fuentes de energía química almacenada?

La energía química almacenada en los alimentos, el combustible y las baterías es energía potencial. El **combustible** es una sustancia como la gasolina, el carbón o la madera, que quemamos para obtener energía. Dependemos de la energía química almacenada para muchas cosas. La usamos para calentar las casas y las oficinas. La usamos para hacer funcionar la mayoría de los coches, aviones y trenes. Incluso nuestros cuerpos usan energía química para moverse, crecer y estar calientes.

Un cerillo tiene energía química. Cuando enciendes un cerillo, se libera la energía química. Se transforma en energía calorífica y en energía lumínica. Cuando la energía química se ha consumido, el cerillo se apaga. Deja de producir energía calorífica y energía lumínica.

▲ Mientras un cerillo se quema, se libera la energía almacenada en forma de calor y de luz.

Como el cerillo, los alimentos que comes contienen energía química almacenada. Tu cuerpo descompone los alimentos en sustancias simples que van a tus músculos. Allí se libera la energía almacenada. Tu cuerpo la usa para crecer y estar fuerte y sano.

✓ Comprobar

Haz inferencias Una linterna produce un haz de luz muy bajo. ¿Qué podría demostrar esto de las baterías que están dentro de la linterna?

Pensamiento crítico ¿Cómo usa tu cuerpo la energía química almacenada?

▲ La energía almacenada en los alimentos te permite jugar y divertirte.

≡ Haz la prueba

Usar energía

1 Tu cuerpo necesita energía. La tabla que sigue muestra cuánta energía hay en algunos de los alimentos que comemos.

Alimentos	Energía en calorías
1 taza de leche con 2% de chocolate	220
1 taza de ensalada de atún	383
rebanada de pizza	320

2 **Usa números** Usa la tabla para planear un almuerzo. ¿Cuántas calorías hay en un almuerzo con esos alimentos?

3 **Analiza los datos** La tabla que sigue muestra algunas actividades. Elige una. ¿Cuánto tiempo deberás hacer esa actividad antes de agotar las calorías de tu almuerzo? Elige otra actividad y sigue el mismo procedimiento.

Actividad	Calorías quemadas en 30 minutos
ciclismo (lentamente)	100
trotar	160
escuchar música	17

4 **Compara** ¿Qué actividad usa más energía?

¿Cómo se transforma la energía almacenada?

Muchas máquinas transforman la energía almacenada en energía cinética. Una estufa de gas, un horno o una caldera convierten la energía almacenada del gas natural en energía calorífica. Cuando le das cuerda a un juguete, el resorte dentro del juguete se contrae y almacena energía potencial que, al liberar el resorte, hace girar los engranes para que el juguete se mueva. El juguete en movimiento tiene energía cinética.

El motor de un coche transforma la energía química almacenada de la gasolina para moverlo. Parte de la energía almacenada se transforma en energía calorífica. Demasiada energía calorífica puede causar el sobrecalentamiento de un coche. Por ello, los coches tienen un sistema de enfriamiento en el motor que impide que se sobrecalienten.

También los seres vivos transforman la energía almacenada en energía cinética y calorífica. Cuando juegas con amigos, usas la energía cinética almacenada en los alimentos para moverte. Si te mueves muy rápido, puedes sentirte caliente. ¡Incluso sudar! Las personas sudan para enfriar su cuerpo.

▲ Un coche dejará de funcionar si se acumula demasiada energía en su motor.

Si empiezas a sentirte caliente y sudoroso cuando estás jugando, debes parar y beber agua para enfriar tu cuerpo. ▼

 Comprobar

Haz inferencias ¿Por qué las ruedas de una patineta están frías antes de que te subas y deslices a toda velocidad por una rampa, pero calientes después del recorrido?

Pensamiento crítico ¿Por qué sudas cuando juegas o haces ejercicio?

Repaso de la lección

Resumir la idea principal

La **energía potencial** es energía almacenada. La energía cinética es la energía del movimiento. (págs. 316-317)

Los alimentos, los combustibles y las baterías contienen **energía química** almacenada que puede transformarse en otros tipos de energía. (págs. 318-319)

Las **máquinas y los seres vivos** pueden transformar la energía almacenada en energía cinética. (pág. 320)

Hacer una guía de estudio MODELOS DE PAPEL™

Haz un boletín con tres bolsillos. Úsalo para resumir lo que aprendiste sobre el uso de la energía.

| Energía potencial | Energía química | Máquinas y seres vivos |

Pensar, comentar y escribir

1. **Idea principal** Menciona algunas fuentes de energía potencial.

2. **Vocabulario** ¿Qué es la energía cinética?

3. **Haz inferencias** ¿Por qué es importante comer diariamente una comida balanceada?

Pistas	Lo que sabes	Inferencias

4. **Pensamiento crítico** ¿Por qué una vela se derrite mientras se quema?

5. **Práctica para la prueba** Otro nombre para la energía almacenada es
   - **A** energía cinética.
   - **B** energía potencial.
   - **C** calor.
   - **D** movimiento.

 Conexión con Escritura

Escritura explicativa
¿Cómo convierte un yoyo la energía potencial en energía cinética? Usa un dibujo para mostrar el momento en el que el yoyo tiene la mayor energía potencial y la mayor energía cinética.

Conexión con Matemáticas

Ordenar números enteros
Usa la tabla de la página 319 para ordenar las actividades desde la mayor hasta la menor cantidad de calorías consumidas. Haz una recta numérica de energía: en una recta numérica de 0 a 200 coloca cada actividad en el lugar que le corresponde.

Encender la luz

Las personas usan mucha energía. La necesitamos para nuestros coches, nuestras casas y hacer funcionar todas las máquinas que usamos a diario. Las fuentes de energía como el carbón o el petróleo son limitadas. Cuando se consumen, se han ido para siempre. Otras fuentes de energía son renovables. *Renovable* significa que puede usarse una y otra vez. Aquí te mostramos cómo se han usado estas fuentes alternativas de energía con el paso del tiempo.

Energía eólica Las turbinas de viento se inventan en Dinamarca. Estas máquinas usan la energía del viento para producir electricidad.

1904

1890

Energía geotérmica En Italia la energía calorífica se obtiene de géiseres. El vapor de los géiseres hace girar turbinas que producen electricidad.

1882

Energía hidráulica La corriente del río hace girar una turbina. La turbina transforma la energía del río en electricidad.

ELA R 3.3.4. Determinan el mensaje o el tema del autor en un texto de ficción o no ficción.

Las fuentes renovables de energía pueden reemplazarse en un período breve. Las cinco fuentes renovables más usadas son la hidroeléctrica (agua), eólica, geotérmica, solar y la biomasa. No importa qué fuente de energía uses, lo importante es usar menos electricidad. Eso significa que debes apagar la luz siempre que salgas de una habitación.

Cuando sacas una conclusión,

▶ explicas la respuesta a una pregunta

▶ usas lo que ya sabes

▶ buscas pistas en el artículo

1941

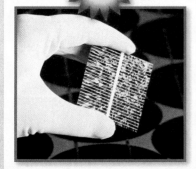

Energía solar
Russell Ohl inventa la celda solar. Las celdas solares transforman la luz solar en electricidad.

1985

Energía de biomasa La industria eléctrica producida por la biomasa comienza a crecer en California en 1985. La biomasa consta de materiales como árboles muertos, restos de cosechas y desperdicios animales. Estos materiales se queman para producir calor, vapor o electricidad.

¡A escribir!

Saca conclusiones ¿Por qué es importante que las personas usen fuentes renovables de energía? Usa lo que ya sabes y lo que leíste en el artículo para sacar una conclusión.

CONÉCTATE e-Diario Escribe en **www.macmillanmh.com**

Ahorrar gasolina

En este capítulo aprendiste que la gasolina es una fuente de energía. Se usa para que los coches anden y las máquinas funcionen. La gasolina se usa también para producir energía eléctrica. La gasolina es un derivado de un combustible fósil. No es una fuente renovable de energía. Cuando se consume, no puede reemplazarse. ¿Piensas que es importante ahorrar gasolina? ¿Por qué? Menciona algunas maneras de ahorrar gasolina.

Una buena carta persuasiva

▶ señala con claridad una opinión sobre un tema

▶ busca persuadir a otra persona para que esté de acuerdo con esa opinión

▶ apoya la opinión con razones, datos y ejemplos convincentes

▶ guarda la mejor razón para el final

Piensa en cómo cada persona está ahorrando gasolina.

 ¡A escribir!

Escritura persuasiva Escribe una carta persuasiva a un líder comunitario. Expresa tu opinión de por qué es importante ahorrar gasolina. Da buenas razones, datos y ejemplos que convenzan a tu lector. Guarda la mejor razón para el final. Usa ejemplos para señalar lo que sucederá si tu comunidad no ahorra gasolina ahora. Asegúrate de seguir el estilo de una carta formal.

CONÉCTATE ⊜-Diario Escribe en **www.macmillanmh.com**

ELA W 3.2.3. Escriben correspondencia formal y personal, notas de agradecimiento e invitaciones, donde:
a. Demuestran que están conscientes de los intereses de la audiencia para establecer el contexto y el propósito adecuado.
b. Incluyen la fecha, el saludo, el cuerpo de la carta, la despedida adecuada y la firma.

El costo de la energía

El siguiente cuadro muestra la cantidad de energía usada por diversos aparatos domésticos en un año. La energía usada se mide en kilowatts por hora (kWh) y cuesta 10 centavos ($0.10) por kWh. Multiplica para hallar cuánto cuesta usar estos aparatos durante un año.

¿Cómo multiplicar decimales?

▶ Para multiplicar un número decimal por un número entero, primero multiplica de la misma manera que con dos números enteros.

▶ Luego cuenta el número de lugares decimales. Coloca el punto decimal ese número de lugares desde la derecha.

3 x $1.50 (2 lugares decimales)

3 x 150 = 450 (cuenta dos lugares decimales $4.50)

3 x $1.50=$4.50

Resuélvelo

Copia la tabla y completa la información faltante. Luego responde las siguientes preguntas.

▶ Un reproductor de DVD usa 24 kWh de energía en un año. Si cuesta $0.10 por kWh, ¿cuánto cuesta usar un reproductor de DVD durante un año?

▶ Si ahorras $0.50 por semana durante un año (52 semanas), ¿cuánto habrás ahorrado en un año?

Aparato	Energía usada (kWh)	Costo (por kWh)	Costo total anual
radio reloj	86	0.10	$8.60
refrigerator	2,088	0.10	$208.80
tostador	50	0.10	$5.00
aspiradora	94	0.10	$_____
teléfono y máquina contestadora	32	0.10	$_____
televisor a color de 19 pulgadas	238	0.10	$23.80
lavadora de ropa	108	0.10	$10.80

MA NS 3.3.3. Resolver problemas de suma, resta, multiplicación y división de cantidades de dinero en notación decimal y multiplicar y dividir cantidades de dinero en notación decimal mediante multiplicadores y divisores con números enteros.

Lección 3

Energía en movimiento

Observa y pregúntate

¿Has observado alguna vez una boya que se mueve hacia arriba y hacia abajo en el agua con las olas? ¿Qué está pasando? ¿Por qué la boya se mueve hacia arriba y hacia abajo?

 3 PS 1.d. Saber que se puede transportar energía de un lugar a otro mediante ondas (como ondas acuáticas y ondas de sonido), corriente eléctrica o al mover objetos.

Explorar

¿Las olas transportan energía?

Hacer una predicción

Se puede transportar energía de un lugar a otro al mover objetos. ¿Transmiten energía las olas? Escribe una predicción.

Comprobar la predicción

1. Pon agua en la bandeja hasta que esté casi llena. Coloca la pelota de tenis de mesa en el agua.

2. **Predice** ¿Qué le pasará a la pelota si dejas caer la piedra dentro de la bandeja? Piensa en cómo se moverá la pelota. Escribe tu predicción.

3. **Observa** Deja caer la piedra con cuidado en el centro de la bandeja. Observa el efecto de la piedra en el agua y la pelota.

4. **Compara** ¿Cómo estaba el agua antes de dejar caer la piedra y cómo quedó después?

Sacar conclusiones

5. ¿Qué causó el movimiento de la pelota? ¿En qué se parece la pelota a una boya en el océano?

Explorar más

¿Cómo puedes demostrar que las ondas transmiten energía a la pelota? ¿De dónde viene la energía?

Materiales

bandeja profunda con agua

pelota de tenis de mesa

piedra pequeña

Paso 3

 3 IE 5.d. Predecir el resultado de una simple investigación y comparar los resultados obtenidos con la predicción.

▶ **Idea principal** 3 PS 1.d

Los objetos en movimiento, las ondas y las corrientes eléctricas pueden llevar energía de un lugar a otro.

▶ **Vocabulario**

onda, pág. 330

energía sonora, pág. 332

vibrar, pág. 332

▶ **Destreza de lectura**

Resumir

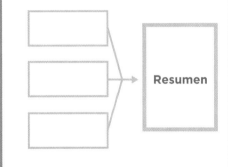

Resumen

▲ ¿Cómo usa un bolichista la energía para derribar todos los pinos?

¿Cómo puede desplazarse la energía a través de los objetos?

¿Alguna vez has ido al boliche? Si lo has hecho, habrás visto que la energía puede ir de un objeto a otro. La energía cinética de tu brazo y mano se transmite a la bola cuando la lanzas sobre la pista. La energía cinética de la bola en movimiento se transfiere al primer pino que golpea. La energía cinética del pino va a los otros pinos que golpea. Si diriges bien la bola ¡la energía puede ayudarte a hacer una chuza!

La energía y los objetos en movimiento

Todos los objetos que se mueven tienen energía cinética. La energía cinética de los objetos en movimiento se transmite a cualquier otro objeto con el que chocan. Los otros objetos obtienen entonces energía cinética y pueden moverse.

Muchos juegos en los que participas usan la energía de los objetos en movimiento. Cuando un jugador de béisbol trata de pegarle a la pelota, el bate está en movimiento. Tiene energía cinética. Cuando el bate golpea la pelota, se transmite la energía. La pelota recibe energía cinética. Se aleja del bate. Cuando un jugador de fútbol patea un balón, su pierna está en movimiento. Esta energía de movimiento se transmite al balón. El balón recibe energía cinética. Se aleja del pie del jugador.

✔ Comprobar

Resume ¿Cómo transmiten energía los objetos en movimiento?

Pensamiento crítico ¿Cómo usas la energía de los objetos en movimiento para ganar cuando juegas a las canicas?

 ¿Cómo se usa la energía del movimiento para anotar un gol?

Cuando empujas la primera ficha de dominó, la energía se transmite para comenzar una reacción en cadena de fichas que caen. ▷

¿Cómo transmiten energía las ondas?

Hay ondas por todas partes. Las reconozcas o no, las ondas te rodean. Las ondas sonoras, las ondas de luz visible, las ondas sísmicas o de terremotos y las ondas marítimas u olas, son unos cuantos ejemplos de ondas.

¿Alguna vez has disfrutado nadar en el océano? Si lo has hecho, sabes que las olas transportan energía de un lugar a otro. Una **onda** es una alteración que atraviesa la materia o el espacio. Las ondas se desplazan por el agua de los océanos con una trayectoria fija. La energía que se mueve a lo largo de estas ondas se transmite a los objetos o a las personas que flotan en el agua.

Las ondas del océano transmiten energía a los objetos que están en el agua.

El movimiento de las olas

Las ondas se mueven de distintas maneras. Las ondas del océano se mueven en parte hacia arriba y en parte hacia abajo. Su energía se transmite a objetos en el agua. Esto causa que los objetos suban y bajen muy rápido. Las ondas que describen un movimiento de subibaja se llaman *ondas transversales*.

Una onda afecta a la materia que atraviesa. Conforme la onda atraviesa el agua, el agua se mueve hacia arriba y hacia abajo, pero luego vuelve a su posición original. Sin embargo, la energía que está en el agua se mueve de un lugar a otro.

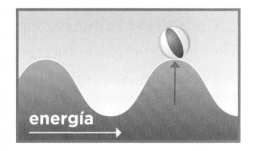

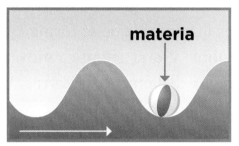

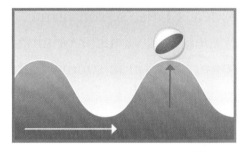

▲ La energía avanza a través de la onda transversal, pero la pelota se mueve hacia arriba y hacia abajo

✔ Comprobar

Resume ¿Qué es una onda?

Pensamiento crítico ¿Qué tipo de ondas hay en los océanos de la Tierra?

Leer un diagrama

Mientras la onda se mueve de izquierda a derecha, ¿cómo se mueven el agua y la pelota?

Pista: Las flechas muestran la dirección.

¿Cómo se desplaza la energía sonora?

Cada día oyes muchos tipos de sonidos. Algunos sonidos son fuertes, otros son suaves. Unos son agudos, otros graves. Todos estos diferentes sonidos se parecen en algo. Son causados por la energía sonora. El sonido es un tipo de energía mecánica. La **energía sonora** es la energía que se forma cuando un objeto vibra. **Vibrar** significa moverse rápidamente hacia delante y hacia atrás. Para que se produzca sonido, algo tiene que moverse.

Cuando un objeto vibra, empuja el aire que lo rodea. El aire se comprime. Luego vuelve a ser empujado a su lugar original. Se forma una onda sonora. La onda sonora transporta energía de un lugar a otro.

1. Las ondas sonoras entran en el **oído externo**.

2. Las ondas sonoras se desplazan al **tímpano**, haciéndolo vibrar.

3. La vibración del tímpano causa que vibren el martillo, el yunque y el estribo en el **oído medio**.

4. La vibración de los huesos causa que vibre el fluido del **oído interno**. La vibración del fluido hace que los delgados capilares vibren también.

5. Las vibraciones se transmiten a un **nervio** que transmite a su vez ondas al cerebro. El cerebro procesa las ondas sonoras y tú oyes el sonido.

Cómo se mueve la energía sonora

El sonido transporta energía de un lugar a otro.

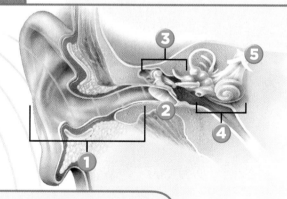

Leer un diagrama

¿Cómo se desplazan las ondas sonoras a través de tu oído?

Pista: Observa las ilustraciones y sigue la trayectoria de las ondas sonoras.

Las ondas sonoras tienen un tipo de movimiento distinto al de las ondas transversales. Las ondas sonoras no se mueven hacia arriba y hacia abajo, sino de atrás para delante. Eso se debe a que se forman cuando el aire se comprime y luego se separa rápidamente. Las ondas que se mueven de atrás para delante se llaman *ondas de compresión*.

Una onda de compresión transporta todo sonido que oyes a tu oído. Cuando la onda pega en tu oído, las partes de tu oído comienzan a vibrar. Si las partes vibran rápidamente, oyes un sonido agudo, como el de un silbato. Si las partes vibran lentamente, oyes un sonido bajo como el de la tuba.

✔ Comprobar

Resume ¿Cómo se desplaza la energía sonora de un lugar a otro?

Pensamiento crítico ¿Qué pasa cuando oyes un sonido?

Cuando tiras de un extremo de una espiral, se forman ondas de compresión. Se mueven hacia delante y hacia atrás. Las ondas sonoras son ondas de compresión. ▶

≣ Haz la prueba

¿Cómo se producen los sonidos?

1 Coloca varias ligas elásticas alrededor de una caja de cartón.

2 **Observa** Tira de las ligas para producir sonidos. ¿Qué sucede?

3 **Saca conclusiones** ¿Puedes producir un sonido sin que se muevan las ligas? ¿Por qué?

central eléctrica

cables eléctricos

cables en las casas

▲ La energía eléctrica producida en una central eléctrica se desplaza por cables. Los cables llegan a tu casa.

¿Cómo se desplaza la energía eléctrica?

¿Alguna vez se ha ido la luz en tu casa? De ser así, pudiste darte cuenta de que muchas de tus cosas favoritas funcionan con energía eléctrica. Las luces se apagaron y el refrigerador dejó de funcionar. Esto sucedió porque la energía eléctrica necesaria para que funcionen estas cosas dejó de fluir hacia tu casa.

La energía eléctrica se produce en centrales eléctricas. Una central eléctrica es donde la energía potencial o cinética se transforma en energía eléctrica.

La energía eléctrica que se produce en una central eléctrica se desplaza por cables. Los cables llegan a tu casa. Los tomacorrientes de tu casa están conectados a estos cables. Cuando conectas un cordón eléctrico en un tomacorriente, la energía eléctrica se desplaza por el cordón. Luego cambia de forma y se convierte en energía lumínica de una lámpara o en sonido y energía lumínica de un aparato de televisión.

✔ Comprobar

Resume ¿Cómo llega la energía eléctrica a tu casa?

Pensamiento crítico ¿Por qué necesitamos usar tomacorrientes para hacer funcionar las luces y los refrigeradores?

Resumir la idea principal

Los **objetos en movimiento** pueden transportar energía de un lugar a otro. (págs. 328–329)

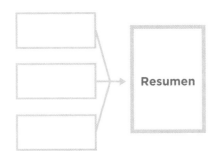

Las **ondas** transportan energía de un lugar a otro. (págs. 330–333)

La energía eléctrica se traslada de un lugar a otro a través de **cables**. (pág. 334)

Hacer una guía de estudio

MODELOS DE PAPEL™

Haz un boletín con tres secciones. Úsalo para resumir lo que aprendiste sobre cómo se desplaza la energía.

Pensar, comentar y escribir

1 **Idea principal** Menciona tres formas de llevar energía a un lugar.

2 **Vocabulario** ¿Qué es una onda?

3 **Resume** ¿En qué se parecen y en qué se diferencian las olas del mar y las ondas sonoras?

Resumen

4 **Pensamiento crítico** Pedro lanzó una roca grande dentro de un estanque. Pronto, las flores que flotaban del otro lado del estanque empezaron a moverse hacia arriba y hacia abajo. Explica por qué.

5 **Práctica para la prueba** Las ondas que se mueven de atrás para delante se llaman

A ondas eléctricas.
B ondas transversales.
C ondas cinéticas.
D ondas de compresión.

 Conexión con Matemáticas

Hacer una gráfica de barras
La tabla incluye el volumen de algunos sonidos. Usa los datos para hacer una gráfica de barras.

Sonido	Volumen en decibeles
susurro	20
plática	60
calle de ciudad	80
trueno	110

 Conexión con Salud

Escribir un informe de investigación
Demasiado ruido puede dañar tus oídos. Es importante protegerlos de los ruidos fuertes. ¿Cómo puedes protegerlos? Menciona algunos lugares donde debes proteger tus oídos.

Acércate a las Ciencias

Materiales

bolsa de plástico

agua

diapasón

bloque de madera

¿Cómo se desplaza la energía sonora a través de diferentes materiales?

Formular una hipótesis

El sonido es una forma de energía. Se mueve en ondas por el aire, el agua y los objetos sólidos. El recorrido de las ondas sonoras a través de algunos objetos puede desacelerarlas, detenerlas o absorverlas. ¿Qué sucede cuando pasa a través de sólidos, líquidos y gases? Escribe una hipótesis.

Comprobar la hipótesis

1. **Anota los datos** Llena de agua una bolsa de plástico y séllala. Colócala junto a tu oído. En tu cuaderno, describe cómo cambian los sonidos del salón de clases cuando te colocas la bolsa cerca del oído.

2. **Experimenta** Sostén la bolsa de agua contra tu oído. Golpea suavemente el diapasón sobre un escritorio y sostenlo cerca de la bolsa. Anota lo que escuches. Pega el diapasón a la bolsa. ¿Cambia el sonido? Anota tu respuesta.

3. **Experimenta** Colócate un bloque de madera cerca del oído. Golpea el diapasón y sostenlo cerca del bloque. Anota lo que escuches. Pega el diapasón al bloque. Anota cualquier cambio que escuches.

4. **Experimenta** Golpea el diapasón y colócatelo cerca del oído. Anota lo que escuches. Pide a un compañero o compañera que atraviese el salón de clases cuando golpees de nuevo el diapasón. Anota cualquier diferencia que escuches.

Materia	Descripción del sonido
sólido	
líquido	
gas	

Paso 1

Paso 2

Sacar conclusiones

5 Compara ¿Cómo sonaba el diapasón cuando el sonido atravesaba el agua? ¿Era distinto el sonido cuando atravesaba el aire?

6 Analiza los datos ¿Qué material bloqueaba más la energía sonora, el aire, la madera o el agua? ¿Por qué piensas que se bloqueaba la energía sonora?

7 Infiere ¿Qué materiales usarías para construir una habitación, como una biblioteca, donde se debe bloquear el sonido?

Investigación guiada

¿Cómo puede transformarse la energía eólica?

Formular una hipótesis

¿Cómo puede transformarse la energía eólica en otra forma de energía? Escribe una hipótesis.

Comprobar la hipótesis

Diseña un experimento para investigar cómo puede transformarse la energía eólica. Escribe los pasos que planeas seguir. Anota tus resultados y observaciones.

Sacar conclusiones

¿Los resultados confirman tu hipótesis? ¿Por qué?

Investigación libre

¿Qué otras pruebas podrías hacer con las ondas de energía? Por ejemplo, ¿qué puede causar cambios en las ondas sobre el agua? Diseña un experimento para descubrirlo.

Recuerda seguir los pasos del método científico.

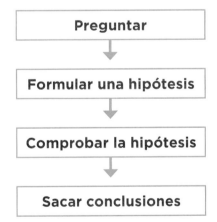

Preguntar

↓

Formular una hipótesis

↓

Comprobar la hipótesis

↓

Sacar conclusiones

3 IE 5.e. Recopilar los datos de una investigación y analizarlos para llegar a una conclusión lógica.

337
EXTENDER

Resumir las ideas principales

La energía es la capacidad para realizar un trabajo. La energía puede hacer que la materia cambie. El Sol es la principal fuente de energía de la Tierra. (págs. 302-311)

Los alimentos, el combustible y las baterías contienen energía almacenada. Las máquinas y los seres vivos transforman energía almacenada en movimiento y en calor. (págs. 314-321)

Los objetos que se mueven transportan energía de un lugar a otro, a través de ondas y corriente eléctrica que fluye por cables. (págs. 326-335)

Hacer una guía de estudio MODELOS DE PAPEL™

Pega tus guías de estudio de la lección en una hoja de papel como se muestra. Usa tu guía de estudio para repasar lo que aprendiste.

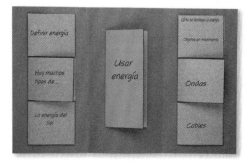

Completa los espacios en blanco con la palabra apropiada de la lista.

energía, pág. 304

fricción, pág. 307

combustible, pág. 318

energía cinética, pág. 317

energía potencial, pág. 317

energía solar, pág. 308

energía sonora, pág. 332

onda, pág. 330

1. Todos los objetos en movimiento tienen energía de movimiento o _____. 3 PS 1.c

2. Una alteración que atraviesa la materia o el espacio es una _____. 3 PS 1.d

3. La capacidad para realizar un trabajo se llama _____. 3 PS 1.a

4. La _____ es la energía que se crea cuando un objeto vibra. 3 PS 1.d

5. La energía que se almacena o espera ser usada es la _____. 3 PS 1.b

6. La gasolina es un _____, que es una fuente de energía almacenada. 3 PS 1.b

7. Cuando frotas tus manos, estás usando _____ para mantenerlas calientes. 3 PS 1.c

8. La energía que viene del Sol se llama _____. 3 PS 1.a

Comenta o escribe sobre lo siguiente.

9. **Saca conclusiones** ¿Qué está causando la transformación de esta materia? 3 PS 1.a

10. **Escritura expositiva** ¿Cómo muestra un jugador de béisbol que pega un cuadrangular que la energía puede trasmitirse de un objeto a otro? 3 PS 1.d

11. **Saca conclusiones** ¿Cómo convertirá esta montaña rusa la energía potencial en energía cinética? ¿Cómo se moverá a lo largo del carril? 3 PS 1.b

12. **Pensamiento crítico** Tanto un coche como una persona necesitan energía para moverse. ¿De qué manera similar obtienen esta energía? 3 PS 1.c

Responde a las siguientes preguntas con oraciones completas.

13. Menciona cuatro tipos de energía. 3 PS 1.d

14. ¿Cómo transforma la materia la energía que viene del Sol? 3 PS 1.a

15. ¿Qué tipo de transformación energética se muestra en la fotografía? 3 PS 1.b

16. ¿En qué se parecen y en qué se diferencian las ondas transversales y las ondas de compresión? 3 PS 1.d

17. ¿Qué debe suceder para que los oyentes escuchen el sonido de una guitarra? 3 PS 1.d

 ¿Cuáles son algunos tipos de energía y cómo pueden cambiar?. 3 PS 1

CAPÍTULO 7

Hacer un cartel sobre la energía

- Haz un cartel sobre la energía. Comienza por hacer un dibujo que muestre la principal fuente de energía de la Tierra. Debajo de la ilustración, escribe una oración que explique cómo llega a la Tierra.

- Después haz dibujos que muestren cuatro tipos distintos de energía. Rotula cada dibujo.

- Luego, haz dos dibujos de la transformación de un tipo de energía. Debajo de cada ilustración, escribe una oración que describa la transformación.

energía química

energía cinética

energía calorífica

1 **¿En qué se parecen una lámpara y el Sol?** 3 PS 1.a

A Los dos emiten luz de día.

B Los dos emiten calor.

C Los dos producen electricidad.

D Los dos reflejan luz.

2 **La energía sonora es transportada por** 3 PS 1.d

A ruido.

B ondas.

C cables.

D oídos.

3 **¿Cuál de los siguientes tiene la mayor energía potencial?** 3 PS 1.c

A el carro de una montaña rusa abajo

B el carro de una montaña rusa a mitad de la subida

C El carro de una montaña rusa hasta arriba de la montaña

D El carro de una montaña rusa a mitad de la bajada

4 **Cuando enciendes una linterna, estás convirtiendo** 3 PS 1.d

A alimentos en calor.

B energía almacenada en luz.

C energía cinética en movimiento.

D energía potencial en velocidad.

5 **¿Cómo se desplaza la energía desde el Sol hasta la Tierra?** 3 PS 1.a

A en forma de viento

B en forma de luz

C en forma de materia

D en forma de agua

6 Observa la siguiente gráfica.

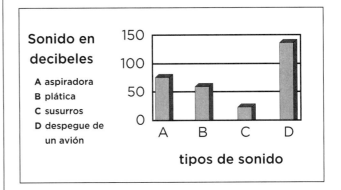

Según los datos, ¿que sonido tiene el mayor volumen? 3 IE 5.e

A el sonido de una aspiradora

B el sonido de una plática

C el sonido de los susurros

D el sonido del despegue de un avión

7 **Un pino de boliche cae cuando lo toca una bola porque la bola está transmitiendo al pino** 3 PS 1.d

A energía de movimiento.

B energía calorífica.

C energía química.

D energía almacenada.

La luz

 ¿Qué es la luz y cómo viaja?

3 PS 2. La luz siempre tiene un origen y viaja en alguna dirección.

Literatura
Poema

Un prisma separa la luz blanca en todos los colores del arco iris.

tomado de *Spectacular Science*

Visión cristalina

Lawrence Schimel

El prisma un rayo de luz pliega,
tira de él y en bandas de color lo convierte.
Mis dedos juegan con la cuerda
un arco iris sostengo, ¡qué suerte!

¡A escribir!

Respuesta a la literatura El poeta habla
sobre una experiencia que tuvo con la luz.
¿Cómo se sintió con esta experiencia?
Escribe una narración personal sobre alguna
experiencia que hayas tenido con la luz. Puede
tratarse de un arco iris, un amanecer o un
ocaso. Menciona cómo te sentiste con esa
experiencia y por qué es memorable.

CONÉCTATE e **-Diario** Escribe en @ **www.macmillanmh.com**

¿Cómo se mueve la luz?

Observa y pregúntate

Cuando miras un espejo, un cristal, el agua u otro objeto brillante, puedes verte. ¿Por qué pasa esto? ¿Cómo hace la luz que sea posible?

3 PS 2.b. Saber que la luz se refleja en espejos y otras superficies.

¿Cómo se mueve la luz?

Hacer una predicción

¿Qué pasa con la luz cuando llega a un espejo?

Comprobar la predicción

1. Sostén un espejo frente a ti. Pide a un compañero o compañera que haga brillar una linterna en el espejo.

2. **Observa** ¿Qué le sucede al haz de luz de la linterna?

3. **Experimenta** Escoge un punto en la pared o en el pizarrón. ¿Puedes hacer que la luz rebote en el espejo para iluminar ese punto? ¿Cómo? ¿Tienes que mover el espejo, la linterna o ambos?

Sacar conclusiones

4. ¿Qué le sucedió al haz de luz cuando tocó en el espejo? ¿Qué le sucedió cuando moviste el espejo? ¿Qué le sucedió cuando moviste la linterna?

5. **Comunica** Haz un dibujo para mostrar cómo se mueve la luz.

Explorar más

Experimenta Siéntate al lado de tu compañero o compañera y sostén el espejo de tal manera que puedas ver a tu pareja. ¿Puede tu pareja verte en el espejo? ¿Puedes verte a ti y a tu pareja en el espejo al mismo tiempo?

 3. IE 5.e. Recopilar los datos de una investigación y analizarlos para llegar a una conclusión lógica.

Materiales

espejo

linterna

Paso 1

Paso 3

¿Qué es la luz?

Desde los cielos azules hasta el pasto verde y los dorados rayos del sol, vives en un mundo de color. ¿Qué es el color? ¿Por qué vemos el color? Para entender el color, primero debes aprender sobre la luz. La **luz** es una forma de energía formada por ondas transversales que se mueven hacia arriba y hacia abajo.

La luz visible

Puedes ver algunas ondas de energía lumínica. El color es energía lumínica que podemos ver. La luz que puedes ver se llama *luz visible*. El haz de luz de una linterna y el flash de una cámara son luz visible. Todo lo que ves es gracias a la luz visible.

Formas de energía lumínica

▼ Las **ondas de radio** se usan para transmitir señales a teléfonos celulares, radios y televisores.

Las **ondas infrarrojas** se sienten como calor. Esta fotografía se tomó con película que muestra luz infrarroja.

▼ Las **microondas** se usan para cocinar alimentos.

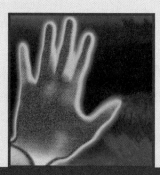

ondas de radio   **microondas**   **ondas infrarrojas**

La luz invisible

Otras formas de energía lumínica no son visibles. Las ondas de los rayos X son una forma de energía que no puedes ver. Usamos ondas de rayos X para sacar radiografías de huesos y dientes. Las ondas producidas en el interior de un horno de microondas son otra forma de energía lumínica invisible. No puedes ver las microondas pero puedes ver cómo cambian los alimentos crudos.

 Comprobar

Resolución de problemas Te caíste y te lastimaste el tobillo. ¿Cómo puedes saber si te lo fracturaste?

Pensamiento crítico ¿En qué se parecen la luz y el sonido?

Las **ondas de luz visible** son el único tipo de energía lumínica que podemos ver. Vemos estas ondas como los colores del arco iris.

Las **ondas ultravioleta** broncean tu piel pero también te pueden provocar una quemadura. ▶

Una **onda de rayos X** es energía de luz invisible usada para sacar radiografías de los huesos. ▼

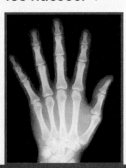

Las **ondas gamma** de alta energía se usan en plantas de energía nuclear. ▼

PRECAUCIÓN

MATERIALES RADIACTIVOS

| ondas visibles | ondas ultravioleta | ondas de rayos X | ondas gamma |

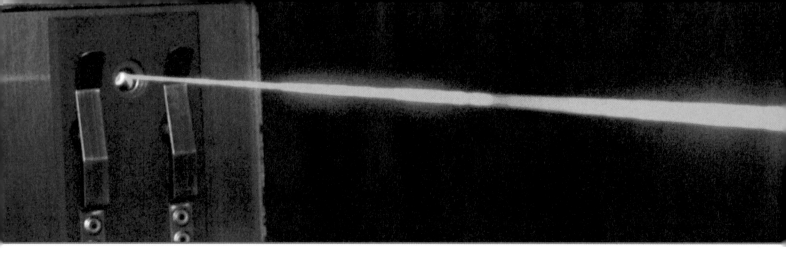

¿Cómo viaja la luz?

Todas las formas de energía lumínica se parecen en algo: la luz viaja siempre en línea recta. La luz visible sale de una lámpara siguiendo una trayectoria recta. Las microondas de un horno de microondas se mueven en línea recta. Incluso la energía lumínica que viene del Sol viaja millones de millas por el espacio en trayectorias rectas.

Reflejo

¿Alguna vez has jugado tenis? Después que la pelota golpea contra el suelo, rebota hacia arriba. La luz actúa de manera muy similar a una pelota de tenis. Cuando la luz da en un objeto, rebota en otra dirección. Luego sigue moviéndose en línea recta. A la onda de luz que rebota en un objeto se le llama **reflejo**.

Reflejo

La luz es como una pelota de tenis que rebota. Cuando toca una superficie, rebota en otra dirección.

Estudiar la foto

¿En qué se parece la trayectoria de una pelota de tenis a la de la luz reflejada en un espejo?

Pista: Las fotografías pueden mostrar movimiento y dirección.

¿Qué notas en la trayectoria de la luz del láser?

Las superficies lisas y brillantes reflejan casi toda la luz que las toca. Estas superficies pueden usarse como espejos. La luz rebota en ellos en una dirección y forma una figura llamada *imagen*.

 Comprobar

Resolución de problemas
¿Cómo puedes verte si no tienes un espejo?

Pensamiento crítico ¿Es posible ver en la oscuridad? Explica tu respuesta.

◀ Cuando te miras en el espejo ves tu propia imagen.

☰ Haz la prueba

El movimiento de la luz

1. Usa un lápiz para perforar con cuidado un agujero en dos tarjetas. Sostén las tarjetas verticalmente sobre una superficie plana, de manera que los agujeros estén alineados.

2. **Observa** Coloca una linterna encendida directamente detrás de la segunda tarjeta. Luego flexiona tu cuerpo de manera que tu vista esté al nivel de la primera tarjeta. ¿Puedes ver el haz de luz de la linterna?

3. **Predice** ¿Qué sucederá si mueves una de las tarjetas? ¿Podrás seguir viendo la luz? Escribe tu predicción y haz un dibujo de cómo crees que se moverá la luz.

4. **Observa** Mueve la segunda tarjeta un poco hacia la derecha. De nuevo, flexiona tu cuerpo para que tu vista esté al nivel de la primera tarjeta. ¿Puedes ver ahora el haz de luz de la linterna?

5. **Saca conclusiones** ¿Qué causó las diferencias en tus observaciones? Haz otro dibujo para explicar cómo viaja la luz.

¿Qué sucede cuando la luz toca una superficie áspera?

Un espejo con superficie lisa y brillante refleja muy bien la luz y muestra una imagen nítida. Un espejo con una superficie rayada no reflejará una imagen nítida. ¿Por qué?

Cuando la luz toca una superficie áspera, rebota en distintas direcciones. Por eso no se forma una imagen nítida. Puedes verlo en la superficie de un lago tranquilo. Si el agua está turbia y se mueve, no se forma una imagen nítida. Esto es porque la luz se refleja en muchas direcciones.

▲ Cuando la luz toca un lago turbio, rebota en distintas direcciones. No puedes ver una imagen nítida en la superficie.

▲ La luz que toca una superficie áspera se refleja en distintas direcciones.

 **Comprobar**

Resolución de problemas Si estuvieras planeando hacer un edificio que refleje el cielo, ¿qué tipo de material usarías?

Pensamiento crítico ¿Alguna vez has observado tu reflejo en una piscina? ¿Por qué piensas que una piscina puede ser como un espejo?

Resumir la idea principal

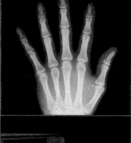

La luz es una **forma de energía**. Cierta energía lumínica es visible y otra no lo es.
(págs. 348-349)

La luz viaja en línea recta. La luz que rebota en un objeto se llama **reflejo**.
(págs. 350-351)

Si la luz toca una **superficie lisa**, se forma una imagen nítida, si toca una **superficie áspera** se dispersa.
(págs. 350-352)

Hacer una guía de estudio MODELOS DE PAPEL™

Haz un boletín con capas. Úsalo para resumir lo que aprendiste sobre la luz.

Luz

La luz es una forma de energía

Reflejo

Superficies lisas y ásperas

Pensar, comentar y escribir

1 **Idea principal** ¿Qué es la luz?

2 **Vocabulario** ¿Qué es un reflejo?

3 **Resolución de problemas** ¿Por qué puedes ver tu propia imagen en la base de una cuchara de plata pero no en el fondo de un tazón de plástico?

Problema

↓

Pasos para resolverlo

↓

Solución

4 **Pensamiento crítico** ¿En qué se diferencia un reflejo en un espejo del objeto que está frente al espejo?

5 **Práctica para la prueba** ¿Cómo viaja la luz?

A en zigzag

B en línea curva

C en círculo

D en línea recta

 Conexión con Escritura

Escribir un párrafo
Cuenta el número de espejos de tu casa. ¿Son muchos? No pensamos en los espejos, pero son muy útiles. Escribe un párrafo en el que enumeres por lo menos cinco usos que tienen los espejos.

+6 **Conexión con Matemáticas**

Resolver un problema
Un lado de un espejo rectangular mide 8 pies de largo. Otro lado del espejo rectangular mide 10 pies de largo. ¿Cuál es la longitud de los otros dos lados del espejo?

Experimentar

Acabas de leer que la luz se mueve en línea recta. ¿Cómo descubrieron esto los científicos? Hicieron un **experimento**, anotaron lo que observaron y analizaron los datos para sacar una conclusión.

① Estúdialo

Cuando **experimentas**, estableces y sigues un procedimiento para comprobar una hipótesis. Es importante anotar lo que observas durante un experimento. Una vez que tienes información suficiente, puedes decidir si tu hipótesis se confirma o no.

② Inténtalo

En el siguiente **experimento**, comprobarás la hipótesis de que la luz se mueve en línea recta. Sigue los pasos del procedimiento. Luego usa tus observaciones para sacar una conclusión.

Procedimiento

1 Dibuja un blanco en una hoja de papel. Cuélgalo en una pared cerca de tu escritorio o mesa.

2 Coloca dos espejos en arcilla como se muestra. Luego ilumina con una linterna uno de los espejos. Dibuja o escribe tus observaciones en una tabla.

3 Mueve la luz o el espejo hasta que la luz se refleje en el otro espejo. Anota tus observaciones.

4 Sigue moviendo la luz o los espejos hasta que la luz se refleje en tu blanco.

5 Ilumina el espejo con la luz desde un ángulo más alto y desde uno más bajo. Anota tus observaciones.

Sacar conclusiones

▶ ¿Cómo hiciste que la luz diera en el blanco? ¿La luz se mueve siempre en línea recta?

▶ ¿Tus observaciones confirmaron o refutaron la hipótesis?

3 Aplícalo

Ahora haz otro **experimento**. Coloca los espejos en su sitio y un objeto pequeño entre ellos. ¿Cuántos reflejos ves? Acerca los espejos, luego sepáralos. ¿Cuántos reflejos observas cada vez? Recuerda anotar tus observaciones.

Lo que hice	Lo que observé
reflejar la luz en un espejo	
que la luz se reflejara en el otro espejo	
reflejar la luz desde un ángulo más alto	
reflejar la luz desde un ángulo más bajo	

3 PS 2.b. Saber que la luz se refleja en espejos y otras superficies.

355
EXTENDER

Ver la luz y el color

Observa y pregúntate

¿Alguna vez has mirado a través de un vidrio de colores? ¿Cómo cambia el vidrio de colores el aspecto de un objeto?

3 PS 2.c. Saber que el color de la luz que ilumina un objeto afecta cómo lo ven nuestros ojos. **•3 PS 2.d.** Saber que vemos objetos cuando la luz que viene de los objetos entra en nuestros ojos.

¿Cómo afecta la luz los colores que ves?

Formular una hipótesis

¿Se verá diferente el color de un objeto si lo observas a través de un filtro de color?

Comprobar la hipótesis

1 **Predice** Observa una hoja de papel blanco y algunas hojas de papel de colores. ¿De qué color se verá cada hoja de papel si la observas a través del filtro azul? ¿Del rojo? ¿Del verde? Escribe tus predicciones.

2 **Experimenta** Observa el papel blanco y el papel de colores a través del filtro rojo. Repite esto con cada uno de tus filtros de colores. Haz una lista de todos los colores que veas.

Sacar conclusiones

3 **Compara** ¿En qué se parecen y en que se diferencian tus observaciones con tus predicciones?

4 **Analiza los datos** ¿Por qué viste diferentes colores?

Explorar más

Experimenta ¿Qué color tendrá un objeto blanco si lo miras a través de un filtro azul? ¿Qué pasa si lo miras a través de un filtro azul y un filtro rojo al mismo tiempo? Inténtalo y explica lo que veas.

Materiales

hojas de papel de colores

hojas de plástico de colores

Paso 2

 3 IE 5.d. Predecir el resultado de una simple investigación y comparar los resultados obtenidos con la predicción.

Idea principal

Ves un objeto cuando la luz que refleja entra en tus ojos. El color de la luz que rebota de un objeto le da al objeto su color.

Vocabulario

córnea, pág. 358

pupila, pág. 358

iris, pág. 358

cristalino, pág. 359

prisma, pág. 360

absorber, pág. 360

Destreza de lectura

Idea principal

¿Cómo ves?

Sabes que la luz se refleja o rebota en los objetos que toca. Si la luz reflejada entra en tus ojos, ves una imagen del objeto. La luz toca primero la córnea. La **córnea** es la cubierta exterior transparente del ojo. Cuando la luz pasa por la córnea entra en la pupila. La **pupila** es una abertura del ojo.

Tus pupilas cambian de tamaño para dejar entrar una mayor o menor cantidad de luz. Se empequeñecen cuando hay mayor cantidad de luz. Se agrandan y dejan entrar más luz conforme disminuye la cantidad de luz que hay a tu alrededor. Este cambio de tamaño en tu pupila lo causa el iris. El **iris** es el círculo de color que está alrededor de la pupila del ojo. Regula la cantidad de luz que entra en el ojo y modifica el tamaño de la pupila.

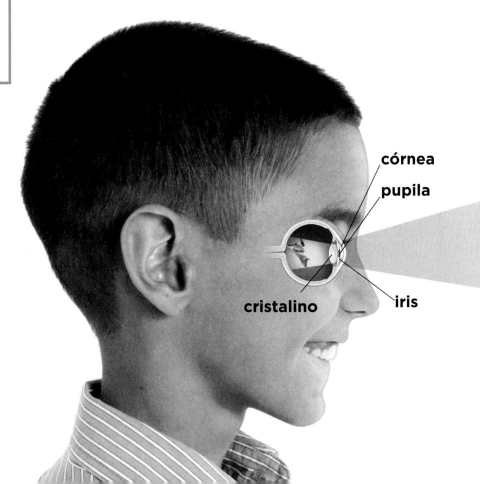

córnea

pupila

cristalino

iris

La luz que entra en tu ojo debe enfocarse. Es como la luz que entra en un proyector de cine y que debe enfocarse en una pantalla. La parte del ojo que enfoca la luz entrante es el **cristalino**. Se localiza detrás de la pupila y el iris. El cristalino enfoca la luz en la parte posterior del globo ocular. La información sobre la imagen que se forma se envía al cerebro. El cerebro deduce entonces de qué es esa imagen.

 Comprobar

Idea principal ¿Cómo te permite ver la luz reflejada?

Pensamiento crítico ¿Por qué cambia el tamaño de la pupila?

¿Cómo afecta la luz a tus pupilas?

1 **Predice** ¿Afecta tus pupilas la cantidad de luz que hay en una habitación? Escribe tu predicción.

2 **Observa** Apaga las luces del salón de clases. Observa tus pupilas en un espejo. Haz un dibujo de lo que ves.

3 **Observa** Enciende las luces del salón de clases. De nuevo, observa tus pupilas en el espejo. Haz un dibujo de lo que veas.

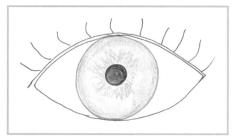

4 **Compara** ¿En qué se diferencian tus dibujos?

5 **Saca conclusiones** ¿Qué causó las diferencias en tus dibujos? ¿Qué muestra esto de la cantidad de luz que entra en tus ojos?

◀ La luz que entra en el ojo pasa a través de la córnea, la pupila y el cristalino. La luz se enfoca en el globo ocular para formar una imagen.

¿Por qué puedes ver los colores?

¿Alguna vez has visto un arco iris? De ser así, probablemente viste bandas de diferentes colores. Esto sucede cuando un objeto llamado prisma separa la luz blanca. Un **prisma** es un lente especial que puede separar la luz blanca. Las gotas de agua del cielo son como prismas que separan la luz del sol. Cuando esto sucede, se forma un arco iris. El arco iris tiene siete colores. Esto es porque la luz blanca está compuesta por luz de siete colores.

Cuando la luz blanca toca un objeto, algunos colores de la luz se **absorben**, o incorporan. Otros colores de la luz se reflejan. Si miras un objeto, parte de la luz reflejada entra en tus pupilas. Ves el objeto del color de esta luz reflejada.

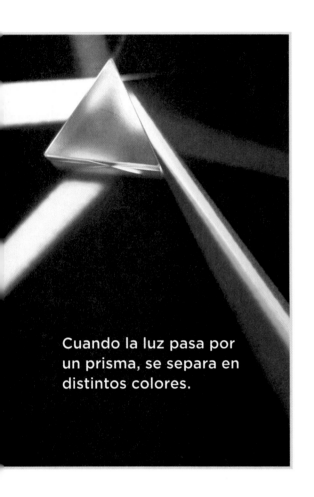

Cuando la luz pasa por un prisma, se separa en distintos colores.

Las luces de colores que forman la luz blanca son la roja, anaranjada, amarilla, verde, azul, índigo y violeta.

Ver colores

La hoja se ve verde

La flor se ve roja.

Leer un diagrama

¿Por qué la hoja es verde y la flor es roja?

Pista: Observa las fotografías de la luz que se refleja.

La luz blanca que toca una hoja está compuesta por siete colores distintos. La hoja absorbe todos los colores excepto el verde. Sólo rebota luz verde de la hoja, que llega hasta tus ojos. Ves esa hoja verde.

Algo muy distinto sucede cuando la misma luz blanca toca una flor roja. Ahora se absorbe la luz verde. Todos los demás colores se absorben, excepto el rojo. Sólo llega la luz roja a tus ojos. Ves la flor roja.

 **Comprobar**

Idea principal **¿Qué sucede cuando la luz blanca pasa a través de un prisma?**

Pensamiento crítico **¿Por qué un plátano se ve amarillo?**

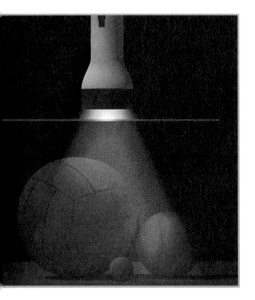

¿Por qué los objetos parecen ser del mismo color que el filtro?

¿Por qué los objetos parecen negros o blancos?

Cuando la luz blanca toca una calle cubierta de alquitrán, todos los colores de la luz se absorben. Casi no se refleja luz. Por eso la calle se ve negra. Cuando la luz blanca toca un muñeco de nieve, se reflejan todos los colores de la luz. No se absorbe luz alguna. El muñeco de nieve se ve blanco.

¿Qué sucede cuando miras un objeto blanco a través de un filtro de colores? Como un objeto blanco refleja todos los colores de la luz, el objeto se verá del mismo color que el filtro. Si haces brillar una luz roja sobre una hoja de papel blanca el papel se verá rojo. El filtro sólo permite el paso de la luz roja. Absorbe todos los demás colores de la luz. Si miras la misma hoja de papel a través de un filtro azul, se verá azul. Sólo la luz azul puede pasar por el filtro azul. Todos los demás colores de la luz se absorben. La luz que brilla sobre un objeto afecta el color del objeto.

 Comprobar

Idea principal ¿Por qué una calle cubierta de alquitrán se ve negra?

Pensamiento crítico ¿Qué color ves si observas una hoja de papel blanco con un filtro amarillo? ¿Por qué?

◀ Las partes negras absorben la luz y las blancas la reflejan.

Repaso de la lección

Resumir la idea principal

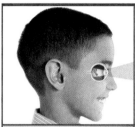

Cuando la luz reflejada entra en **tu ojo**, ves una imagen.
(págs. 358-359)

La luz blanca está compuesta por siete **colores**.
(págs. 360-361)

Los objetos **negros** absorben todos los colores. Los objetos **blancos** reflejan todos los colores. (pág. 362)

Hacer una guía de estudio MODELOS DE PAPEL™

Haz un boletín con tres secciones. Úsalo para resumir lo que aprendiste sobre el color.

Pensar, comentar y escribir

1 **Idea principal** ¿Qué debe ocurrir para que se vea un objeto? Comenta al respecto.

2 **Vocabulario** ¿Qué es un prisma?

3 **Idea principal** ¿Por qué un autobús escolar se ve amarillo y un camión de bomberos se ve rojo?

Idea principal

Detalles · Detalles · Detalles

4 **Pensamiento crítico** Un pizarrón se ve negro aunque hagas brillar sobre él luz roja o luz blanca. Pero una tarjeta se ve roja bajo luz roja y blanca bajo luz blanca. ¿Qué causa esto?

5 **Práctica para la prueba** ¿Cuántos colores componen la luz blanca?

A cuatro

B cinco

C seis

D siete

 Conexión con Escritura

Escribir un cuento
¿Es importante el color? Escribe un cuento sobre un mundo sin color. ¿Cómo sería la vida en tu cuento?

 Conexión con Matemáticas

Hacer una tabla
Una flecha giratoria cae 6 veces en el "rojo", 4 en el "azul" y 5 en el "verde". Haz una tabla de conteo para mostrar estos resultados.

UN RAYO DE LUZ

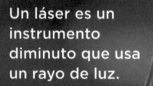

Un láser es un instrumento diminuto que usa un rayo de luz.

Los cirujanos son doctores que operan para sanar lesiones o tratar enfermedades. Usan escalpelos, instrumentos especiales con navajas filosas para cortar tejidos como la piel, los músculos y los órganos. Hoy día cuentan con otro instrumento que pueden usar para hacer operaciones que eran imposibles de hacer en el pasado. ¡Ese instrumento es un rayo de luz!

Este rayo de luz se llama láser. No muchas personas saben que LÁSER significa *Light Amplification by Stimulated Emission of Radiation* (amplificación de la luz mediante la emisión simulada de radiación). El láser es muy potente y preciso. Puede cortar un tejido sin causar mucha pérdida de sangre.

El láser se usó por primera vez para eliminar marcas en la piel de los niños. Hoy día los cirujanos usan el láser para tratar lesiones del cerebro, el corazón y otras muchas partes del cuerpo humano. El láser se usa incluso para ayudar a que las personas vean mejor.

Los doctores hacen cirugía de ojo con láser en personas que tienen problemas de la vista. El láser punza, o "pulsa" sobre la superficie del ojo para modificar su forma. Después de la cirugía, la vista del paciente mejora. El paciente ya no tiene que usar anteojos ni lentes de contacto.

AMERICAN MUSEUM OF NATURAL HISTORY

ELA R 3.2.6. Sustraen información adecuada y significativa del texto, incluyendo problemas y soluciones.

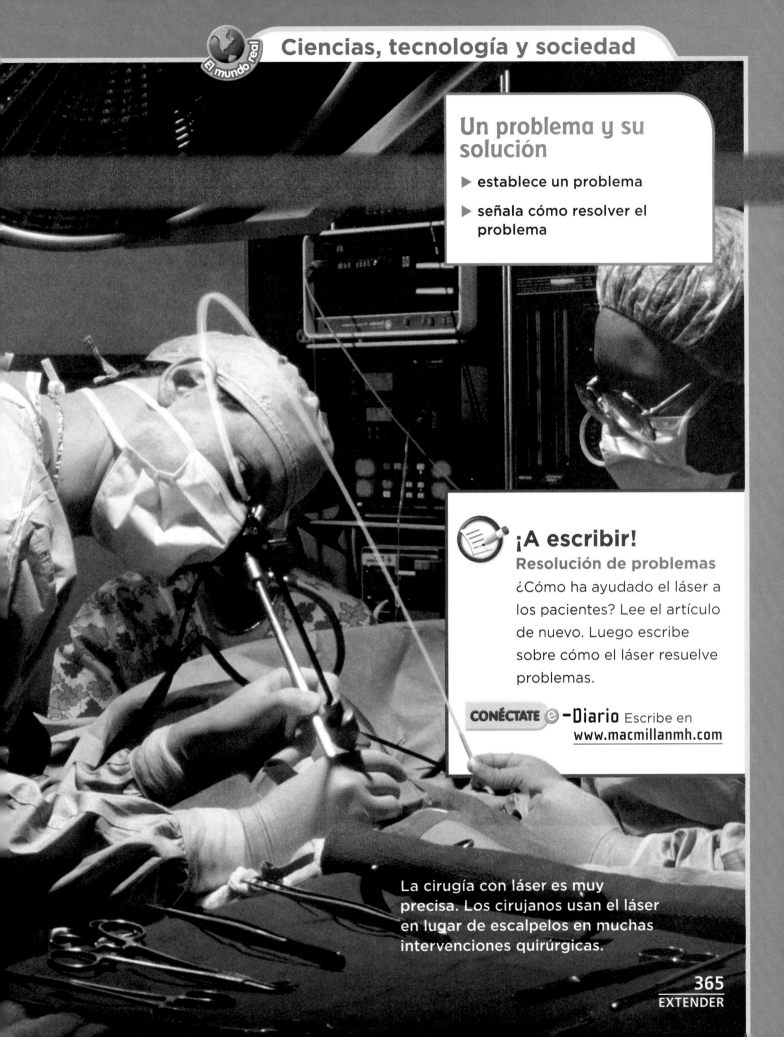

Un problema y su solución

▶ establece un problema

▶ señala cómo resolver el problema

¡A escribir!

Resolución de problemas

¿Cómo ha ayudado el láser a los pacientes? Lee el artículo de nuevo. Luego escribe sobre cómo el láser resuelve problemas.

CONÉCTATE e **–Diario** Escribe en **www.macmillanmh.com**

La cirugía con láser es muy precisa. Los cirujanos usan el láser en lugar de escalpelos en muchas intervenciones quirúrgicas.

Materiales

plato de papel blanco

creyones
de colores

lápiz

¿Cómo puedes combinar los colores de la luz?

Formular una hipótesis

Aprendiste que las gotas de agua del cielo pueden ser como un prisma. El prisma separa la luz blanca en bandas de colores. ¿Puedes combinar las bandas de colores para obtener luz blanca? Escribe una hipótesis. Comienza por, *"Si combino los colores apropiados, entonces..."*

Comprobar la hipótesis

1 Divide el plato de papel blanco en ocho secciones iguales doblando el papel tres veces. Colorea cada sección del plato giratorio con un color diferente.

Paso 1

2 **Observa** Con un lápiz, haz con cuidado un hoyo en el centro del plato. Haz girar tu plato giratorio lejos de tu cuerpo. ¿Qué color ves cuando el plato gira?

3 **Experimenta** Repite los pasos 1 a 3 para hacer otro plato giratorio. Esta vez elige colores que creas que permitan que el plato se vea blanco cuando lo gires. Si es necesario, haz varios platos giratorios para hallar las combinaciones de colores que funcionen mejor.

Sacar conclusiones

④ ¿Qué colores combinaste para lograr el mejor color blanco?

⑤ **Infiere** ¿De qué está compuesta la luz blanca?

Investigación guiada

¿Cómo están dispuestos los colores del arco iris?

Formular una hipótesis

Los arcos iris no suelen durar mucho tiempo. ¡En ocasiones, incluso nos los perdemos! ¿Qué colores hay en un arco iris? ¿En qué orden aparecen los colores?

Comprobar la hipótesis

Diseña un experimento para comprobar tu hipótesis. Usa los materiales mostrados. Escribe los pasos que planeas seguir. Anota tus resultados y observaciones.

Sacar conclusiones

Si te pidieran que dibujaras un arco iris, ¿en qué orden colocarías los colores? ¿Todo arco iris tiene estos colores específicos? ¿Estos colores están siempre dispuestos en el mismo orden?

Investigación libre

¿Qué otras preguntas tienes sobre la luz o el arco iris? Comenta con tus compañeros las preguntas que tengas. ¿Cómo podrías hallar las respuestas a tus preguntas?

Recuerda seguir los pasos del método científico.

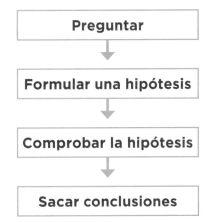

Preguntar
↓
Formular una hipótesis
↓
Comprobar la hipótesis
↓
Sacar conclusiones

Materiales

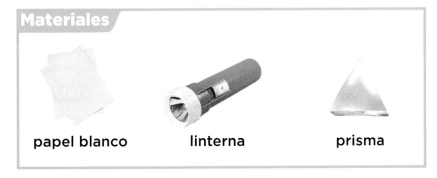

papel blanco   linterna   prisma

3 IE 5d. Predecir el resultado de una simple investigación y comparar los resultados obtenidos con la predicción.

Las sombras

Observa y pregúntate

¿Alguna vez te has preguntado por qué la luz del sol pasa por las ventanas pero no por las paredes ni el techo de un edificio?

3 PS 2.a. Saber que al bloquear la luz solar se producen sombras.

¿Cómo afectan los materiales a la luz?

Hacer una predicción

¿Permiten todos los materiales que la luz pase por ellos? ¿Qué tipos de materiales bloquean la luz?

Comprobar la predicción

1 **Predice** ¿Cuáles materiales de la lista permiten que la luz pase por ellos? ¿Cuáles no? Anota tus predicciones.

2 **Experimenta** Apaga las luces. Pide a un compañero o compañera que sostenga un vaso de plástico. Ilumina el vaso con la linterna. ¿Pasa la luz por él? Ilumina con la linterna el vaso de papel, la envoltura de plástico y el papel aluminio.

3 **Anota los datos** Haz una tabla de dos columnas y anota tus resultados.

4 **Clasifica** Clasifica los elementos en los que permiten el paso de la luz y los que bloquean la luz.

Sacar conclusiones

5 ¿En qué se parecen los elementos que permiten el paso de la luz? ¿En qué se parecen los elementos que bloquean la luz?

Explorar más

Experimenta ¿El paso de la luz a través de un material afecta su brillo? Haz un plan para descubrirlo.

3 IE 5.a. Repetir observaciones para mejorar su exactitud y saber que los resultados de investigaciones científicas similares rara vez son exactamente los mismos debido a diferencias en los objetos estudiados, los métodos de estudio o la inexactitud de las observaciones.

Materiales

vaso de plástico

linterna

vaso de papel

envoltura de plástico

papel aluminio

Paso 2

Idea principal   3 PS 2.a

Los distintos materiales afectan la energía lumínica de manera diferente. Algunos materiales bloquean la energía lumínica y forman sombras. Otros materiales permiten el paso de la luz.

Vocabulario

opaco, pág. 370

sombra, pág. 370

transparente, pág. 374

translúcido, pág. 374

Destreza de lectura

Compara y contrasta

Diferente   Parecido   Diferente

¿Cómo se forman las sombras?

¿Cómo haces para no mojarte en un día lluvioso? ¡Te cubres con un paraguas! Las gotas de lluvia caen sobre el paraguas abierto. Se deslizan por los lados. Como las gotas de lluvia no pasan por el paraguas, no llegan a ti.

Los materiales opacos actúan casi como un paraguas con la energía lumínica. Un material **opaco** absorbe una determinada cantidad de energía lumínica. También refleja determinada cantidad. De esta forma, los objetos opacos bloquean la energía lumínica e impiden que pase por ellos. Como se bloquea la energía lumínica, se forma una **sombra**, o espacio oscuro.

Objetos opacos

Las gotas de lluvia no pasan a través del paraguas. No llegan a ti

Los objetos opacos, como un muro de ladrillos, un árbol, un perro, o incluso tú, no permiten el paso de la luz. Todos los objetos opacos producen sombras. Las sombras se forman del lado contrario al de la fuente de luz.

Los materiales opacos pueden impedir que veas los objetos que están detrás de ellos. Recuerda que ves un objeto cuando la luz que se refleja en él entra en tus ojos. Los materiales opacos bloquean la luz, así que no puedes ver el objeto.

 Comprobar

Compara y contrasta ¿En qué se parecen todas las sombras?

Pensamiento crítico ¿Por qué los materiales opacos te impiden ver los objetos?

▲ Las sombras se forman siempre del lado contrario al de la fuente de luz.

Estudiar la foto

¿En qué se parece un paraguas a un objeto opaco?

Pista: Compara las fotografías.

◀ Los objetos opacos impiden que la luz pase por ellos. Esto causa la formación de sombras.

¿Qué afecta la forma y el tamaño de las sombras?

Una sombra es la zona oscura que se forma cuando un objeto opaco bloquea la energía lumínica. Si alguna vez has jugado en el exterior durante un día soleado, quizás hayas visto tu sombra. Tu cuerpo bloquea la luz solar. La sombra que se forma tiene un perfil similar a tu cuerpo. Si tu bicicleta bloquea la luz solar, entonces se forma otra sombra de la bicicleta.

Las sombras difieren en cuanto a tamaño y forma porque una sombra es como una copia del objeto que está bloqueando la energía lumínica. Los objetos con formas distintas forman sombras de diferentes formas.

▲ El martillo bloquea la luz solar y se forma una sombra que se parece al martillo.

Tu sombra te sigue dondequiera que vayas. ¡Se parece a ti!

El tamaño de una sombra depende de dónde está la fuente de luz. Cuanto más cerca esté un objeto de una fuente de luz, mayor será la sombra. La luz que viene de arriba de un objeto forma una sombra más corta. La luz que viene del lado de un objeto forma una sombra más larga.

Un *reloj de sol* es un dispositivo que mide el tiempo según la posición del Sol. A medida que el Sol se desplaza por el cielo, el reloj de sol produce una sombra. La longitud y la posición de la sombra muestran la hora del día. A mediodía, cuando el Sol está directamente por encima, el reloj de sol forma la sombra más corta.

✔ Comprobar

Compara y contrasta ¿En qué se diferencian las sombras?

Pensamiento crítico ¿Por qué tu sombra no siempre tiene el mismo tamaño?

Puedes saber la hora si lees las sombras de un reloj de sol. La sombra de este reloj de sol nos indica que son las 10 a.m. ▼

≡ Haz la prueba

¿Qué causa que una sombra cambie de tamaño?

1 **Predice** ¿Puede la posición de la luz cambiar el tamaño de una sombra? Anota tus ideas.

2 **Observa** Pega un pedazo de papel en un muro liso. Pide a un compañero que sostenga un objeto frente al papel. Ilumina el objeto con la linterna. Pide a otro compañero que trace la sombra. Mide el tamaño de la sombra.

3 **Experimenta** ¿Qué pasará con el tamaño de la sombra si la persona que tiene la linterna se aleja? ¿Y si se acerca? Inténtalo y descúbrelo.

4 **Compara** Mide cada vez el perfil de las sombras. ¿En qué se diferencian?

5 **Experimenta** ¿Qué pasará con el tamaño de la sombra si mueves el objeto y no la luz? Inténtalo y descúbrelo.

6 **Saca conclusiones** ¿Por qué cambió el tamaño de las sombras?

¿Qué son los materiales transparentes y materiales translúcidos?

Los muros de tu casa están fabricados con materiales opacos. Los materiales opacos bloquean la energía lumínica. No puedes ver a través de ellos. Sin embargo, puedes ver a través de las ventanas de tu casa porque el cristal de tu ventana es un material transparente. Un material **transparente** permite el paso de la energía lumínica. Puedes ver los objetos a través de una ventana de vidrio porque la mayor parte de la luz que reflejan esos objetos pasa a través del cristal.

Un material **translúcido** absorbe una parte de la energía lumínica, pero permite que pase otra parte. También se refleja una pequeña cantidad de luz. El vidrio de colores es un material translúcido. Puedes ver apenas un objeto a través de un vidrio de colores. Ello se debe a que una parte de la luz que refleja el objeto se absorbe y otra parte pasa para llegar a tus ojos.

 Comprobar

Compara y contrasta ¿En qué se parecen y en qué se diferencian los materiales transparentes y los translúcidos?

Pensamiento crítico ¿Por qué la luz del sol pasa por el parabrisas de un automóvil pero no por su techo de metal?

El vidrio es un material transparente. El vidrio de colores es un material translúcido. ▶

Resumir la idea principal

Los **materiales opacos** bloquean la energía lumínica y producen sombras o zonas oscuras. (págs. 370-371)

El tamaño y la forma de una **sombra** dependen de la forma del objeto y de la distancia que lo separa de la fuente de luz. (págs. 372-373)

Los materiales **transparentes** permiten el paso de la luz. Los materiales **translúcidos** permiten el paso de algo de luz. (pág. 374)

Hacer una guía de estudio MODELOS DE PAPEL™

Haz un boletín de cuatro secciones. Úsalo para resumir lo que aprendiste sobre la luz y las sombras.

Materiales opacos	Sombra
Materiales transparentes	Materiales translúcidos

Pensar, comentar y escribir

1 **Idea principal** ¿Qué causa la formación de una sombra? Comenta al respecto.

2 **Vocabulario** ¿Qué es una sombra?

3 **Compara y contrasta** ¿En qué se diferencian los materiales opacos, transparentes y translúcidos?

Diferente   Parecido   Diferente

4 **Pensamiento crítico** ¿Cómo podrías hacer que la sombra de un niño pequeño tuviera la misma altura que la sombra de un adulto?

5 **Práctica para la prueba** Una hoja de papel aluminio es un ejemplo de material

A translúcido.

B sombra.

C transparente.

D opaco.

 Conexión con Matemáticas

Resolver un problema

Por la mañana, la sombra de un árbol mide 12 metros de largo. A mediodía mide 2 metros de largo. Escribe una oración numérica que muestre la diferencia entre las dos sombras.

 Conexión con Arte

Sombras de las manos

Usa las manos y una linterna o lámpara para hacer sombras. Intenta hacer distintas formas y animales. Acerca y aleja tu mano de la luz. ¿Qué pasa con la sombra?

Escritura en Ciencias

¿Cómo ayuda el láser a que las personas vean mejor?

El láser está ayudando a las personas para que vean mejor. Primero, los doctores sientan al paciente en una silla reclinable. Luego, anestesian el ojo con una gota de líquido. Cuando el ojo está anestesiado, ponen un anillo a su alrededor. Después, hacen un corte en la córnea y lo pliegan. Luego, usan el haz de luz diminuto y potente de un láser para modificar y corregir la curva de la córnea. Finalmente, terminan la operación. Todo esto se hace en menos de 30 minutos.

Una buena explicación

▶ menciona cómo hacer algo

▶ comienza con una oración principal apoyada por datos y detalles

▶ da instrucciones paso a paso

▶ usa palabras de secuencia temporal, como primero, después, entonces y finalmente para que las instrucciones sean claras

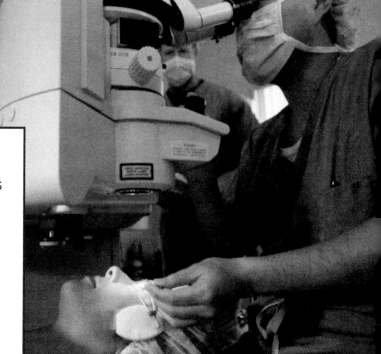

¡A escribir!

Escritura expositiva Usa materiales de investigación para aprender de qué otra manera se usa el láser para ayudar a las personas. Escribe un párrafo para explicar lo que aprendiste. Organiza los pasos en orden, desde el primero hasta el último.

CONÉCTATE e-Diario Escribe en **www.macmillanmh.com**

ELA W 3.1.1. Escriben párrafos simples donde:
a. Desarrollan una oración sencilla que exprese el tema.
b. Incluyen hechos y detalles sencillos de apoyo.

Saber la hora por la luz del sol

Un reloj de sol que se encuentra frente a la Escuela Elemental Park Side de Sebastopol, California, muestra la hora desde las 8 a.m. hasta las 4 p.m. Un reloj de sol forma distintas sombras a diferentes horas del día. ¿Cuántos minutos hay entre las 8 a.m. y las 4 p.m.?

¿Cómo convertir horas en minutos?

▶ Una hora tiene 60 minutos.

▶ Para saber cuántos minutos tienen 2 horas, suma 60 minutos dos veces: 60 minutos + 60 minutos = 120 minutos; o multiplica 60 minutos X 2 = 120 minutos.

▶ Entre las 8 a.m. y las 4 p.m. hay 8 horas. Para saber cuántos minutos hay en 8 horas, suma 60 minutos ocho veces o multiplica 60 minutos X 8.

 Resuélvelo

1. ¿Cuántos minutos tiene tu día escolar?
2. ¿Cuántos minutos sueles dormir por la noche?
3. Si una película dura $2\frac{1}{2}$ horas, ¿cuántos minutos dura la película?
4. ¿Cuántas horas tiene un partido de fútbol que dura 90 minutos?

◀ Esta torre que se localiza en el puente *Sundial*, en Redding, California, actúa como un gigantesco reloj de sol

 MA MG 3.1.4. Hacer conversiones de unidades simples de un mismo sistema de medición (Por ejemplo: convertir centímetros en metros, horas en minutos).

377
EXTENDER

Resumir las ideas principales

La luz es una forma de energía que viaja en línea recta. Cuando la luz toca un objeto se refleja en el objeto. (págs. 346-353)

Si la luz que se refleja entra en el ojo, ves una imagen. El color de la luz reflejada le da a un objeto su color. (págs. 356-363)

Algunos materiales permiten el paso de la luz. Otros materiales bloquean la energía lumínica. Cuando se boque la energía lumínica se forma una sombra. (pp. 368-375)

Hacer una guía de estudio MODELOS DE PAPEL™

Pega tus guías de estudio de la lección en una hoja de papel como se muestra. Usa tu guía de estudio para repasar lo que aprendiste.

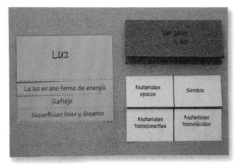

Completa los espacios en blanco con la palabra apropiada de la lista.

cristalino, pág. 359   pupila, pág. 358

luz, pág. 348   reflejo, pág. 350

opaco, pág. 370   sombra, pág. 370

prisma, pág. 360   transparente, pág. 374

1. Siempre que se bloquea la energía lumínica se forma una _____ .
   3 PS 2.a

2. La _____ es una abertura del ojo. 3 PS 2.d

3. Un material _____ como el vidrio permiten el paso de la energía lumínica. 3 PS 2.a

4. La parte del ojo que enfoca la luz entrante es el _____. 3 PS 2.d

5. Un árbol es un material _____ que bloquea el paso de la energía lumínica. 3 PS 2.a

6. Al igual que el sonido, la _____ es una forma de energía. 3 PS 2

7. Un lente especial que descompone la luz blanca es un _____.
   3 PS 2.c

8. Cuando ondas de luz rebotan en un objeto reciben el nombre de _____ .
   3 PS 2.b

Comenta o escribe sobre lo siguiente.

9. **Resolución de problemas** ¿Por qué las ruedas de un camión de bomberos se ven negras pero los lados del camión se ven rojos?
3 PS 2.c

10. **Escritura expositiva** Explica lo que debe pasar para que puedas ver el objeto mostrado en la fotografía.
3 PS 2.d

¿Cómo ves?

11. **Predice** Predice lo que observarías si vieras una hoja de papel blanco a través de un filtro rojo. Menciona las razones de tu predicción. 3 PS 2.c

12. **Pensamiento crítico** Quieres ver tu corte de cabello nuevo, pero no tienes un espejo. Menciona dos elementos que podrías usar para ver tu reflejo. 3 PS 2.b

Responde a cada una de las siguientes preguntas con oraciones completas.

13. ¿En qué se parecen y en qué se diferencian la luz y el sonido?
3 PS 2.d

14. ¿Qué sucede cuando la luz toca esta superficie? 3 PS 2.b

la luz toca una superficie áspera

15. ¿Qué causa que cambie el tamaño de tus pupilas? 3 PS 2.d

16. ¿Qué sucede cuando la luz blanca toca una rosa roja? 3 PS 2.c

17. ¿Qué sucede cuando la luz del sol toca un objeto? 3 PS 2.a

 ¿Qué es la luz y cómo viaja? 3 PS 2

CAPÍTULO 8

Clasificar objetos

- Reúne doce objetos distintos o recorta fotografías de doce objetos en una revista.

- Piensa en la manera en la que cada objeto interactúa con la energía lumínica. ¿El objeto bloquea la luz? ¿Permite el objeto el paso de la luz a través de él? ¿Qué colores de la luz absorbe el objeto? ¿Qué colores de la luz refleja el objeto?

- Usa las respuestas a estas preguntas para clasificar los objetos en por lo menos cuatro grupos diferentes.

- Rotula tarjetas con la característica que comparten todos los objetos de un grupo. Coloca la tarjeta frente a los objetos o fotografías.

objetos opacos

objetos transparentes

objetos que absorben todos los colores de la luz

objetos que reflejan un color de la luz

1 Algunos estudiantes probaron la luz en objetos y anotaron sus descubrimientos en la siguiente tabla.

Cantidad de luz que pasa	Cantidad de objetos
toda la luz	ⵏⵏⵏⵏ
algo de luz	‖
nada de luz	ⵏⵏⵏⵏ ‖

¿Qué conclusiones puedes sacar de los datos? 3 IE 5.d

A Menos de la mitad de los objetos absorben luz.

B La mitad de los objetos pueden producir sombras.

C La mayoría de los objetos están hechos con material transparente.

D Algunos objetos son transparentes.

2 La tabla que sigue muestra los resultados de observar papel blanco a través de hojas de celofán de diferentes colores. 3 PS 2.c

Celofán	Rojo	Azul	Verde	Amarillo	Anaranjado
¿Cómo se ve el papel blanco?	Rojo	Azul	Verde	Amarillo	?

¿Cómo se verá el papel a través del celofán anaranjado?

A morado

B negro

C blanco

D anaranjado

3 ¿Qué sucede cuando los siete colores de la luz blanca tocan una hoja de cartulina negra? 3 PS 2.c

A Los colores se reflejan hacia nuestros ojos.

B Los colores pasan a través de la cartulina.

C El papel absorbe los colores.

D El papel separa los colores.

4 ¿Qué secuencia sigue el camino de la luz que se refleja en nuestros ojos? 3 PS 2.d

A cristalino, iris y pupila, córnea

B iris y pupila, córnea, cristalino

C córnea, cristalino, iris y pupila

D córnea, iris y pupila, cristalino

5 ¿Qué sombra causa el Sol a mediodía? 3 PS 2.a

A una sombra muy larga

B una sombra medio larga

C una sombra corta

D una sombra oscura

6 ¿Qué pasa con el haz de luz de una linterna cuando toca un espejo? 3 PS 2.b

A Deja de moverse en línea recta.

B Se transforma en una nueva forma de energía.

C Se refleja en el espejo.

D Penetra el espejo.

El electrizante relato de las ANGUILAS ELÉCTRICAS

Las personas usan energía eléctrica para muchas cosas. Enciende las luces, carga el teléfono y activa el tostador cuando preparas el desayuno. La energía que usamos suele venir de combustibles fósiles que se queman. También puede venir de la captación de energía del agua, el viento o el Sol. Pero si fueras una anguila eléctrica, ¡podrías producir tu propia electricidad!

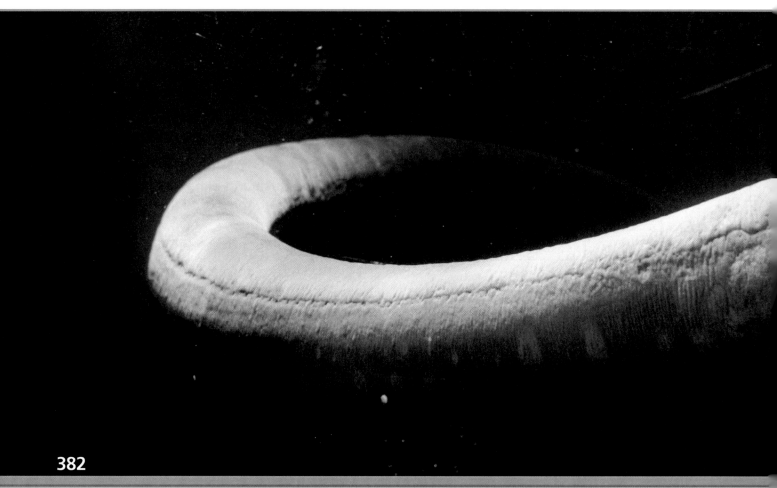

▲ Las anguilas eléctricas atacan a los peces con 650 voltios de electricidad.

Las anguilas eléctricas usan sus propias señales eléctricas para orientarse en el océano. ▼

La anguila eléctrica es un pez de agua dulce que vive en América del Sur. Partes especiales de su cuerpo funcionan como baterías integradas que producen una corriente eléctrica. ¿Por qué? La anguila eléctrica usa la electricidad por algunas de las mismas razones que tú lo haces, pero no de la misma forma.

Una anguila eléctrica no puede encender una luz para ver mejor en el agua oscura donde vive. En cambio, la anguila envía una débil señal eléctrica cuando nada. Esto es como un "sexto sentido" que le permite a la anguila orientarse. También usa impulsos eléctricos para comunicarse con otras anguilas.

¿Qué hay del desayuno? Bueno, la anguila no usa un tostador, pero la electricidad le es muy útil. Cuando su "sexto sentido" detecta un pez para comer, la anguila enciende su electricidad a toda potencia. ¡Puede alcanzar los 650 voltios! (La electricidad que llega a tu casa es de apenas 110 voltios.) La presa queda atontada o muere, y la anguila obtiene su alimento. ¡Qué electrizante!

3 PS 1 La energía y la materia se manifiestan de distinta manera y que pueden cambiar de una forma a otra. ELA R 3.2.6. Sustraen información adecuada y significativa del texto, incluyendo problemas y soluciones.

Técnico en iluminación

¿Has visto alguna vez una ceremonia de premiación de películas de cine? De ser así, habrás escuchado que los actores agradecen al equipo de filmación. Una parte importante del equipo de filmación es el técnico de iluminación en jefe.

El técnico en iluminación diseña la iluminación de las escenas de una película. La iluminación debe crear un ambiente acorde con la acción de la escena. El técnico en iluminación usa diferentes combinaciones de luces para las distintas escenas. El técnico también cambia la ubicación de las fuentes de luz para crear ambientes diversos.

Para convertirte en técnico en iluminación en jefe, debes tener conocimientos de luz y energía eléctrica. Debes también tener experiencia en la expresión dramática o realización cinematográfica. Muchos técnicos en iluminación comienzan siendo parte del equipo y ascienden con el tiempo.

▲ Este técnico está iluminando un escenario para una película.

▲ Una técnica en iluminación tiene conocimientos de luz y energía eléctrica.

Estas son otras carreras en Ciencias Físicas:

- electricista
- químico
- ingeniero
- diseñador de automóviles

Referencia

▶ Puedes usar una lupa
para observar los
detalles de un objeto.

385

Estándares de Ciencias

Ciencias Físicas

1. **La energía y la materia se manifiestan de distinta manera y pueden cambiar de una forma a otra. Bases para entender este concepto:**

   a. *Saber que* la energía del Sol llega a la Tierra en forma de luz.

   b. *Saber que* hay muchas formas en que la energía puede ser almacenada, como comida, combustible y baterías.

   c. *Saber que* las máquinas y los seres vivos convierten a movimiento y calor la energía almacenada.

   d. *Saber que* se puede transportar energía de un lugar a otro mediante ondas (como ondas acuáticas y ondas de sonido), corriente eléctrica o al mover objetos.

   e. *Saber que* hay tres estados de la materia: sólido, líquido y gas.

   f. *Saber que* la evaporación y la fusión son cambios que pueden ocurrir en los objetos cuando se les calienta.

   g. *Saber que* cuando dos o más sustancias se combinan, se puede formar una nueva sustancia con propiedades diferentes a las de los materiales originales.

   h. *Saber que* toda la materia está compuesta de partículas pequeñas llamadas átomos, los cuales son tan pequeños que no los podemos ver con nuestros ojos.

   i. *Saber que* hace tiempo la gente pensaba que los elementos básicos que formaban toda la materia eran tierra, viento, fuego y agua. Los experimentos científicos demuestran que existen más de 100 tipos diferentes de átomos, los cuales se exhiben en la Tabla Periódica de los Elementos.

2. **La luz siempre tiene un origen y viaja en alguna dirección. Bases para entender este concepto:**

   a. *Saber que* al bloquear la luz solar se producen sombras.

   b. *Saber que* la luz se refleja en espejos y otras superficies.

   c. *Saber que* el color de la luz que ilumina un objeto afecta cómo lo ven nuestros ojos.

   d. *Saber que* vemos objetos cuando la luz que viene de los objetos entra en nuestros ojos.

Ciencias Naturales

3. **Las adaptaciones en la estructura física o el comportamiento pueden aumentar la supervivencia de los organismos. Bases para entender este concepto:**

   a. *Saber que* las plantas y los animales tienen estructuras que tienen diversas funciones en el crecimiento, la supervivencia y la reproducción.

   b. *Conocer ejemplos* de diversas formas de vida en diferentes tipos de medioambiente, como océano, desierto, tundra, bosque, pradera y pantano.

   c. *Saber que* los seres vivos causan cambios en el medioambiente en el que viven. Algunos cambios son dañinos; otros son benéficos para ellos mismos o para otros organismos.

   d. *Saber que* cuando el medioambiente cambia, algunos animales y plantas sobreviven y se reproducen, mientras que otros mueren o emigran.

   e. *Saber que* ciertas clases de organismos que vivieron alguna vez en la Tierra han desaparecido completamente y que sólo algunos de los organismos de hoy día tienen semejanzas con los organismos del pasado.

Ciencias de la Tierra

4. **Los objetos celestes se mueven de manera predecible. Bases para entender este concepto:**

   a. *Saber que* las posiciones relativas de las estrellas que forman las constelaciones no cambian, aunque parezca que se mueven en el cielo en el transcurso de la noche. Los conjuntos de estrellas que se ven en el firmamento varían según la estación del año.

   b. *Saber cómo* se ve la Luna en sus distintas fases durante las cuatro semanas del ciclo lunar.

   c. *Saber que* los telescopios magnifican la apariencia de objetos distantes en el cielo, incluyendo la Luna y los planetas. Se pueden ver muchas más estrellas con un telescopio que a simple vista.

   d. *Saber que* la Tierra es uno de los planetas que se mueven alrededor del Sol y que la Luna se mueve alrededor de la Tierra.

   e. *Saber que* la posición del Sol en el cielo cambia durante el día y de estación a estación.

Investigación y Experimentación

5. **La ciencia progresa haciendo preguntas y realizando investigaciones. Para entender este concepto y estudiar el contenido de las otras tres áreas temáticas, los estudiantes elaborarán sus propias preguntas y llevarán a cabo sus propias investigaciones. Los estudiantes deberán:**

   a. Repetir observaciones para mejorar su exactitud y saber que los resultados de investigaciones científicas similares rara vez son exactamente los mismos debido a diferencias en los objetos estudiados, los métodos de estudio o la inexactitud de las observaciones.

   b. Distinguir entre evidencia y opinión. Saber que los científicos no aceptan aseveraciones o conclusiones que no estén respaldadas por observaciones que puedan ser confirmadas.

   c. Usar datos numéricos para comparar objetos, eventos y medidas.

   d. Predecir el resultado de una simple investigación y comparar los resultados obtenidos con la predicción.

   e. Recopilar los datos de una investigación y analizarlos para llegar a una conclusión lógica.

Medición

Unidades de medición

Temperatura

▶ La lectura de la temperatura en este termómetro es de 83 grados Fahrenheit. Eso es lo mismo que 30 grados Celsius.

Longitud y área

▶ Este estudiante mide 3 pies más 9 pulgadas de estatura. Eso es lo mismo que 1 metro más 14 centímetros.

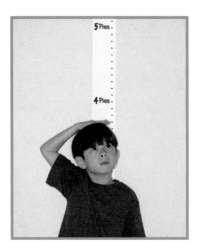

Masa

▶ Puedes medir la masa de estas rocas en gramos.

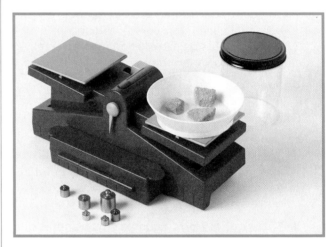

Volumen de líquidos

▶ Esta botella de agua tiene un volumen de 1 litro. Eso es un poco más de 1 cuarto de galón.

Peso/fuerza

▶ Esta calabaza pesa 7 libras. Eso es una fuerza de 31.5 newtons.

Velocidad

▶ Esta estudiante puede recorrer en su bicicleta 100 metros en 50 segundos. Eso significa que su velocidad es de 2 metros por segundo.

Tabla de medidas	
Sistema Internacional de unidades SI	**Sistema inglés de unidades**
Temperatura El agua se congela a 0 grados Celsius (0 °C) y hierve a 100 °C.	**Temperatura** El agua se congela a 32 grados Fahrenheit (°F) y hierve a 212 °F.
Longitud y distancia 10 milímetros (mm) = 1 centímetro (cm) 100 centímetros = 1 metro (m) 1,000 metros = 1 kilómetro (km)	**Longitud y distancia** 12 pulgadas (pulg) = 1 pie 3 pies = 1 yarda (yd) 5,280 pies = 1 milla (mi)
Volumen 1 centímetro cúbico (cm^3) = 1 mililitro (ml) 1,000 mililitros = 1 litro (l)	**Volumen de líquidos** 8 onzas líquidas (fl oz) = 1 taza (t) 2 tazas = 1 pinta (pt) 2 pintas = 1 cuarto (qt) 4 cuartos = 1 galón (gal)
Masa 1,000 miligramos (mg) = 1 gramo (g) 1,000 gramos = 1 kilogramo (kg)	**Peso** 16 onzas (oz) = 1 libra (lb) 2,000 libras = 1 tonelada (t)
Área 1 kilómetro cuadrado (km^2) = 1 km x 1 km 1 hectárea = 10,000 metros cuadrados (m^2)	**Velocidad** mph = millas por hora
Velocidad m/s = metros por segundo km/h = kilómetros por hora	
Fuerza 1 newton (N) = 1 kg x $1m/s^2$	

Medir el tiempo

Usas instrumentos para medir cuánto tiempo tarda algo en suceder. Algunos de los instrumentos para medir el tiempo que usas en Ciencias son el reloj con segundero y el cronómetro. ¿Cuál es más exacto?

Comparar un reloj y un cronómetro

1. Mira un reloj con segundero. El segundero es la manecilla que ves moviéndose. Mide los segundos.

2. Consigue un reloj de arena. Cuando el segundero de tu reloj señale el 12, di a un compañero o compañera que voltee el reloj de arena. Mira tu reloj mientras cae la arena en el reloj de arena.

3. Cuando la arena deje de caer cuenta cuántos segundos pasaron. Escribe esta medida. Repite la actividad y compara las dos medidas.

4. Observa un cronómetro. Pulsa el botón de arriba a la derecha. Esto da inicio al conteo del tiempo. Pulsa de nuevo el botón. Esto detiene el conteo del tiempo. Pulsa el botón que está arriba a la izquierda. Esto pone el reloj en cero. Fíjate que el cronómetro marca el tiempo en horas, minutos, segundos y centésimas de segundo.

5. Repite la actividad de los pasos 2 y 3 con el cronómetro en lugar del reloj. Asegúrate que el cronómetro esté puesto en cero. Pulsa el botón de arriba a la derecha para empezar el conteo. Pulsa el botón nuevamente cuando deje de caer arena. Haz esto dos veces.

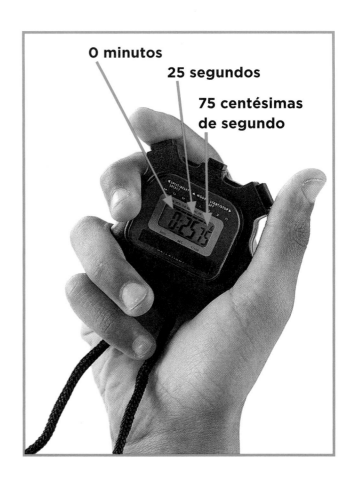

0 minutos

25 segundos

75 centésimas de segundo

Más sobre el tiempo

1. Usa el cronómetro para medir cuánto tarda tu corazón en latir 100 veces. Luego corre en tu lugar durante 3 minutos. ¿Cuánto tarda tu corazón ahora en latir 100 veces?

2. Calcula cuánto tardarías en caminar 100 metros. Luego inténtalo y mide tu tiempo.

Medir la longitud

Mides la longitud para saber cuán largo es algo, o cuán lejos se encuentra algo.

Hallar la longitud con una regla

1. Observa la regla de abajo. Cada número representa 1 centímetro (cm). Cada centímetro está dividido en 10 milímetros (mm). ¿Cuánto mide de largo el escarabajo?

2. La longitud del escarabajo es de 1 centímetro más 5 milímetros. Puedes escribir esta longitud como 1.5 centímetros.

3. Coloca una regla sobre tu escritorio. Coloca un lápiz al lado de la regla para que un extremo del lápiz se alinee con el 0 de la regla. Anota la longitud del lápiz en centímetros.

4. Mide la longitud de otro objeto en centímetros. Luego pide a un compañero o compañera que mida el mismo objeto.

5. Comparen sus mediciones. Explica cómo dos científicos pueden anotar mediciones ligeramente distintas aun cuando el objeto medido sea el mismo.

Medir el área

El área es la cantidad de superficie cubierta por algo. Para hallar el área de un rectángulo, multiplica la longitud del rectángulo por su ancho. Por ejemplo, el rectángulo que aparece aquí tiene 3 centímetros de largo por 2 centímetros de ancho. Su área es de 3 cm x 2 cm = 6 centímetros cuadrados. Escribe el área como 6 cm^2.

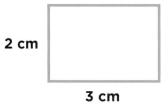

2 cm

3 cm

Hallar el área con una regla

1. Halla el área de tu libro de Ciencias. Mide la longitud del libro hasta el centímetro más cercano. Mide su ancho.

2. Multiplica la longitud del libro por su ancho. Recuerda escribir la respuesta en cm^2.

Medición

Medir la masa

La masa es la cantidad de materia que tiene un objeto. Usas una balanza para medir la masa. Para hallar la masa de un objeto, lo equilibras con otros objetos cuyas masas conoces.

Medir la masa de una caja de creyones

1. Coloca la balanza en una superficie plana.

2. La aguja debe estar en la marca del centro. Si no, desliza la pesa levemente hacia la derecha o izquierda para equilibrar los platillos.

3. Coloca suavemente una caja de creyones en el platillo de la izquierda. Añade pesas de gramos a la derecha hasta que los platillos se equilibren.

4. Cuenta la cantidad de pesas que están en el platillo de la derecha. El total es la masa de la caja de creyones en gramos.

5. Escribe ese número. Después del número escribe una g que significa "gramos".

Más sobre la masa

¿Qué crees que sucedería si reemplazaras los creyones por un sujetapapeles o una piña? Quizá no tengas suficientes pesas para igualar la masa de la piña. Ésta tiene una masa de aproximadamente 1,000 gramos. Esto es igual a 1 kilogramo, porque *kilo* significa "1,000". Mide otros objetos y anota tus medidas.

Medir el volumen

¿Has usado alguna vez una taza graduada? Las tazas graduadas miden el volumen de los líquidos. El volumen es la cantidad de espacio que ocupa algo. En Ciencias usas tazas especiales para medir que se llaman vaso graduado y probeta. Estos recipientes están marcados en mililitros (ml).

Medir el volumen de un líquido

1. Llena una probeta y un vaso graduado con agua hasta la mitad.

2. La superficie del agua en la probeta se curva hacia arriba en los lados. Mide el volumen leyendo la altura del agua en la parte plana. Compara la altura del agua hasta las marcas del dispositivo graduado. ¿Cuál es el volumen del agua de la probeta? ¿Cuánta agua tiene el vaso graduado?

3. Vierte 50 ml de agua de una jarra en la probeta. El agua deberá estar en la marca de 50 ml de la probeta. Si te pasas de la marca, tira el agua que sobre.

4. Vierte 50 ml de agua en un vaso graduado.

5. Repite los pasos 3 y 4 con 30 ml, 45 ml y 25 ml de agua.

6. Mide el volumen de agua que tienes en el vaso graduado. ¿Tienes aproximadamente la misma cantidad de agua que tus compañeros de clase?

1 ml

▲ Esta probeta puede medir volúmenes hasta de 10 ml. Cada número del cilindro representa 1 ml.

▲ El vaso graduado es un instrumento que puedes usar para medir el volumen.

Medición

Medir el peso/la fuerza

Usas una báscula de resorte para medir el peso. Un objeto tiene peso porque la fuerza de gravedad atrae al objeto. Por lo tanto, el peso es una fuerza. Como todas las fuerzas, el peso se mide en newtons (N).

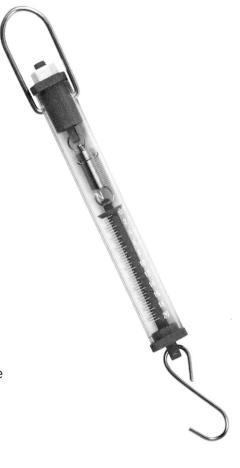

Medir el peso de un objeto

1. Mira la báscula de resorte para ver hasta cuántos newtons mide. Observa cómo se dividen las medidas. La báscula de resorte mostrada aquí mide hasta 20 N. Tiene una marca cada 0.5 N.

2. Sostén la báscula de resorte de la manija superior. Coloca un objeto pequeño en el gancho inferior. Si el objeto no se queda en el gancho, colócalo en una bolsa de red. Luego cuelga la bolsa del gancho.

3. Suelta el objeto lentamente. Tirará hacia abajo el resorte que está dentro de la báscula.

4. Espera a que el resorte deje de moverse. Lee el número de newtons que está junto al indicador. Este es el peso del objeto.

Más sobre básculas de resorte

Probablemente te pesas parándote sobre una báscula de baño. Ésta es una báscula de resorte. El peso de tu cuerpo estira el resorte que está dentro de la báscula. El indicador de la báscula quizás esté marcado en libras (la unidad inglesa de peso). Una libra equivale a aproximadamente 4.5 newtons.

La báscula de una tienda de comestibles es también una báscula de resorte. ▶

Medir la temperatura

La temperatura es lo caliente o frío que está algo. Usas un termómetro para medir la temperatura. El termómetro está formado por un tubo delgado con un líquido de color dentro. Cuando el líquido se calienta, se expande y sube por el tubo. Si el líquido se enfría, se contrae y baja por el tubo. Quizás hayas visto medir la temperatura en grados Fahrenheit (°F). Los científicos miden la temperatura en grados Celsius (°C).

Leer un termómetro

1. Observa el termómetro mostrado aquí. Tiene dos escalas (la escala Fahrenheit y la escala Celsius). Cada 20 grados en la escala Celsius aparece un número. Cada 40 grados en la escala Fahrenheit aparece un número.

2. ¿Qué temperatura indica el termómetro? Da tus respuestas en °F y en °C.

¿Cómo se mide la temperatura?

1. Llena con agua fría un vaso graduado grande como a la mitad. Coloca el termómetro en el agua. No dejes que el bulbo del termómetro toque el vaso graduado. Usa unas pinzas si es necesario.

2. Espera hasta que el líquido del termómetro deje de moverse (aproximadamente un minuto). Lee y anota la temperatura. Anota la escala de temperatura que usaste.

3. Saca el termómetro. Coloca el vaso graduado en un calentador portátil y caliéntalo durante dos minutos. Ten cuidado con el calentador portátil y con el agua caliente.

4. Coloca el termómetro en el agua. Anota la temperatura del agua. Usa la misma escala de temperatura que usaste en el paso 2.

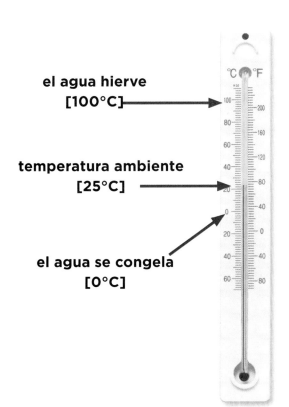

el agua hierve [100°C]

temperatura ambiente [25°C]

el agua se congela [0°C]

Recolectar datos

Usar una lupa

Usas una lupa para aumentar un objeto, o hacer que el objeto se vea más grande. Con una lupa puedes ver detalles que serían difíciles de apreciar sin ella.

Aumenta una piedra

1. Observa una piedra cuidadosamente. Haz un dibujo de la piedra.

2. Sostén la lupa justo encima de la piedra. Mira a través de la lupa y aléjala lentamente de la piedra. La piedra se verá más grande.

3. Aleja la lupa hasta que la piedra se vea borrosa. Luego acerca un poco la lupa hasta que puedas ver la piedra claramente.

4. Haz un dibujo de la piedra como la ves a través de la lupa. Incluye los detalles que no hayas visto antes.

5. Repite esta actividad con objetos que estés estudiando en tu clase de Ciencias. Puede ser una planta, un poco de tierra, una semilla u otra cosa.

Usar un microscopio

Las lupas hacen que los objetos se vean varias veces más grandes. El microscopio puede aumentar la imagen de un objeto cientos de veces.

Analizar granos de sal

1. Coloca el microscopio sobre una superficie plana. Siempre tómalo con las dos manos. Sostén el brazo con una mano y pon la otra mano bajo la base.

2. Observa la fotografía para conocer las distintas partes del microscopio.

3. Mueve el espejo para que refleje la luz hacia la platina. Nunca apuntes el espejo directamente hacia el Sol o hacia una luz brillante. La luz brillante puede causar un daño irreparable en los ojos.

4. Coloca unos granos de sal sobre el portaobjetos. Pon el portaobjetos bajo el sujetador sobre la platina. Asegúrate de que los granos de sal estén sobre el orificio de la platina.

5. Mira por el ocular. Gira el botón de enfoque lentamente hasta que los granos de sal se vean en foco.

6. Dibuja cómo se ven los granos de sal a través del microscopio.

7. Observa otros objetos a través del microscopio. Prueba con un pedazo de hoja de árbol, un cabello humano o una marca de lápiz.

8. Dibuja cómo se ve cada objeto a través del microscopio. ¿Se parecen algunos de los objetos? Si es así, ¿en qué se parecen? ¿Está vivo alguno de los objetos? ¿Cómo lo sabes?

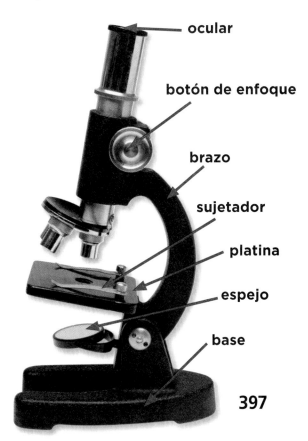

ocular

botón de enfoque

brazo

sujetador

platina

espejo

base

Usar una calculadora: sumar y restar

A veces, después de que tomas medidas, debes sumar o restar las cifras. Una calculadora te ayuda a hacer esto.

Sumar y restar cantidades de lluvia

La tabla muestra la cantidad de lluvia que cayó en una ciudad cada semana durante el verano.

Semana	Lluvia (cm)
1	3
2	5
3	2
4	0
5	1
6	6
7	4
8	0
9	2
10	2
11	6
12	5

3 ¿Qué pasaría si descubrieras que cometiste un error al medir? La semana 1 debería tener 2 cm menos, la semana 6 debería tener 3 cm menos, la semana 11 debería tener 1 cm menos y la semana 12 debería tener 2 cm menos. Resta estas cifras del total. Debe aparecer 36 en tu calculadora. Presiona ⊟, y escribe el primer número que desees restar. Sigue hasta escribir el último número. Luego presiona ⊒.

1 Asegúrate de que la calculadora esté encendida. Presiona la tecla ⬚ON⬚.

2 Para sumar los números, escribe un número y presiona ⊞. Repite esto hasta que hayas escrito el último número. Luego presiona ⊒. El total debe ser 36.

Usar una calculadora: multiplicar y dividir

A veces, después de que tomas medidas, debes multiplicar o dividir tus medidas para obtener otra información. Una calculadora te ayuda a multiplicar y dividir, en especial si los números tienen puntos decimales.

Multiplicar decimales

Imagina que mides el ancho de tu salón de clases. Descubres que el piso está cubierto de mosaicos y que el salón mide exactamente 32 mosaicos de ancho. Mides un mosaico y tiene 22.7 centímetros de ancho. Para hallar el ancho del salón, multiplicas 32 por 22.7.

1 Asegúrate de que la calculadora esté encendida. Presiona la tecla ON.

2 Presiona 3 y 2.

3 Presiona X.

4 Presiona 2, 2, ·, y 7.

5 Presiona =. El total debe ser 726.4. Ése es el ancho del salón en centímetros.

Dividir decimales

Ahora, quieres hallar cuántos escritorios colocados lado a lado se necesitarían para cubrir el salón de clases. Mides un escritorio y tiene 60 centímetros de ancho. Para hallar el número de escritorios necesarios, divide 726.4 entre 60.

1 Enciende la calculadora

2 Presiona 7, 2, 6, ·, y 4.

3 Presiona ÷.

4 Presiona 6 y 0.

5 Presiona =. El total debe ser aproximadamente 12.1. Esto significa que en el salón caben 12 escritorios y que sobra un pequeño espacio.

Imagina que el salón midiera 35 mosaicos de ancho. ¿Cuál sería el ancho del salón? ¿Cuántos escritorios cabrían? Usa una calculadora para multiplicar y dividir.

Usar tecnología

Usar una computadora

Una computadora tiene muchos usos. El Internet conecta tu computadora con muchas otras computadoras de todo el mundo, así que puedes recopilar todo tipo de información. Puedes usar una computadora para mostrar esta información y escribir informes. Lo mejor de todo es que puedes usar una computadora para explorar, descubrir y aprender.

También puedes obtener información de discos compactos (CD) y videodiscos digitales (DVD). Son discos de computadora que almacenan gran cantidad de información. Toda una enciclopedia puede caber en un DVD.

Usar una computadora para un proyecto

Este es un proyecto con computadoras. Puedes hacerlo en grupo.

1. Usen una red de recolección para reunir muestras de suelo de un arroyo o un riachuelo. Recojan guijarros, arena y piedras pequeñas. También conserven cualquier planta pequeña. Devuelvan de inmediato los peces u otros animales al arroyo.

2. Cuando la muestra se seque, separen los objetos de la muestra. Usen una cámara para fotografiar la tierra, los guijarros, las piedras y las plantas.

3. Cada grupo puede usar una de las fotos para comenzar su investigación. Traten de encontrar qué tipo de piedras y tierra recogieron.

4. Usen Internet para su investigación. Busquen un mapa y marquen su zona. Identifiquen el tipo de suelo. ¿Qué plantas crecen bien en ese tipo de suelo?

(5) Busquen sitios Web de algún organismo como el Departamento de Protección Ambiental. Pónganse en contacto con el grupo. Hagan preguntas sobre las muestras que recogieron.

(6) Usen DVD u otras fuentes de la biblioteca para saber cómo se formaron las piedras y el suelo de la muestra que recogieron.

(7) Conserven en una carpeta la información que hayan recopilado. Revísenla en grupo y úsenla para escribir un informe de grupo sobre la muestra de suelo.

(8) Cada grupo presentará y leerá una parte del informe. Pidan a un adulto que los ayude a grabar sus informes en una videograbadora. Muestren sus fotografías en el video y expliquen qué representa cada una. Si lo desean, incluyan música u otros sonidos para acompañar las voces en el video.

(9) Hagan una lista de los recursos de computación que usaron para elaborar su informe. Hagan una lista de los sitios Web, los títulos de los DVD u otros recursos. Muestren o lean la lista al final de su presentación.

(10) Comenten cómo la computadora ayudó a cada grupo a elaborar su informe. ¿Qué problemas tuvo cada grupo al usar la computadora? ¿Cómo resolvieron los problemas?

Representar datos

Hacer gráficas

Las gráficas pueden ayudar a organizar datos. Las gráficas facilitan la identificación de tendencias y patrones. Hay muchos tipos de gráficas.

Gráficas de barras

Una gráfica de barras usa barras para mostrar información. Por ejemplo, imagina que estás cultivando una planta. Todas las semanas mides cuánto ha crecido. Esto es lo que descubres.

En la gráfica de barras que figura a la derecha aparecen ordenadas las medidas para que puedas compararlas fácilmente.

Semana	Altura
1	1
2	4
3	7
4	10
5	17
6	20
7	22
8	23

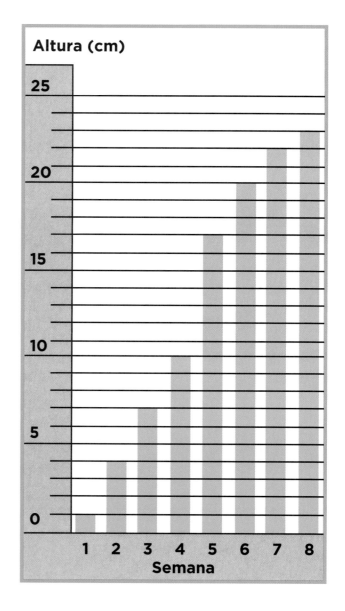

1 Mira la barra de la semana 2. Señala con el dedo la parte de arriba de la barra. Mueve el dedo hacia la izquierda para saber cuántos centímetros creció la planta hacia el final de la semana 2.

2 ¿Entre cuáles dos semanas creció más la planta?

3 Observa el 0 en la gráfica. ¿Es tan sólo una marca de la escala o tiene algún significado para la gráfica? Explica tu respuesta.

Pictogramas

Un pictograma usa símbolos o ilustraciones para mostrar información. Imagina que recopilas información sobre cuánta agua usa tu familia todos los días. Esto es lo que descubres.

Uso diario de agua (litros)	
beber	10
ducharse	100
bañarse en tina	120
cepillarse los dientes	40
lavar platos	80
lavarse las manos	30
lavar ropa	160
tirar de la cadena del inodoro	50

Puedes organizar esta información en un pictograma. En el pictograma siguiente cada cubeta representa 20 litros de agua. Media cubeta es la mitad de 20, o sea 10 litros de agua.

1. ¿En qué actividad se usa más agua?

2. ¿En qué actividad se usa menos agua?

Uso diario de agua (litros)	
beber	▯
ducharse	▯▯▯▯▯
bañarse en tina	▯▯▯▯▯▯
cepillarse los dientes	▯▯
lavar platos	▯▯▯▯
lavarse las manos	▯▯
lavar ropa	▯▯▯▯▯▯▯▯
tirar de la cadena del inodoro	▯▯▯

▯ = 20 litros de agua

Gráficas lineales

Una gráfica lineal muestra cómo cambia la información con el tiempo. Imagina que mides la temperatura exterior cada hora comenzando a las 6 a.m. Esto es lo que descubres.

Hora	Temperatura (°C)
6 a.m.	10
7 a.m.	12
8 a.m.	14
9 a.m.	16
10 a.m.	18
11 a.m.	20

Ahora organiza tus datos en una gráfica lineal. Sigue estas instrucciones.

1. Haz una escala a lo largo de la parte inferior y lateral de la gráfica. Rotula las escalas.

2. Traza los puntos en la gráfica.

3. Une los puntos con una línea.

4. ¿Cómo se relacionan entre sí las temperaturas y las horas?

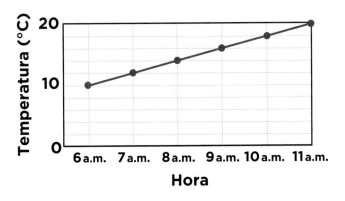

403

Representar datos

Hacer mapas

Ubicar sitios

Un mapa es un dibujo que muestra una zona vista desde arriba. La mayoría de los mapas tienen números y letras en la parte superior y al costado. Imagina que quieres encontrar el Museo de Arte Crocker en el mapa. Se encuentra en D2. Pon el dedo sobre la letra D, en el costado del mapa, y otro dedo en el número 2 de la parte superior. Luego desliza los dedos en línea recta hacia la derecha y hacia abajo hasta que se encuentren. El museo está donde la D y el 2 se encuentran.

1 ¿Qué edificio se localiza en B4?

2 El Tribunal de Distrito de Estados Unidos se localiza a dos cuadras hacia el oeste y una cuadra hacia el norte de la biblioteca. ¿Cuáles son su número y su letra?

3 Haz el mapa de una zona de tu comunidad. Puede ser un parque o una zona entre tu casa y la escuela. Incluye números y letras en la parte superior y al costado. Usa una brújula para hallar el norte y márcalo en tu mapa. Intercambia mapas con tus compañeros de clase.

Mapas conceptuales

El mapa de la izquierda muestra cómo se conectan los lugares unos con otros. Los mapas conceptuales muestran cómo se relacionan las ideas para organizar información sobre un tema.

Observa el siguiente mapa conceptual. Relaciona ideas sobre el agua. Este mapa muestra que el agua de la Tierra es dulce o salada, así como tres fuentes de agua dulce. No hay relación entre los "ríos" y el "agua salada" en el mapa. Esto te recuerda que el agua salada no fluye en los ríos.

Haz un mapa conceptual sobre un tema que estés estudiando en tu clase de ciencias. Puede incluir palabras, frases o incluso oraciones. Organízalo de manera que tenga sentido para ti y te ayude a entender la conexión entre las ideas.

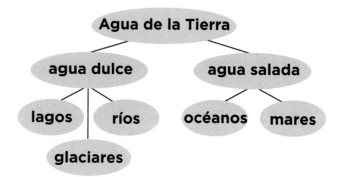

Hacer tablas

Las tablas ayudan a organizar datos durante los experimentos. La mayoría de las tablas tiene columnas verticales e hileras horizontales. Las columnas y las hileras tienen encabezados que te dicen qué tipo de datos van en cada parte de la tabla.

Una tabla de muestra

Imagina que vas a hacer un experimento para hallar cuánto tardan en germinar diferentes tipos de semillas. Antes de comenzar el experimento, debes tener preparada una tabla. Sigue estos pasos.

1. En este experimento sembrarás 20 semillas de rábano, 20 de frijol y 20 de maíz. Tu tabla deberá mostrar cuántas de cada tipo de semillas germinaron los días 1, 2, 3, 4 y 5.

2. Haz tu tabla con columnas, hileras y encabezados. Puedes usar una computadora. Algunos programas de computación te permiten hacer una tabla con sólo hacer clic con el ratón. Puedes borrar o agregar columnas e hileras si lo necesitas.

3. Pon título a la tabla. Tu tabla podría parecerse a la que se muestra aquí.

Tipos de semillas	Número de semillas que germinan				
	Día 1	Día 2	Día 3	Día 4	Día 5
semillas de rábano					
semillas de frijol					
semillas de maíz					

Hacer una tabla

Siembra 20 semillas de frijol en cada una de las dos bandejas. Mantén las bandejas a diferentes temperaturas y obsérvalas durante siete días. Haz una tabla para escribir, analizar y evaluar la información sobre este experimento. ¿Cómo se relacionan entre sí las columnas, las hileras y los encabezados?

Representar datos

Hacer cuadros

Un cuadro es sencillamente una tabla con ilustraciones, además de palabras. Los cuadros pueden ser útiles para anotar información durante un experimento. También son útiles para dar a conocer información.

Hacer un cuadro

Haz un cuadro que muestre la información del experimento con semillas de frijol de la página 405. Haz tu cuadro con columnas e hileras. Recuerda incluir rótulos.

Cambio	Ser vivo	¿Qué podría pasar?	¿Por qué?
clima cálido	tigre dientes de sable	se extingue	no encuentra alimento; incapaz de sobrevivir en un clima cálido
erupción volcánica	albatros colicorto	sobrevive	vuela a un nuevo medioambiente
clima frío	oso	sobrevive	le crece un pelaje más grueso

▲ Este cuadro muestra cómo los cambios pueden afectar a los seres vivos. Da información con ilustraciones y palabras.

de Dinah Zike

Instrucciones de doblado

¿Cómo haces una guía de estudios con Modelos de papel? Las siguientes páginas dan instrucciones paso a paso (dónde y cuándo doblar, dónde cortar) para hacer las 11 guías de estudio básicas. Las instrucciones comienzan con las formas básicas, como el doblez a lo largo.

Boletín de dos hojas

Dobla una hoja de papel ($8\frac{1}{2}$" x 11") por la mitad.
1. Este boletín puede doblarse verticalmente a lo largo o...
2. ... puede doblarse horizontalmente a lo ancho.

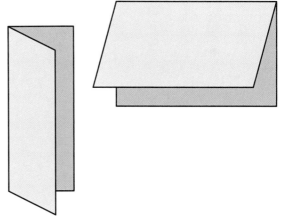

Boletín de cuatro hojas

1. Haz un boletín de dos hojas.
2. Nuevamente dóblalo por la mitad, a lo ancho. De esta manera, quedan listas la portada y dos páginas pequeñas en el interior para anotar información.

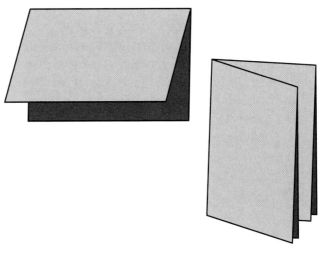

Boletín con tres secciones

1. Dobla una hoja de papel (8$\frac{1}{2}$" x 11") en tercios.
2. Usa este boletín tal como es o córtalo en figuras.

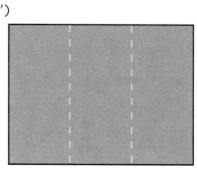
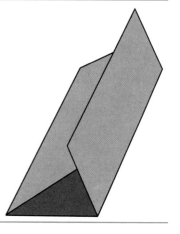

Tríptico

1. Comienza como si fueras a doblar a lo ancho, pero en lugar de plegar el papel, marca el punto medio.
2. Dobla los bordes exteriores del papel para que se unan en la marca, o punto medio, y formes un tríptico.

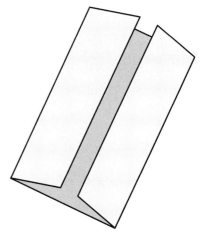

Boletín con bolsillos

1. Dobla una hoja de papel (8$\frac{1}{2}$" x 11") por la mitad del lado corto, o a lo ancho.
2. Abre el papel doblado y dobla dos pulgadas de uno de los lados largos para formar un bolsillo. Vuelve a doblar por el lado corto para que los bolsillos recién formados queden en el interior.
3. Usa un poco de pegamento para pegar los bordes externos del doblez.

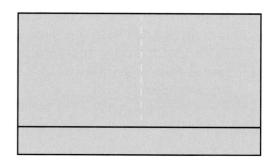

Boletín con dos secciones

Toma un boletín de cuatro hojas y haz un corte desde el borde inferior hacia arriba. Este corte forma dos solapas grandes que pueden usarse por delante y por detrás para escribir y hacer ilustraciones.

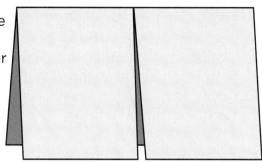

Boletín con tres solapas

1. Dobla una hoja de papel a lo largo.
2. Con el papel horizontal y el pliegue largo hacia arriba, dobla el lado derecho hacia el centro, tratando de cubrir la mitad del papel.
3. Dobla el lado izquierdo sobre el lado derecho para formar un boletín con tres pliegues.
4. Abre el boletín plegado. Pon una mano entre el papel doblado y corta dos pliegues únicamente de un lado. Esto formará tres solapas.

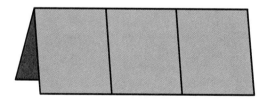

Boletín en capas

1. Pon dos hojas de papel ($8\frac{1}{2}$" x 11") juntas, de tal manera que la hoja de atrás esté una pulgada más arriba que la hoja de adelante.
2. Dobla hacia arriba las partes inferiores de ambas hojas y alinea los bordes de tal manera que todas las capas o secciones estén separadas por la misma distancia.
3. Cuando todas las secciones estén a la misma distancia, dobla los papeles y marca bien.
4. Abre los papeles y pégalos a lo largo del pliegue central interior, o valle, o engrápalos a lo largo de la parte superior, o montaña.

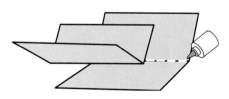

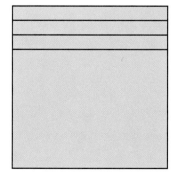

Boletín con cuatro secciones

1. Dobla una hoja de papel ($8\frac{1}{2}''$ x 11'') por la mitad a lo largo.
2. Dobla este rectángulo por la mitad del lado corto, o a lo ancho.
3. Dobla ambos extremos hacia atrás para que toquen el pliegue de la mitad, formando un acordeón.
4. Corta verticalmente los dos pliegues por un solo lado del papel, formando cuatro secciones.

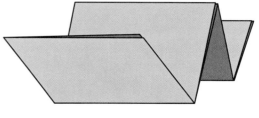

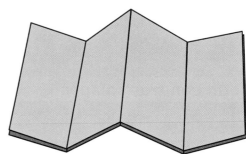

Boletín con cuatro solapas

1. Haz un tríptico con una hoja de papel de 11'' x 17'' ó 12'' x 18''
2. Dobla el tríptico por la mitad del lado corto, o a lo ancho. Marca bien el pliegue.
3. Abre el boletín y corta los dos pliegues interiores. Estos cortes formarán cuatro solapas en el interior del boletín.

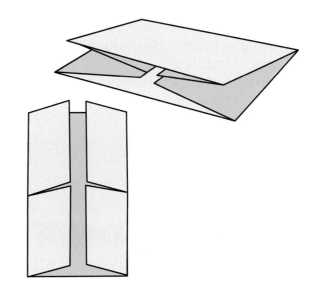

Tabla en pliegos

1. Dobla el número de columnas verticales que necesites para hacer tu tabla.
2. Dobla las hileras horizontales que necesites para hacer la tabla.
3. Rotula las hileras y las columnas.

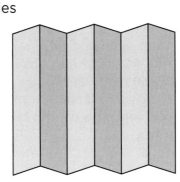

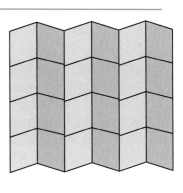

Glosario

El glosario te ayuda a entender el significado del vocabulario de Ciencias presentado en este libro. El número de la página al final de la definición te indica dónde aparece la palabra.

absorber Atraer y retener. (págs. 113, 360) *Algunos materiales absorben más luz que otros.*

adaptación Característica especial de un organismo para sobrevivir en su medioambiente. (pág. 32) *Las branquias de un pez son un ejemplo de adaptación.*

agallas Partes del cuerpo de los peces y otros animales que les permiten respirar en el agua. (pág. 104) *Las agallas toman el oxígeno del agua.*

alga Organismo minúsculo de una sola célula que usa agua, aire y luz solar para producir alimento. (pág. 102) *Las algas son organismos parecidos a las plantas que suelen estar en aguas poco profundas.*

alga marrón Tipo de alga que se agrupa. (pág. 103) *El alga marrón tiene grandes estructuras pardas en forma de hojas.*

analizar datos Usar información que ha sido reunida para responder una pregunta o resolver un problema. (pág. 11) *Podemos analizar datos para saber cómo cambian las horas del día en el año.*

anfibio Animal que pasa parte de su vida en el agua y parte en la tierra. (pág. 116) *Las ranas y las salamandras son anfibios.*

anotar datos Tomar nota de una observación de manera permanente, por ejemplo, escribiéndola. (pág. 11) *Cuando anotamos datos en un cuadro, organizamos nuestras observaciones.*

asteroide Fragmento espacial de roca y metal. (pág. 224) *Muchos asteroides orbitan alrededor del Sol.*

astrofísico Persona que estudia cómo interactúan los objetos en el universo. (pág. 244) *Un astrofísico explica cómo se mueven los planetas alrededor del Sol.*

astronauta Persona que viaja al espacio. (pág. 208) *Los astronautas viajaron a la Luna para estudiarla de cerca.*

átomo Partícula más pequeña de un elemento que mantiene sus propiedades. (pág. 276) *Los átomos son tan pequeños que no podemos verlos a simple vista.*

bioma Región de tierra o agua donde hay determinados seres vivos y objetos inanimados. (pág. 26) *Un bioma desértico es muy distinto a un bioma marino.*

biomasa Materia vegetal y desperdicios animales. (pág. 323) *La biomasa puede utilizarse como combustible para producir energía.*

bosque Bioma que tiene muchos árboles. (pág. 58) *Existen distintos tipos de bosques en diferentes partes del mundo.*

bosque templado Bioma de bosque con cuatro estaciones bien definidas. (pág. 59) *Hay bosques templados en América del Norte, Europa y Asia.*

bosque tropical Bioma de bosque húmedo y cálido que se encuentra cerca del ecuador. (pág. 58) *Hay más especies de organismos en los bosques tropicales que en cualquier otro bioma terrestre.*

caducifolio Tipo de bioma de bosque en el que hay muchos árboles que pierden sus hojas en el invierno. (pág. 61) *Arces, abedules y robles pueden hallarse en los bosques caducifolios.*

caloría Medida de la energía almacenada en una sustancia, como en los alimentos. (pág. 319) *Los alimentos pesados, como el helado y la masa frita, tienen muchas más calorías que otros alimentos.*

cambio físico Cambio de tamaño o forma de la materia que no altera su composición. (pág. 286) *Cuando se rompe un cubo de hielo en pedazos ocurre un cambio físico porque sigue siendo agua.*

cambio químico Cambio que produce la formación de un nuevo tipo de sustancia con propiedades distintas. (pág. 288) *Cuando se quema la comida, el cambio químico hace que cambie de sabor.*

camuflaje Adaptación que permite a un animal confundirse con su entorno. (pág. 42) *El camuflaje permite a un insecto confundirse con una hoja.*

carbono Uno de los elementos básicos de la materia. (pág. 275) *Todo organismo sobre la Tierra contiene carbono.*

ciclo lunar Secuencia completa de las fases de la Luna. (pág. 202) *El ciclo lunar dura unas cuatro semanas.*

cirujano Doctor que trabaja dentro del cuerpo para resolver problemas. (pág. 364) *Muchos cirujanos del ojo utilizan el rayo láser para corregir problemas de la vista.*

clasificar Agrupar cosas según las propiedades que tienen en común. (pág. 5) *La tabla periódica clasifica elementos que tienen las mismas propiedades.*

clima Tiempo promedio que suele haber en una región. (pág. 27) *La mayoría de las personas prefiere un clima cálido.*

combustible Fuente de energía almacenada. (pág. 318) *Los carros usan un combustible llamado gasolina para hacer funcionar sus motores.*

combustible fósil Fuente de energía proveniente de la descomposición de restos de plantas y animales. (pág. 324) *La gasolina es un derivado de un combustible fósil.*

cometa Cuerpo de hielo, roca y polvo que se mueve por el espacio. (pág. 224) *Un cometa puede tener una cola brillante.*

comparar Ver en qué se parecen y diferencian dos o más cosas. (pág. 34) *Podemos clasificar cosas después de compararlas.*

competencia Lucha entre organismos para obtener recursos. (pág. 132) *Hay una gran competencia por el agua en el desierto.*

comunicar Compartir información. (pág. 13) *Escribir nos ayuda a comunicar nuestras ideas a los demás.*

comunidad Conjunto de las distintas poblaciones de un ecosistema. (pág. 146) *Una comunidad rural puede incluir a personas, vacas y pastos.*

condensación Transformación de un gas en líquido. (pág. 268) *Cuando el vapor de agua del aire se condensa forma gotas de rocío.*

congelar Transformar un líquido en un sólido. (pág. 268) *Cuando se congela el agua se convierte en hielo.*

coníferas Clase de bosque templado que permanece verde todo el año. (pág. 61) *Los pinos, los abetos y las píceas crecen en los bosques de coníferas.*

constelación Grupo de estrellas que forman una figura o dibujo. (pág. 240) *La Osa Mayor es una constelación importante.*

contaminación Lo que ocurre cuando hay acumulación de sustancias dañinas en la tierra, el aire o el agua. (pág. 136) *La basura es un tipo de contaminación.*

coral Formaciones rocosas de colores creadas por determinados animales marinos. (pág. 101) *Los arrecifes de coral son algunos de los lugares más hermosos del océano.*

córnea Cubierta exterior transparente del ojo. (pág. 358) *Un lente de contacto se coloca sobre la córnea y ayuda a la visión.*

creciente En proceso de aumentar de tamaño. (pág. 200) *Una luna creciente pasa de media a llena.*

cristalino Parte del ojo que enfoca la luz y que se encuentra detrás de la pupila. (pág. 359) *El cristalino enfoca la luz que entra al ojo.*

cubierta de copas Parte de un bosque justo debajo de las ramas superiores de los árboles más altos. (pág. 60) *La mayoría de los animales del bosque tropical viven en la cubierta de copas porque allí encuentran luz solar y alimento.*

depredador Animal que caza a otros animales para alimentarse. (pág. 87) *Los tiburones son los depredadores más feroces del océano.*

desierto Región seca y cálida donde llueve muy poco. (pág. 38) *El desierto de Mojave es un desierto cálido.*

dilatar Extender. (pág. 305) *Al inflar un globo con aire el material se dilata.*

dinosaurio Especie extinta de grandes reptiles. (pág. 162) *La palabra dinosaurio deriva de dos palabras griegas que significan "terrible lagarto".*

eclipse lunar Período en el que la Luna entra en la sombra que proyecta la Tierra. (pág. 204) *La Luna puede parecer de color rojo oscuro durante un eclipse lunar total.*

ecosistema Todos los seres vivos y no vivos que interactúan en un medioambiente. (pág. 146) *El desierto y el bosque son ecosistemas diferentes.*

ecuador Línea imaginaria que divide la Tierra en los hemisferios norte y sur. (pág. 194) *La luz del sol da más directamente sobre la Tierra en el ecuador.*

eje Recta real o imaginaria que pasa por el centro de un objeto que gira. (pág. 184) *Los polos Norte y Sur geográficos son los extremos del eje de la Tierra.*

elemento Componente básico de la materia. (pág. 274) *El oxígeno, el carbono y el hierro son elementos.*

energía Capacidad para realizar un trabajo. (pág. 304) *La materia necesita energía para moverse, crecer o transformar su estado.*

energía calorífica Forma de energía que causa la elevación de la temperatura de las cosas. (pág. 306) *El Sol es la principal fuente de energía calorífica de la Tierra.*

energía cinética Energía debida al movimiento. (pág. 317) *Una hoja que cae tiene energía cinética.*

energía eléctrica Energía producida por el movimiento de partículas pequeñas llamadas electrones. (pág. 306) *Un foco usa energía eléctrica para producir luz.*

energía eólica Fuente de energía renovable que utiliza la energía del viento. (pág. 322) *Los molinos de viento son en realidad turbinas que pueden recoger la energía del viento y producir electricidad.*

energía hidroeléctrica Energía que se produce por el movimiento del agua. (pág. 322) *Muchas presas convierten la corriente de un río en energía hidroeléctrica.*

energía mecánica Energía de los objetos en movimiento. (pág. 306) *El agua que arrastra un río tiene energía mecánica.*

energía potencial Energía que se almacena dentro de la materia. (pág. 317) *Cuando dejamos caer un objeto, liberamos energía potencial.*

energía química Energía que almacena una sustancia. (pág. 306) *El cuerpo usa energía química almacenada en el azúcar y otros alimentos.*

energía renovable Energía que puede reemplazarse después de que se usa. (pág. 322) *La energía eólica es una fuente de energía renovable.*

energía solar Energía que viene del Sol. (pág. 308) *En la Tierra, vemos la energía solar en forma de luz y la sentimos como calor.*

energía sonora Ondas de energía creadas cuando un objeto vibra. (pág. 332) *Cuando golpeamos un tambor, nuestro oído responde a la energía sonora.*

esfera Cuerpo en forma de pelota o globo. (pág. 184) *La mayoría de los planetas son esferas.*

estado Categoría de la materia que tiene determinadas propiedades. (pág. 264) *Los tres estados de la materia son sólido, líquido y gaseoso.*

estrato arbustivo Región de un bosque entre la cubierta de copas y el suelo. (pág. 60) *Los leopardos, las ranas y muchos insectos viven en el estrato arbustivo del bosque tropical.*

estrato emergente Nivel más alto en un bioma de bosque. (pág. 60) *Las copas de los árboles más altos forman el estrato emergente del bosque tropical.*

estrato rasante Suelo de un bioma de bosque. (pág. 60) *Muy poca luz solar llega al estrato rasante.*

estrella Esfera brillante de gases calientes en el espacio. (pág. 220) *La estrella más cercana a la Tierra es el Sol.*

estrellas binarias Dos estrellas que actúan en pareja. (pág. 244) *Si una de las estrellas binarias se debilita, la otra puede absorberla.*

estructura Distribución y orden para un uso concreto. (pág. 29) *Los peces tienen estructuras llamadas branquias que les permiten respirar en el océano.*

evaporación Transformación del agua u otro líquido en gas. (pág. 267) *El agua se evapora y se transforma en gas bajo la luz directa del Sol.*

experimento Prueba para comprobar o refutar una hipótesis. (pág. 9) *La mayoría de los experimentos se diseñan y llevan a cabo de manera cuidadosa.*

extinto Se dice de un organismo que ha desaparecido de la Tierra. (pág. 154) *Los mamuts se extinguieron cuando un cambio climático los mató a todos.*

fase Estado temporal de los seres y objetos. (pág. 200) *La Luna tiene varias fases que se basan en su aspecto, como luna llena y luna nueva.*

fósil Resto o huella endurecida de un organismo. (pág. 156) *La mayoría de los fósiles están enterrados a mucha profundidad.*

fricción Fuerza que se produce cuando una superficie roza con otra. (pág. 307) *La fricción que se produce cuando frotamos nuestras manos las calienta.*

fundir Transformar un sólido en líquido. (pág. 266) *Cuando el hielo se funde se convierte en agua.*

galaxia Grupo muy grande de estrellas. (pág. 238) *Nuestra galaxia se llama la Vía Láctea.*

gas Estado de la materia en el que no tiene volumen ni forma definida. (pág. 265) *El aire que respiramos tiene gases como el oxígeno y dióxido de carbono.*

geotérmica Energía del interior de la Tierra. (pág. 322) *El vapor de un manantial caliente que mueve una turbina es un ejemplo de energía geotérmica.*

giboso Que tiene una joroba o abultamiento. (pág. 200) *Una luna gibosa puede estar creciendo para luna llena o menguando para luna nueva.*

grasa Capa gruesa de sebo que tienen los grandes mamíferos. (pág. 74) *La grasa de las ballenas las mantiene calientes en aguas frías.*

hábitat Lugar donde vive un organismo. (pág. 144) *Las ballenas viven en un hábitat marino.*

hibernar Dormir durante el invierno. (pág. 64) *Los osos hibernan en cuevas desde fines del otoño hasta la primavera.*

hipótesis Propuesta de afirmación o explicación que puede demostrarse para responder una pregunta. (pág. 7) *Un experimento puede ayudarnos a demostrar una hipótesis.*

horizonte Línea distante donde parecen juntarse la tierra y el cielo. (pág. 180) *El Sol se eleva sobre el horizonte oriental.*

humedal Medioambiente en el que el agua cubre el suelo durante la mayor parte del año. (pág. 112) *Las ciénagas, los pantanos y los tremedales son humedales.*

humus Materia vegetal o animal descompuesta que queda en el suelo. (pág. 27) *Cada capa de suelo tiene diferentes cantidades de roca y humus.*

imagen Figura reproducida por el reflejo de la luz. (pág. 351) *Un espejo nos muestra una imagen de nosotros mismos.*

inferir Obtener una idea con base en datos u observaciones. (pág. 7) *Los datos de un experimento pueden ayudarnos a inferir lo que sucedió.*

iris Círculo de color que está alrededor de la pupila del ojo. (pág. 358) *El iris cambia el tamaño de la pupila bajo distintas condiciones de luz.*

láser Instrumento que utiliza un haz de luz muy delgado. (págs. 364, 376) *Los doctores usan lásers para hacer cirugías.*

lente Pieza de material transparente que afecta la trayectoria de los rayos de luz. (págs. 230, 359) *Los lentes de un microscopio concentran la luz.*

líquido Estado de la materia que ocupa un espacio determinado pero no tiene una forma definida. (pág. 264) *En su estado líquido, el agua toma la forma del recipiente que la contiene.*

luna creciente Fase de la Luna en la que va aumentando su cara iluminada. (pág. 201) *Entre luna nueva y luna llena hay luna creciente.*

luz Forma de energía compuesta por ondas transversales. (pág. 348) *El color es energía lumínica que podemos ver.*

luz visible Franja de energía lumínica que podemos ver los seres humanos. (pág. 348) *La luz visible incluye todos los colores que podemos ver.*

mangle Tipo de árbol tropical que se encuentra en los pantanos. (pág. 118) *Las raíces del mangle dan refugio a los peces y camarones.*

marisma Tipo de suelo húmedo con plantas como pastos. (pág. 114) *En las marismas no hay árboles.*

masa Cantidad de materia que contiene un objeto. (pág. 262) *La masa casi siempre se mide en gramos.*

materia Cualquier sustancia que ocupa espacio. (pág. 262) *La Tierra está formada por todo tipo de materias.*

medioambiente Conjunto de elementos naturales que rodean a un organismo (pág. 26) *Las plantas necesitan un medioambiente en el que puedan obtener luz solar, agua, dióxido de carbono y otros nutrientes.*

medioambiente de agua dulce Organismos y componentes no vivos que existen en un lugar donde el agua no es salada. (pág. 91) *La mayoría de las lagunas y los ríos son medioambientes de agua dulce.*

medioambiente de agua salada Organismos y componentes no vivos que existen en un lugar donde el agua es salada. (pág. 91) *Los océanos y los mares son medioambientes de agua salada.*

medioambiente marino Otra forma de llamar a los medioambientes de agua salada. (pág. 91) *Las ballenas y los delfines viven en un medioambiente marino.*

medioambiente salobre Seres vivos y componentes no vivos que existen en un lugar con una mezcla de agua dulce y salada. (pág. 91) *Muchos animales marinos ponen sus huevos en un medioambiente salobre.*

medir Buscar la cantidad de algo: el volumen, el área, la masa, el peso, la temperatura o la duración. (pág. 5) *Cuando mides algo, obtienes datos e información.*

menguante En proceso de disminuir de tamaño. (pág. 200) *Una luna menguante pasa de llena a media.*

meteorito Un meteoro que cae en la Tierra. (pág. 224) *Algunos meteoritos hacen grandes agujeros cuando chocan con la Tierra.*

meteoro Trozo pequeño de hielo, roca o metal que formaba parte de un cometa o asteroide. (pág. 224) *La mayoría de las estrellas fugaces también son meteoros.*

método científico Procedimiento para saber cómo funciona algo mediante experimentos controlados. (pág. 13) *Podemos demostrar una hipótesis aplicando el método científico.*

mezcla Combinación de dos o más sustancias. (pág. 287) *Un refresco es una mezcla de azúcar, agua y otros ingredientes.*

microondas Forma de energía lumínica. (pág. 348) *La energía de las microondas puede utilizarse para cocinar los alimentos.*

microscopio Instrumento con lentes que permite ver cosas muy pequeñas. (pág. 397) *Puedes ver las células de las plantas con un microscopio.*

microscopio electrónico Instrumento que permite ver objetos muy pequeños (pág. 276) *Sólo podemos ver los átomos con un microscopio electrónico.*

migrar Ir de un lugar a otro. (pág. 76) *Algunas aves migran a nuevos hogares cada otoño y primavera.*

mimetismo Cuando un organismo imita las características de otro. (pág. 62) *Algunos insectos usan el mimetismo para parecerse a otros insectos y engañar a los depredadores.*

modelo Algo que representa un objeto o evento. (pág. 9) *Una pelota de goma puede servir como modelo para mostrar la rotación de un planeta.*

nocturno Activo durante la noche. (pág. 42) *Los animales nocturnos suelen dormir de día y cazar para alimentarse de noche.*

observar Usar uno o más sentidos para identificar o conocer algo. (pág. 5) *Llevamos a cabo un experimento para observar lo que sucede en una situación particular.*

océano Gran masa de agua salada. (pág. 101) *Tanto el Atlántico como el Pacífico son océanos.*

onda Alteración que atraviesa la materia o el espacio. (pág. 330) *Si agitas agua en un vaso, creas pequeñas ondas.*

onda de compresión Onda que se transmite con un movimiento constante de vaivén. (pág. 333) *Las ondas sonoras son ejemplos de ondas de compresión.*

ondas de radio Forma de energía lumínica invisible (pág. 348) *Las ondas de radio se usan para transmitir señales para teléfonos, radios y televisores.*

ondas de rayos X Forma invisible de la energía lumínica que puede atravesar los objetos. (pág. 349) *Las ondas de los rayos X se usan para tomar imágenes de los huesos dentro del cuerpo.*

ondas gama Forma invisible de luz con mucha energía. (pág. 349) *Las ondas gama se usan en las plantas de energía nuclear.*

ondas infrarrojas Forma de energía lumínica que sentimos en forma de calor. (pág. 348) *Se pueden utilizar instrumentos que detectan ondas infrarrojas para "ver" en la oscuridad.*

ondas transversales Ondas que se mueven hacia arriba y hacia abajo. (pág. 331) *La luz está formada por ondas transversales.*

ondas ultravioleta Forma invisible de la luz que puede causar una reacción en la piel. (pág. 349) *El bronceado y las quemaduras de sol son causadas por las ondas ultravioletas que vienen del Sol.*

opaco Que no permite el paso de la luz. (pág. 370) *Una hoja de cartulina gruesa es opaca.*

órbita Trayectoria de un objeto que gira en torno a otro. (pág. 190) *La órbita de la Tierra alrededor del Sol tarda 365 días.*

ornitólogo Científico que estudia las aves. (pág. 54) *Un ornitólogo suele anotar las rutas de vuelo de las aves.*

oxígeno Gas común que está en el aire y el agua, y que muchos animales necesitan para sobrevivir. (pág. 102) *Cuando respiramos, nuestro cuerpo absorbe oxígeno.*

pantano Tierra pantanosa con muchos árboles o arbustos. (pág. 114) *Los cipreses y los sauces crecen bien en los pantanos.*

pastizal natural Bioma cubierto de pasto. (pág. 48) *Los pastizales naturales proveen gran cantidad de alimento a muchos animales.*

permafrost Capa de suelo que está permanentemente congelada. (pág. 71) *La mayor parte del permafrost se encuentra en las regiones ártica y antártica.*

planeta Gran esfera que orbita alrededor de una estrella en el espacio. (pág. 220) *Nuestro planeta gira alrededor del Sol.*

planetas externos Los cuatro planetas más alejados del Sol. (pág. 222) *Júpiter, Saturno, Urano y Neptuno son los planetas externos.*

planetas internos Los cuatro más próximos al Sol. (pág. 222) *Mercurio, Venus, la Tierra y Marte son los planetas internos.*

población Conjunto formado por todos los miembros de un solo tipo de organismo que viven en un ecosistema. (pág. 146) *La población puede disminuir si se agotan los recursos de una zona.*

pradera Llanura de zona templada. (pág. 49) *Las praderas tienen un suelo rico en humus.*

predecir Decir los resultados probables de un suceso o experimento. (pág. 9) *Quizá podamos predecir el tiempo si miramos a las nubes en el cielo.*

presa Animal cazado por otro animal para alimentarse. (pág. 106) *El ratón es presa del halcón.*

prisma Lente especial que puede descomponer la luz en muchas partes y colores. (págs. 344, 360) *Algunos telescopios utilizan prismas para alterar la luz que entra en ellos.*

profundidad Distancia hacia la superficie. (pág. 92) *La temperatura del agua del océano se vuelve más fría cuanto mayor es la profundidad.*

propiedad Característica de una cosa que puede observarse y medirse. (pág. 263) *El tamaño, el color y el estado son propiedades de la materia.*

pupila Abertura central del ojo. (pág. 358) *La pupila aumenta de tamaño en la obscuridad para permitir que entre más luz al ojo.*

raíz de sostén Parte que sostiene o refuerza. (pág. 60) *Algunos árboles tienen estructuras especiales en la raíz llamadas raíz de sostén que se desprenden del tronco y lo sostienen.*

reciclar Transformar una cosa vieja en algo nuevo. (pág. 136) *El papel se puede reciclar de muchas maneras, incluyendo la de hacer más papel.*

reducir Usar menos de alguna cosa. (pág. 136) *Cuando reducimos la cantidad de servilletas que usamos durante la comida, conservamos los recursos para fabricar papel.*

reflejo Luz que rebota en un objeto. (pág. 350) *Nuestro reflejo en un espejo es luz que rebota.*

refugio Lugar u objeto que protege a un animal y lo mantiene a salvo. (pág. 30) *Durante una tormenta, podríamos buscar refugio debajo de un árbol.*

reloj de sol Instrumento que usa la sombra de una aguja para mostrar la hora. (págs. 373, 377) *La sombra de una aguja sobre un reloj de sol es más corta cerca del mediodía.*

reutilizar Volver a usar. (pág. 136) *Cuando volvemos a llenar una botella de agua durante una excursión, estamos reutilizando la botella.*

rocío Vapor de agua que se ha condensado en forma líquida sobre un objeto frío. (pág. 268) *Pequeñas gotas de rocío suelen aparecer durante la noche a medida que el aire húmedo se enfría.*

rotar Dar vueltas. (pág. 182) *La Tierra rota de oeste a este. Cada rotación completa tarda 24 horas.*

sabana Pastizal natural tropical. (pág. 49) *La llanura del Serengeti en África es una sabana.*

sacar conclusiones Llegar a respuestas posibles con base en la información recopilada. (pág. 13) *Después de analizar los datos de un experimento, puedes sacar conclusiones sobre lo que observaste.*

secuoya Especie de árbol enorme que crece en California. (pág. 23) *A los secuoyas también se les dice secoyas.*

sistema solar El Sol y los objetos que orbitan a su alrededor. (pág. 220) *Nuestro sistema solar está en la galaxia de la Vía Láctea.*

sólido Materia que tiene una forma definida y ocupa un espacio y volumen determinado. (pág. 264) *Para medir un sólido podemos usar metros o litros.*

sombra Zona oscura que se produce al bloquear los rayos de luz. (págs. 181, 370) *Si le damos la espalda al Sol, nuestra sombra aparecerá frente a nosotros.*

suelo Mezcla de partículas minerales y material orgánico descompuesto. (pág. 27) *Cada bioma tiene un determinado tipo de suelo.*

tabla periódica Tabla que muestra todos los elementos conocidos y sus propiedades. (pág. 278) *En la tabla periódica agrupamos y clasificamos los elementos.*

telescopio Instrumento que permite ver objetos a gran distancia. (pág. 230) *El telescopio Hubble nos permite ver con mayor claridad los planetas y las estrellas.*

templado Poco o nada extremoso. (pág. 49) *Un medioambiente templado tiene un clima suave y cuatro estaciones.*

tentáculo Estructura larga y delgada en forma de brazo. (pág. 98) *Las medusas usan sus tentáculos para atrapar su alimento.*

translúcido Material que absorbe una parte de la energía lumínica, pero permite que pase otra parte. (pág. 374) *El vidrio de colores es un material translúcido.*

transparente Material que no absorbe ni refleja mucha energía lumínica. (pág. 374) *Una ventana de vidrio es transparente.*

traslación Movimiento de la Tierra alrededor del Sol. (pág. 190) *La Tierra gira alrededor del Sol en una trayectoria permanente.*

tremedal Tierra pantanosa de agua dulce llena de musgo y suelo fértil. (pág. 114) *En los tremedales el suelo suele ser húmedo y esponjoso.*

tropical Que viene de una región cercana al ecuador con temperaturas cálidas durante todo el año. (pág. 49) *Los peces tropicales viven en un medioambiente marino cálido.*

tundra ártica Bioma frío sobre el Círculo Polar Ártico. (pág. 70) *En la tundra ártica los inviernos son largos y oscuros.*

turbina Máquina que gira y produce energía. (pág. 322) *Una turbina simple parece un ventilador eléctrico que se mueve cuando el vapor, el agua o el aire empujan los álabes.*

volumen Cantidad de espacio que ocupa una cosa. (pág. 264) *El volumen suele medirse en litros o metros cúbicos.*

vapor de agua Agua en estado de gas. (pág. 267) *El vapor de agua en el aire no se ve.*

variable Algo que puede modificarse o controlarse. (pág. 9) *En un experimento de cultivo de plantas, las cantidades de luz y agua que ponemos son variables.*

vejiga gaseosa Estructura en forma de globo en plantas y animales que retiene gases. (pág. 103) *El alga marrón tiene vejigas gaseosas que le permiten flotar.*

vibrar Moverse rápidamente hacia adelante y hacia atrás. (pág. 332) *Una cuerda de guitarra vibra cuando la jalamos y la soltamos.*

Índice

*Indica una actividad relacionada con este tema.

*Indica una actividad relacionada con este tema.

*Indica una actividad relacionada con este tema.

*Indica una actividad relacionada con este tema.

*Indica una actividad relacionada con este tema.

*Indica una actividad relacionada con este tema.

*Indica una actividad relacionada con este tema.

*Indica una actividad relacionada con este tema.

Credits

Photo Researchers, Inc. 280: Photo by Denis Finnin. Copyright American Museum of Natural History. 280-281: NOAO / AURA / NSF / Photo Researchers, Inc. 282: Royalty-Free/Corbis. 283: Andrew Syred/Photo Researchers, Inc. 284-285: (bkgd) BananaStock/Punchstock; (inset) Richard Ransier/Index Stock/ Alamy. 286-287: LMR Group/Alamy. 287: (l) John Hartman/Stock Connection Distribution/Alamy; (tr) C Squared Studios/Getty Images; (br) Macduff Everton/CORBIS. 288: (t) D. Hurst/Alamy; (c) Design Pics/age footstock; (b) D. Hurst/Alamy. 289: (l) Lew Robertson/FoodPix/Getty Images; (c) Madeline Polss/Envision; (r) Ian O'Leary/DK Images. 290: (t) PhotoLink/Getty Images; (c) John T. Fowler/Alamy. 291: (t) John Hartman/Stock Connection Distribution/Alamy; (c) Design Pics/age footstock; (b) PhotoLink/ Getty Images. 294: (t) David Wall/Alamy; (c) Robert Slade/ Alamy; (b) BananaStock/Punchstock; (inset) Richard Ransier/ Index Stock/Alamy. 295: (t) Design Pics/age footstock; (b) Royalty-Free/Corbis. 296: (tl) D. Hurst/Alamy; (tr) V&A Images/ Alamy; (c) Mauritius/age footstock; (b) Royalty-free/Corbis. 298-299: Terje Rakke/The Image Bannk/Getty Images. 299: (t) Peter Gridley/Stock Connection Distribution/Alamy; (c) Mike Dobel/ Alamy; (b) Matthias Breiter/Minden Pictures. 300-301: Brian Lawrence/ImageState/Alamy. 302-303: Peter Gridley/Stock Connection Distribution/Alamy. 304-305: age fotostock/ SuperStock. 306: (t) TPH/allOver photography/Alamy; (tc) James Schnepf/The Image Bank/Getty Images; (b) Peter Brogden/ Alamy; (bc) Tomas del Amo/Alamy. 308: Tom Brakefield/Stock Connection Blue/Alamy. 309: (t) blickwinkel/Alamy; (b) Masterfile (Royalty-Free Div.). 310: (t) Alaska Stock LLC/Alamy; (b) Martin Hanke/Bildagentur Franz Waldhaeusl/Alamy. 311: (t) age fotostock/SuperStock; (c) TPH/allOver photography/Alamy; (b) Tom Brakefield/Stock Connection Blue/Alamy. 312: Neil McAllister/Alamy. 314-315: Mike Dobel/Alamy. 316: ImageState Royalty Free/Alamy. 317: (t) Photodisc/Getty Images; (b) Jim Olive/Peter Arnold, Inc./Alamy. 318: Kelly Redinger/Design Pics Inc./Alamy. 319: Brian Pieters/Masterfile. 320: (t) Paul Barton/ Corbis; (b) SuperStock. 321: (tl) Jim Olive/Peter Arnold, Inc./Alamy; (cl) Kelly Redinger/Design Pics Inc./Alamy; (bl) Paul Barton/Corbis. 322: (bl) Wisconsin Historical Society; (br) Klaus Guldbrandsen / Photo Researchers, Inc. 322-323: Cristina Pedrazzini / Photo Researchers, Inc. 323: (bl) Tommaso Guicciardini/Photo Researchers, Inc.; (br) Warren Gretz/NREL/US Department of Energy/Science Photo Library. 324: (t) BananaStock/PunchStock; (bl) Dave Mager/IndexStock; (br) Jose Carillo/PhotoEdit Inc. 325: Royalty-Free/Corbis. 326-327: Matthias Breiter/Minden Pictures. 328-329: Alan Thornton/ Stone/Getty Images. 329: (l) BananaStock/Alamy; (b) Comstock Images/Alamy. 330-331: Surfpix/Alamy. 332: David Gregs/Alamy. 333: sciencephotos/Alamy. 334: (t) Steve Allen/Brand X Pictures/Alamy; (c) Steve Allen/Brand X Pictures/Alamy; (b) B.A.E. Inc./Alamy. 335: (t) Surfpix/Alamy; (b) Steve Allen/Brand

X Pictures/Alamy. 338: (t) Peter Gridley/Stock Connection Distribution/Alamy; (c) Mike Dobel/Alalmy; (b) Matthias Breiter/ Minden Pictures. 339: (tl) Alaska Stock LLC/Alamy; (bl) ImageState Royalty Free / Alamy; (tr) Kelly Redinger/Design Pics Inc./Alamy; (br) Terje Rakke/The Image Bank/Getty Images 340: (l) Getty Images; (tr) TPH/allOver photography/Alamy; (cr) Alan Thornton/Stone/Getty Images; (br) Tomas del Amo/Alamy. 342-333: Jesus Rodriguez /Alamy. 343: (t) Ben Hays/Alamy; (c) Ilja Hulinsky/Alamy; (b) Bo Zanders/Corbis. 344-345: David Young-Wolff /Alamy. 346-347: Ben Hays/Alamy. 348: (l) G. P. Bowater/ Alamy; (c) Eric Kamp/Index Stock; (r) Ted Kinsman/Photo Researchers, Inc. 349: (l) Park Street/PhoRuss Widstrand/Alamy; (r) ImageState/Alamy. 350: (t) Terry Oakley/Alamy; (b) Yoav Levy / Phototake. 350-351: Andrew Lambert/Leslie Garland Picture Library/Alamy; (b) Richard Hutchings/PhotoEdit Inc. 352: David Muench/CORBIS. 353: (t) Russ Widstrand/Alamy; (c) Andrew Lambert/Leslie Garland Picture Library/Alamy; (b) Yoav Levy/Phototake. 354: Chad Ehlers/Stock Connection Distribution/Alamy. 356-357: Ilja Hulinsky/Alamy. 359: PhotoStockFile/Alamy. 360: Alfred Pasieka/Photo Researchers, Inc. 360-361: David Olsen/Photo Resource Hawaii/Alamy. 361: (l) David Fischer/Photodisc Red/Getty Images; (r) Lisa Barber/ Photonica/Getty Images. 362: C Squared Studios/Getty Images. 363: (t) David Fischer/Photodisc Red/Getty Images; (c) David Olsen/Photo Resource Hawaii/Alamy; (b) C Squared Studios/ Getty Images. 364: Rich LaSalle/Getty Images. 364-365: Kurt Coste/Getty Images. 368-369: Bo Zanders/Corbis. 370: Jim Cummins/Taxi/Getty Images. 371: (t) David Keaton/Corbis; (b) Michael Keller/Index Stock. 372: (t) Stockbyte/PictureQuest; (b) Liane Cary/AGE footstock. 373: Ingram Publishing/Alamy. 374: Susan Van Etten/PhotoEdit Inc. 375: (t) Michael Keller/Index Stock; (c) Liane Cary/AGE footstock; (b) Susan Van Etten/ PhotoEdit Inc. 376: Yoav Levy/Phototake Inc./Alamy. 377: Anthony Dunn/Alamy. 378: (t) Ben Hays/Alamy; (c) Ilja Hulinsky/ Alamy; (b) Bo Zanders/Corbis. 379: (l) PhotoStockFile/Alamy; (b) Jesus Rodriguez /Alamy. 380: (t) Michael Keller/Index Stock; (tc) Susan Van Etten/PhotoEdit Inc. ; (bc) C Squared Studios/ Getty Images; (b) Lisa Barber/Photonica/Getty Images. 382-383: Richard T. Nowitz / Photo Researchers, Inc. 383: (t) George Grall/ National Geographic/Getty Images; (r) Hans Reinhard/Bruce Coleman Inc. 384: (t) Adam Woolfitt/Corbis; (b) Michael Newman/PhotoEdit. 388: (l) David Young-Wolff / Photo Edit; (t) Randy Faris/Corbis; (c) 1996 PhotoDisc, Inc./Getty Images. 389: (l) Getty Images; (r) BananaStock/PunchStock. 390: Comstock Images/Alamy. 391: (l) Creatas/PunchStock; (b) Amos Morgan/ Getty Images. 393: Stockbyte/PunchStock. 394: Rim Light/ PhotoLink/Getty Images. 397: (l) image100 Ltd; (r) Getty Images. 398: TRBfoto/Getty Images. 398-399: Tony Watson/Alamy. 400-401: (c) Stockbyte/PunchStock; (b) Siede Preis/Getty Images.

Acknowledgments